Anton Ehrenzweig

L'ordre caché de l'art

Essai sur la psychologie
de l'imagination artistique

TRADUIT DE L'ANGLAIS
PAR FRANCINE LACOUE-LABARTHE
ET CLAIRE NANCY

PRÉFACE
DE JEAN-FRANÇOIS LYOTARD

Gallimard

*Cet ouvrage a initialement paru
dans « Connaissance de l'Inconscient » en 1974.*

A ma femme.

NOTE DES ÉDITEURS ANGLAIS

Au moment de sa mort, l'auteur nous avait confié pour impression le manuscrit de ce livre, les illustrations et les légendes. Il n'avait pas rédigé les remerciements qu'il souhaitait adresser personnellement aux artistes qui ont autorisé la reproduction de leurs œuvres dans son ouvrage et remis photographies et renseignements à leur sujet :

Maurice Agis et Peter Jones, David Barton, Richard Hamilton, Peter Hobbs, Henry Moore, Eduardo Paolozzi, Bridget Riley, Feliks Topolski et Fritz Wotruba.

Les Éditeurs — qui leur ont une dette toute particulière — remercient Mme Ehrenzweig, Mlle Anna Kallin et Mme Marion Milner, qui a lu les épreuves.

PAR-DELÀ LA REPRÉSENTATION

En se rendant accessible aux lecteurs francophones [1]*, le livre d'Ehrenzweig, son second et dernier, vient rencontrer un milieu sensibilisé à une certaine crise de la psychanalyse. Il ne s'agit pas d'une mode, mais d'une interrogation fortement investie, d'une inquiétude, portant sur quelques-unes des catégories de la théorie et de la pratique psychanalytiques. Ce livre, loin de répondre à ces questions, ne peut que les ouvrir davantage, les déplacer, en poser de nouvelles, donc amplifier l'ébranlement. C'est pour l'y provoquer que l'on choisit d'en présenter d'abord un contenu central, mais peu développé, la critique de la notion de « psychanalyse appliquée ». Ehrenzweig n'a jamais défini lui-même de cette façon l'axe de son travail ; ce n'est pas par oubli ou par méprise sur le sens de celui-ci, mais plutôt par excès : il pressentait que le critiqué retient et dévore le critiquant, comme Sodome pétrifie la femme de Loth, et qu'il est plus important d'affirmer ce qui se passe que de nier que ça se passe comme le disent ou disaient les autres. Point de vue artiste. Courons pourtant un instant le risque d'être disgracieux.*

Aux yeux de l'épistémologue, la notion d'application incluse dans une expression comme « psychanalyse appliquée » est simplement inconsistante. Elle impliquerait qu'un ensemble théorique plus ou moins formalisé puisse être appliqué

---

[1]. Dans une traduction de Francine Lacoue-Labarthe et Claire Nancy deux fois remarquable, car la langue d'Ehrenzweig est ici, par elle-même, difficile, et l'auteur n'avait pas fini de revoir son texte quand il est mort.

*sans modification à un corpus, ou domaine d'interprétation
(ici celui des œuvres d'art), autre que celui sur lequel il a été
construit (l'ensemble des symptômes psychonévrotiques et des
phénomènes psychiques paranormaux). Si tel était vraiment
le cas, les deux domaines seraient confondus ; s'ils ne le sont
pas, la prétendue application requiert des modifications de
l'ensemble théorique telles, si minimes soient-elles, que ce
dernier devient de droit complètement différent de ce qu'il
était dans son « état » premier.*

*Pourtant si Freud, ses collaborateurs et successeurs n'ont
pas hésité à « appliquer la psychanalyse » aux œuvres, c'est
qu'à défaut de raison, il devait y avoir de puissants motifs
pulsionnels à une telle confusion. Négligeons ici la passion
impérialiste des chercheurs de la nouvelle méthode ou des nan-
tis de l'institution établie, qui pousse les uns et les autres (mais
quelle différence entre un Reik et un Schneider!) à annexer
le champ artistique à celui des symptômes, à s'arroger le
privilège léonin de diagnostiquer les processus de production
des œuvres, quand ce n'est pas les œuvres, voire les artistes
eux-mêmes. Chez Freud (ou chez Reik), il s'agit d'autre
chose, au moins de ce que Jean Starobinski naguère a bien
montré : l'infiltration de la pensée clinique et de la pensée de
la clinique, par des thèmes dramaturgiques issus de la tragédie grecque et élisabéthaine, nommément d'*Œdipe roi *et
de *Hamlet, — thèmes qui viennent façonner, de façon non
thématique, mais plutôt comme des schèmes opératoires, les
idées capitales de relation du moi avec le désir (triangle
œdipien refoulé dans *Hamlet*) et de fonction thérapeutique
(catharsis). Une telle compénétration fait déjà problème en
ce que le privilège opératoire accordé à ces thèmes laisse indéterminée la *portée *qu'il est légitime de leur accorder ; et
pourtant il ne s'agit encore que de thèmes littéraires. Il faut
aller plus loin et comprendre que la créance accordée de fait
par Freud aux *livrets sophocléen et shakespearien s'adresse
d'abord à un lieu où ces dramaturgies se *représentent, le
lieu théâtral, et à la scénographie constitutive de ce lieu.*

*On a déjà noté le privilège dont le théâtre bénéficie, auprès des
autres arts, dans la pensée et la pratique freudiennes. Freud non
seulement le reconnaît, mais a une fois au moins fait mine de
le justifier : dans un petit texte de 1905-1906 intitulé « Person-
nages psychopathiques au théâtre », il suggère une genèse de*

la psychanalyse ordonnée à la question de la culpabilité et du paiement de la dette ; le sacrifice destiné à apaiser le divin, qu'irrite la révolte des hommes, en constituerait la formation mère ; la tragédie grecque, elle-même issue du sacrifice du bouc — comme le croit Freud —, engendrerait le drame socio-politique, puis individuel (psychologique), dont la psychopathologie et, nous l'ajoutons, la psychanalyse seraient à leur tour les rejetons. Cette généalogie ne fait pas seulement apercevoir que la relation analytique est agencée comme un sacrifice rituel, elle suggère l'identité des espaces où a lieu l'opération d'acquittement : temple, théâtre, chambre politique, cabinet, espaces déréels, *comme disent* Laplanche *et* Pontalis, *espaces circonscrits et soustraits aux lois de ladite réalité, où le désir peut se jouer dans toute son ambivalence, régions où se substituent aux « choses mêmes » du désir des* simulacres *tolérés, lesquels sont supposés n'être pas des fictions, mais d'authentiques productions libidinales simplement soustraites aux censures réalistes. L'analogie récurrente faite entre la « création artistique » et le rêve ou le fantasme, comme dans* Der Dichter und das Phantasieren *(1908) va dans le même sens ; elle a beau être minimisée par l'affirmation que la psychanalyse n'a pas qualité pour percer le secret de la création elle-même, on voit bien que le traitement infligé à* La Sainte Anne *de* Léonard de Vinci, *par exemple, est en tous points identique à celui qui vient travailler le récit d'un rêve apporté sur le divan.*

Du rêve ou du fantasme à l'œuvre, Freud, dira-t-on, a pourtant toujours ménagé un écart, suffisant, croyait-il, pour assurer entre la position de celle-ci et de ceux-là une différence qualitative, où prend place la prime de séduction : les propriétés purement formelles de l'œuvre auraient pour fonction spécifique de faire tomber avant coup la censure portant sur le contenu. Ehrenzweig *écrivait dans* The Psycho-analysis of Artistic Vision and Hearing *que la meilleure analyse de l'œuvre d'art faite par Freud se trouve dans* Le Mot d'esprit, *en ce que c'est la seule qui s'attache au processus formel de la production de l'objet, en l'occurrence du mot d'esprit ; néanmoins, ajoutait-il, le plaisir donné par la forme n'anticipe pas en le permettant celui du contenu, mais il le suit ou l'accompagne. Ce déplacement n'est pas minime, il implique, entre autres, que cette prime n'opère pas comme l'acquitte-*

ment d'un droit d'entrer dans l'espace déréel de la libido et d'y trouver libre plaisir. Surtout il entraîne un déplacement correspondant portant sur la fonction de la forme : elle n'est plus essentiellement, pour ne pas dire exclusivement, celle que Freud lui reconnaît, d'anesthésier les censures préconscientes (la prime de séduction n'opère pas autrement, dans la thèse freudienne, que le sommeil *dans la théorie du rêve qui lui aussi a fonction d'abaisser les défenses, et avec lequel conspire aussi toute l'élaboration secondaire), ce qui doit permettre d'étendre l'ensemble formé par les œuvres d'art jusqu'à des objets dont l'organisation formelle n'est pas nécessairement harmonieuse, pas respectueuse des supposées exigences du processus secondaire, et qui loin d'endormir la censure peuvent la scandaliser. Or on sait combien borné au classicisme, voire à l'académisme le plus étroit, est le corpus esthétique sur lequel s'appuie Freud, surtout dans les arts non littéraires, et comme ce Viennois a pu ignorer toute la production musicale de l'école de Schoenberg, et ce moderniste en matière de psychopathologie toute la peinture moderne dont il a pourtant été le contemporain.*

Cette confiance dans la fonction hypnotique de la forme artistique a fait que la psychanalyse appliquée a le plus souvent négligé le choix ou l'organisation, consciente ou inconsciente, des constituants formels des œuvres, alors que ce n'est un secret pour personne que c'est là, bien plutôt que dans leur « sujet » *(quand il y en a un), que se porte le travail artistique. La méthode d'attention également flottante aurait dû pourtant y conduire, comme on en a un exemple dans l'approche par Freud du* Moïse *de* Michel-Ange *; mais elle ne sert le plus souvent, et même là, que d'entrée, et fait bientôt place à un usage beaucoup plus rassurant, tout à fait réducteur, sorte de* lecture des affects *pour ainsi dire à laquelle l'indice minime relevé au début n'a servi que de déclencheur. On tombe alors, ou l'on risque de tomber, dans une procédure qui, si elle n'est pas aussi grossière que l'application aux œuvres d'un code préfabriqué de symboles (sexuels, allons-y), n'est jamais beaucoup plus fine que l'analyse sémiotique, laquelle se remarque aussi par l'étroitesse de son corpus et son impuissance à éprouver et repérer les effets de l'énergétique des constituants formels. Dans le nihilisme méthodologique qui transforme les choses de langage, de peinture ou de musique en signes ou* *groupes de signes* valant à la place *d'autre chose et qui traite donc toujours le matériau et son organisation comme un* écran à transpercer, *on retrouve le même préjugé de la fonction substitutive, voire vicariante des œuvres : elles ne sont jamais là qu'à la place d'un objet qui y manque, selon la formule reçue, et* parce qu'*il y manque.*

Une économique libidinale des œuvres (mais faudra-t-il même continuer à parler d'œuvres alors?) aurait pour présupposé essentiel leur affirmativité : elles ne sont à la place de rien, elles valent, c'est-à-dire elles opèrent, par leur matériau et son agencement, leur sujet n'est lui-même qu'une organisation formelle possible, non nécessaire, il ne recèle aucun contenu, aucun secret libidinal de l'œuvre, la puissance de celle-ci réside entièrement en surface, il n'y a que de la surface. Freud, pour sa part, a bien formulé dans Jenseits *le projet d'une esthétique économique :* « ... ces cas et ces situations qui ont un gain de plaisir comme issue finale pourraient faire l'objet d'une esthétique d'orientation économique [1] » ; *mais ce n'est pas un hasard si, au lieu d'appeler les considérations affirmatives qui s'imposaient, cet énoncé est immédiatement associé à la célèbre analyse du jeu* fort-da *de l'enfant. Du point de vue qui nous intéresse, cette dernière est un échec complet, elle atteste la puissance récurrente du dispositif théâtral dans l'inconscient épistémologique de Freud ; elle n'aurait pas dû être moins que la déduction (peut-être impossible, mais à tenter) du lieu théâtral à partir de l'économique des pulsions, elle aurait dû répondre à la question : comment la surface libidinale balayée par Éros et les pulsions de mort donne-t-elle forme au lieu volumineux, à la division salle/scène ou réalité/leurre, à l'illusion tridimensionnelle? Comment la pellicule monoface où se déplacent les pulsions en procès primaires (lesquels, Freud nous l'a enseigné, ignorent toute limite, toute négation) en vient-elle à s'invaginer en un espace de disjonction unissant un intérieur et un extérieur, c'est-à-dire en un espace à la fois conceptuel et représentatif?*

Pour Freud, il est clair que la bobine est quelque chose comme une œuvre précisément parce qu'elle est un signe, qu'elle remplace autre chose, la mère, pour quelqu'un, l'enfant. Mais pour l'économiste libidinal, cette fonction de simulacre

---

1. *Par-delà le principe de plaisir*, fin du § II.

n'a aucune pertinence ; elle présuppose ce qu'il faut essayer d'engendrer théoriquement, la négativité. Dire que l'enfant joue sa souffrance, la douleur qui vient de l'absence de sa mère, c'est se donner tout d'un coup toutes les composantes de l'espace théâtral : un sujet-spectateur (l'enfant pour lui-même), un objet-signe (la bobine), une mémoire (la présence d'une absence), une finalité (la catharsis), bref c'est se rendre immédiatement aux injonctions de l'ordre représentatif (qui est secondaire), sans se laisser inquiéter un instant par le principe qu'on a pourtant soi-même génialement posé : s'il est vrai que les processus primaires ne connaissent pas la négation, il n'y a pas, dans l'ordre pulsionnel, et il n'y aura jamais, d'absence de la mère, ni davantage de mère (en tant qu'objet absent), et il n'y aura jamais non plus personne pour en souffrir. Le plaisir et la douleur, la jouissance, exigent alors d'être conçus de façon purement affirmative sans recours à la facilité épistémologique du manque, qui est une concession majeure à la théologie judéo-platonicienne. C'est dire, entre autres, qu'il faut statuer à nouveaux frais sur la position et la fonction des représentants-représentation (Vorstellungsrepräsentanz) quant aux pulsions : non pas substituts masquant les objets ou les buts pulsionnels, mais investissements de l'énergétique libidinale sur les surfaces du dicible et du visible, elles-mêmes parties de l'interminable et anonyme pellicule pulsionnelle.

★

Les œuvres alors ne seront pas traitées comme des simulacres ; on ne distinguera pas entre leur forme et leur contenu libidinal, on comprendra que leur puissance jouissive tient tout entière dans le travail formel qui les produit en amont et dans les travaux de toute nature qu'elles suscitent en aval ; on cessera de les placer dans l'espace réservé de la déréalité, que les artistes nomment plus justement ghetto culturel, on leur accordera même réalité qu'à ladite réalité et même sérieux qu'à..., disons : qu'au discours analytique par exemple. Les rapports de ce discours avec le champ artistique seront bouleversés : non pas renversés de manière à assurer on ne sait quelle revanche de l'art sur l'analyse, mais déplacés de façon que le départage entre ce qui relèverait de la vérité d'une part, et ce qui de l'autre appartiendrait au beau ou au plaisir (même désintéressé) tombe, et qu'il apparaisse que partout, ici comme là, c'est à des métamorphoses de l'énergie libidinale et à des dispositifs réglant ces métamorphoses qu'on a affaire sans qu'aucun privilège de profondeur puisse être accordé à aucune d'elles ni à aucun d'eux, tous étant pareillement de surface. Comprendre ne sera plus établir un contenu libidinal ultime, serait-il l'angoisse d'un manque (l'effet du signifiant zéro), mais déterminer, dans sa complexité et sa délicatesse vaines, le dispositif par lequel les énergies pulsionnelles sont canalisées, bloquées, libérées, épuisées ou stockées, en somme conduites aux intensités extrêmes: ce qui est vrai au même titre de ce dispositif qu'est la relation analytique elle-même et de celui qui commande une toile hyperréaliste ou une pièce musicale obéissant au principe sériel généralisé.

Les travaux d'Ehrenzweig constituent des contributions décisives à une telle esthétique économique libidinale. Relevons-en quelques aspects. Il convient de donner toute sa portée à l'affirmation initiale, mais répétée et déjà prévalente dans The Psycho-analysis of Artistic Vision and Hearing, *que les processus primaires ne sont pas chaotiques, désordonnés, que c'est seulement leur rencontre avec la rigidité des organisations secondaires qui produit sur celles-ci un effet de désorganisation, et que l'opération primaire par excellence est le* scanning, *le libre balayage. Freud a souvent indiqué, tout en les déclarant hors de portée de toute description directe, les traits caractéristiques des processus primaires: pas de négation, pas de modalisation, pas de liaison logique, pas de distribution temporelle; donc inarticulation du monde pulsionnel, qui oppose à la saisie discursive son opacité [1], sa latéralité « égyptienne » [2], sa contemporanéité à soi [3], et sa paratopie [4]. Mais chez Freud ces rappels en forme de métaphores ont surtout valeur de mise en garde méthodologique, ils indiquent l'impuissance des organisations les plus élémentaires de la pensée devant l'espace-temps pulsionnel et visent donc à*

---

1. *Nouvelles conférences sur la psychanalyse*, IIIe conférence, Paris, Gallimard, 1936, p. 103.
2. Extrait de l'histoire d'une névrose infantile (« l'Homme aux loups »), *Cinq psychanalyses*, Paris, P.U.F., 1967, p. 418.
3. Pulsions et destins des pulsions, *Métapsychologie*, Paris, Gallimard, 1968, pp. 30-32.
4. *Malaise dans la civilisation*, Paris, P.U.F., 1971, pp. 12-14

justifier des procédures aussi paradoxales que l'écoute de surface, l'attention également flottante, l'approche par la singularité et par la libre association, et plus généralement à encourager chez l'analyste une sorte de maintien passif à l'égard du matériel apporté par l'analysé, — passivité qui n'est pas du tout exclusive, comme on le voit dans la pratique de Freud, de l'interventionnisme le plus téméraire, mais qu'il faudrait assimiler à celle dont Keats fait l'éloge dans une lettre célèbre sur le poète-caméléon.

Ehrenzweig décrit positivement les processus primaires comme syncrétiques, « balayeurs », totaux et dédifférenciés, tandis que les organisations articulées secondaires, qui ne sont pas seulement les concepts de l'entendement pour parler comme Kant, mais les formes mêmes de la sensibilité, exigent à l'inverse analyse et focalisation sur le détail, fragmentation, différenciation du matériel. Dans un travail antérieur, il avait donné une bonne approximation de ce que peut être la perception inconsciente, la saisie périphérique du champ qui enveloppe le foyer visuel; s'appuyant sur des recherches de Monks touchant la fixation visuelle durable pour le système linéaire, de Bates sur la tendance inconsciente de l'œil à se laisser aller à la vision périphérique, et de Frankl relatives au système chromatique de Cézanne, il avait présenté l'œuvre de ce dernier comme le relevé de vues partielles instantanées « antérieures » aux focalisations et différenciations exigées par la bonne forme et par le ton local, c'est-à-dire par le réalisme du reconnaissable; « antérieures » en droit seulement, puisqu'en fait c'est le bon ordre préconscient qui s'offre d'abord et que l'œil de Cézanne, fixé jusqu'au vertige sur le motif, n'en finit pas de décourager le « bien connu » par une immobilité dont la fonction rappelle celle d'une drogue hallucinogène.

C'était déjà, par ces analyses et bien d'autres, apporter un démenti au pessimisme de Freud en la matière [1]: on ne saurait dire que les déformations ou distorsions (ainsi Ehren-

---

1. Par exemple : « ce sont là des caractères négatifs [l'atemporalité des processus inconscients] que l'on ne peut rendre significatifs que par comparaison avec les processus mentaux conscients ». Par-delà le principe de plaisir, *Essais de psychanalyse*, Paris, Payot, 1948, p. 31. Ou : « Ce peu [que nous savons du ça] a en outre un caractère négatif et ne se peut décrire que par contraste avec le moi ». *Nouvelles conférences..., loc. cit.*

*zweig les nommait-il alors) propres à l'espace cézannien soient
des* métaphores *négatives de celles de l'espace-temps primaire, elles sont positivement celles-ci ; ou celles-ci sont celles-
là. Pourtant un élément négatif persistait dans ces descriptions,
saisissable jusque dans les préfixes affectant les mots qui
désignaient alors les opérations et propriétés de cet espace.
Dans ce livre-ci, Ehrenzweig va au-delà : il veut éliminer
même la fonction de disruption (qu'il nommait précédemment*
baffling, *déconcertation) ; il la tient désormais pour un effet
de ressac provoqué par la rencontre des flux pulsionnels avec
les édifices rigides de la secondarité plutôt que pour un trait
proprement primaire. Et ce faisant, non seulement il s'avance
plus loin que jamais dans la voie d'une esthétique économique
affirmative, mais il se rend aussi capable d'élaborer un problème central pour toute approche psychanalytique des œuvres,
celui des relations entre celles-ci et des symptômes, entre
l'artiste et le névrosé ou le psychotique.*

*Sur ce problème, Freud a laissé en héritage une notion qui
est à elle seule toute une affaire, la sublimation. Si l'on pose
cette notion en termes d'objet ou de buts pulsionnels, elle n'est
qu'un indice pour une énigme, l'énigme même de la culture :
comment le sexuel pourrait-il donner lieu à la peinture ?
comment distinguer un cérémonial obsessionnel par exemple
de l'ensemble étonnant de contraintes ordonnées qu'un peintre
peut s'imposer ? Les écarts marqués sur les objets et les buts
des pulsions sont tout à fait insuffisants pour autonomiser
les œuvres de l'art par rapport à celles de la névrose ou de la
psychose, si tant est que celles-ci exigent aussi, comme Freud
le montrait dans la* Métapsychologie, *des retournements, des
renversements et des déplacements de toutes sortes : imagine-
t-on que le tableau clinique présenté par la paranoïa du Président Schreber soit plus facile à déduire de l'ordre pulsionnel
que l'œuvre de Michel-Ange ?*

*Freud, on le sait, n'a jamais vraiment élaboré cette notion
de sublimation, il a néanmoins laissé quelques indications
d'ordre proprement économique, et non objectal, qui sont précieuses ; ce sont elles qu'Ehrenzweig, même s'il n'y fait pas
allusion, prolonge. Dans les* Vorlesungen *(1917), la capacité
de sublimer est associée à une certaine* laxité (Lockerheit), *
un certain laxisme dans le refoulement qui normalement met
fin aux conflits. C'est déjà suggérer que l'économie de ladite*

*sublimation est à rechercher du côté du non-investissement :
si le refoulement est malléable, c'est que les contre-investisse-
ments refoulants sont peu importants, mobilisent peu d'énergie,
conséquence du fait que les pulsions sont elles-mêmes peu
investies, plutôt erratiques. Quant à échapper à la névrose,
« tout dépend, écrit Freud, de la* quantité de libido inemployée
qu'on est capable de tenir à l'état flottant (in Schwebe). »
*Une confirmation de l'importance de ces réserves fluides est
donnée par la discussion, dans* Das Ich und das Es *(1923),
de la déplaçabilité* (Verschiebbarkeit) : *la sublimation,
économiquement parlant, c'est avant tout une disponibilité
d'énergie non liée, déplaçable. C'est du potentiel, non investi.
On ne trouvera pas, et pour cause, de modèle pour cette disposition dans la nosographie clinique. A la rigueur la perversion
ferait l'affaire, mais il faudrait l'entendre au sens où Freud
en 1905 décrivait la sexualité de l'enfant : perversion polymorphe. Tout à l'encontre du masochisme ou du fétichisme,
ultérieurement décrits comme des blocages allant jusqu'à
désavouer certaines données libidinales, elle n'est pas investie
immuablement sur tel objet de satisfaction, mais au contraire
parcourt à l'aventure toutes les potentialités offertes par le
corps érotique. Mais cette position hors clinique de la sublimation ne doit pas servir de prétexte à un retour vers la philosophie de la conscience, comme c'est l'usage qu'en fait la psychanalyse du moi en cette matière comme en d'autres : qu'est-ce
qu'un artiste ? un moi fort, dit-elle, qui peut « contrôler le
processus primaire », qui le « domine », qui renverse le rapport
primaire/secondaire existant dans le travail du rêve au bénéfice de la conscience* [1].

*Ehrenzweig dit tout autre chose ; sous d'autres noms il
continue d'élaborer la déplaçabilité : l'artiste est plutôt quelqu'un qui a peu de moi, peu de défenses, et beaucoup de réserves de force disponibles. Une telle affirmation n'a rien à faire
avec une psychologie de l'artiste, ni même de l'art — sauf à
donner au mot* psychologie *la portée que lui attribuait
Nietzsche ; elle excède même largement les références qui
encadrent et soutiennent de près — d'un peu trop près — les
analyses d'Ehrenzweig, références qui sont celles de la psy-*

---

1. E. Kris, *Psychoanalytic Explorations in Art*, New York, International
Universities Press, 1952, p. 25 ; cf. aussi p. 302.

chanalyse kleinienne, et nommément de la théorie objectale élaborée par cette école. Que dans le travail créateur, une phase dite schizoïde consiste en une projection fragmentée de matériaux intolérables (fantasmes, objets partiels dévorants), que lui succède une phase maniaque de balayage des fragments projetés qui les réunifie dans un syncrétisme inconscient, ayant valeur d'intégration non contrôlée et non différenciée ; que dans une troisième phase dépressive, d'élaboration secondaire, le moi de surface effrayé précisément par ce qu'il perçoit comme un chaos, cherche à introjecter le matériau dans l'ordre secondaire pour en faire une œuvre, — on n'en discutera pas ici. Exprimons à ce propos deux réserves seulement : toute cette dramatisation est commandée par l'opposition de l'intérieur et de l'extérieur, c'est-à-dire le dispositif de la mise en scène ; les opérations fondamentales se nomment projection et introjection ; la grande question est celle de la constitution de l'objet : bon objet, mauvais objet ? On reconnaît la problématique kleinienne ; or si elle échappe aux platitudes de l'analyse du moi, elle n'est pas exempte de toute crédulité à l'égard du préjugé théâtral, elle laisse supposer que tout déplacement énergétique est voué par nature à s'ordonner (en actif ou en passif) selon la relation d'objet : elle risque ainsi de se rendre inintelligibles sa puissance de déplacement et sa capacité même de se refuser à tout investissement objectal stable. Lorsque Ehrenzweig, un peu victime du schéma kleinien, essaie de décrire le rapport de l'artiste avec son œuvre comme une « bonne » relation objectale, comme un dialogue, il nous donne acte, en dépit de lui-même, de ce que ces analyses à caractère clinique ont d'étouffant malgré tout pour l'intelligence de la production artistique. La vérité est que la relation à l'œuvre est pour l'artiste non pas dialogue, mais rencontre, au sens de la tuchè, et indifférence à la chose faite, non capitalisation. Ce qui conduit à notre seconde objection, qu'il suffira d'énoncer : la prédominance de la problématique de l'objet va toujours de pair avec le caractère fastidieusement édifiant, presque hégélien, de toute cette dialectique. Nous en convainc l'adhésion qu'Ehrenzweig donne au plus moral de tous les mythes, celui du dieu mourant, qui sous-tend toute la pensée de l'Occident, religieux ou non, à quelques exceptions près, qui est le bâti même sur lequel Hegel a pu confectionner son monument réconciliateur.

Cela dit, tel n'est pas l'apport propre à Ehrenzweig, ni l'essentiel de ce qu'il dit. Au contraire il souligne après Winnicott et Marion Milner que le laxisme de l'artiste commence par suspendre les barrières qui séparent en principe la réalité extérieure et la réalité intérieure. C'est faire pleinement droit à l'idée d'une face libidinale unique sans épaisseur et sans bornes, non pas préexistante aux inscriptions qu'une écriture y tracerait par pinceau, percussion, voix ou autre, mais engendrée par les opérations métamorphosant telles intensités affectives en couleurs, sons, phrases. Le corps artiste ne s'arrête ni au corps de l'artiste ni à aucun corps refermé sur lui-même dans sa prétendue identité volumineuse. Freud disait qu'il y a communication d'inconscient à inconscient : rien d'énigmatique à cela si l'on entend par communication la propagation des intensités en intensités nouvelles et si l'on reconnaît qu'elle produit à mesure son support, l'uniface hétérogène qui comporte les peaux, les organes, les rues, les murs, les toiles, les cuivres, les cordes...

Et quant à la question du symptôme, Ehrenzweig va même jusqu'à proposer une correction de taille à la thèse kleinienne de l'angoisse schizophrène ; alors que Melanie Klein et ses élèves l'attribuent à la peur orale de dépendre du sein de la mère, Ehrenzweig répond : mais non, pensez plutôt le psychotique par rapport à l'artiste ; c'est au contraire l'absence de la dédifférenciation, qui est si forte chez l'artiste, l'absence de la région de contact, comme dit W. R. Bion, de la région d'indécidabilité placée entre la fantasmatique et l'ordre secondaire, de la région de scanning, *qui conduit le schizophrène (au sens clinique évidemment) à s'accrocher à ses facultés de surface et à renforcer leur résistance contre la poussée des fantasmes inconscients, et qui produit son espace plastique caractéristique [1]. De sorte qu'il n'est nul besoin pour éclairer l'énigme de la sublimation de recourir à l'instance répressive d'un quelconque surmoi : le « refoulement structural » y suffit qui ne porte pas sur le contenu, mais sur l'organisation même du matériel, et dont Freud parle déjà dans une lettre à Fliess. Ce qui suffit à vrai dire, c'est le déplacement même de*

---

1. Paraît-il. De cela même, à la différence d'Ehrenzweig, on se permettra de douter. Voir à ce sujet l'étude de M. Thévoz, *Louis Soutter*, Lausanne, Rencontre, 1970.

*l'approche, plus que ce refoulement de structure : le problème
de l'art, insoluble par la topique, se dissout littéralement dans
l'économique.*

*Cette région de contact, celle d'un espace laxiste, d'un
espace de libre déplaçabilité de la libido, est toujours ce qui
est en jeu dans l'art pour autant du moins qu'il est initiative.
Or l'art n'est à vrai dire pour Ehrenzweig qu'initiative, et
c'est là un déplacement complémentaire que son approche
provoque du côté du champ artistique : la puissance des
choses peintes, sonores, écrites est à proportion de leur fraîcheur ; il y a une force inestimable, incomparable, des
« premières impressions » ; après elles, on tombe dans le
maniérisme, dans le procédé. Cette idée de la « première fois »
n'est pas naïve, c'est seulement un concept impensable,
dont l'usage devrait provoquer dans la pensée des théoriciens
quelque hésitation ; c'est la transcription en termes catégoriels
de ce qui seul est décisif dans l'économie affective, la rencontre. La thèse des premières impressions, loin d'être niaise,
oblige le lecteur, s'il ose aller jusqu'au terme vers lequel elle
pousse, à abandonner le refuge qu'offre à l'esprit la classe des
« œuvres d'art » et en général des signes, et à ne plus reconnaître pour artistes que des* initiatives *ou* events, *en quelque
champ institué qu'ils se produisent. C'est du côté de Nietzsche
qu'Ehrenzweig ici cherche caution ; mais cette approche
dissolvante est aussi celle des artistes contemporains : pour
eux comme pour Ehrenzweig, il y a une affinité exclusive
entre la chose artiste, la déplaçabilité de l'énergie libidinale,
la rencontre des formes inouïes, et enfin le caractère éphémère,
singulier, de la puissance émotionnelle développée par cette
rencontre. Rien ne peut mieux accréditer l'approche économique indiquée par Ehrenzweig que sa convergence et même
sa compénétration avec l'expérience artiste elle-même : on ne
psychanalyse pas les peintres ou les musiciens, ni leurs
« œuvres », on épouse la métamorphose, perpétrée dans les
ateliers, du libidinal en plastique ou en sonore.*

*Esthétiques affirmatives encore, l'idée que l' « absence », le
vide que Freud remarque dans la production du mot d'esprit
et qu'Ehrenzweig suppose dans toute création artistique,
est un « vide plein » ; l'idée que le « blanc » de l'abstraction,
aussi bien en art qu'en science, est en fait habité par le riche
chromatisme des images dédifférenciées ; l'idée, parente des*

recherches de Klee ou de Boulez (et suffisante pour repousser toute accusation de « romantisme du processus primaire »), qu'il faut s'aider de l'appareil conceptuel le plus fin, le plus sophistiqué, pour délivrer les potentiels d'intensité que recèlent encore le son ou la couleur et que censure la tradition de la pensée analytique et focalisée. Partout, à chaque page, la fermeté dans l'angle d'attaque du problème de l'inconscient, la richesse et la délicatesse de l'information psychanalytique, l'ampleur de l'expérience artistique.

Il faudrait discuter enfin la philosophie de l'histoire de l'art à laquelle Ehrenzweig accorde, dans ce livre comme dans le précédent, une place décisive. Nous n'en dirons qu'un mot, alors qu'il faudrait confronter avec soin les schémas des derniers chapitres de The Psycho-analysis of Artistic Vision and Hearing, *qui font de l'art contemporain le point d'aboutissement d'un processus de retrait libidinal croissant par rapport à la réalité perceptive, et l'hypothèse d'une sorte de pulsation périodique entre les pôles du réalisme et de l'abstraction, qui se fait jour à travers* L'ordre caché de l'art. *On se contentera ici d'indiquer les deux directions dans lesquelles devraient être poursuivies selon nous les notations d'Ehrenzweig en matière d'histoire de l'art. D'abord c'est l'abandon nécessaire des continuités, des enchaînements, des influences, non seulement de culture à culture, d'école à école, d'artiste à artiste, mais entre les institutions artistiques et leurs contextes sociaux. Ehrenzweig dit quelque part que l'idée de causalité est seulement l'écho dans la connaissance du pathos de la culpabilité. S'il est vrai que l'art est événement initiateur, son « histoire » déculpabilisée offrirait une surface analogue à celle de l'Égypte des égarements* [1] *que fantasmait Freud, où toutes les formes seraient coprésentes les unes auprès des autres, ou même les unes dans les autres, où donc à chaque « époque » déterminée par les chronologies secondaires, on pourrait trouver un très grand nombre de choses sonores, picturales, etc., tout à fait différentes, « anachroniques », voire incompatibles, et des courants métamorphiques allant en tous sens. Surface « historique » ou historiée, elle-même balayée, dédifférenciée, syncrétique en tous ses points. Seuls*

---

1. G. Lascault, « L'Égypte des égarements », *Critique*, 260, janvier 1960.

viendraient y apporter leur ordre (non caché) les dispositifs de barrage et de canalisation qui ici assurent la prédominance du paysage aquarelliste à perspective transparente, là excluent toute entorse au ton local, ici encore imposent l'échelle chromatique et le tempérament à tout objet qui veut entrer dans le champ musical, etc. Encore ces dispositifs sont-ils eux-mêmes plusieurs pour chaque époque; et il ne serait pas question d'en·abolir, par quelque « explication », l'arbitraire, qui n'est qu'un autre mot pour les initiatives artistes, ou leur contre-partie.

Et l'autre direction, toute tressée avec celle-là, serait de prendre au sérieux ce qu'Ehrenzweig dégage dans son dernier livre beaucoup mieux que dans le premier, que tout art est à plat *pour ainsi dire, pelliculaire. Toute initiative, tout événement, consiste à porter plus loin les bornes qui circonscrivent le jeu des métamorphoses, à jeter au-dessus du vide un fragment d'espace libidinal qui va devenir un nouveau prolongement de la bande uniface. Une esthétique économique est tenue de décrire toute forme en tant qu'elle s'ajoute au patchwork que forme cette bande, à l'espace des balayages. Cet ajout n'a pas d'importance parce que disrupteur, ni même que critique, effets de secondarité; mais en tant que différence non réductible, singularité. Si la disruption, la critique doivent être imputées aux processus conscients ou préconscients, donc aux fonctions répressives mêmes, c'est qu'elles comportent la saisie simultanée de l'ancien et du nouveau, du critiqué et du critiquant, c'est-à-dire une synthèse précédée d'une analyse, une conjonction rassemblant le disjoint: et ainsi l'espace dans lequel elles se produisent est encore le volume théâtral. Or ce qui est artiste ne se meut jamais dans cet espace. Prenons au pire [1]: le scénographe ou le metteur en scène sont, tout comme le « perspecteur » du Quattrocento ou du XVIIe siècle français, non pas comme on le croit des inventeurs de profondeur, des illusionnistes, mais des géomètres projectivistes, des esprits convaincus que si l'on peut faire du tridimensionnel sur une toile, c'est que « de son côté » le monde est plat, qu'il n'y a que l'ensemble infini des métamorphoses, et que l'art ou la*

---

1. *L'ordre caché de l'art.* Ici p. 178-180.

science est l'une de celles-ci. L'espace tridimensionnel de la théâtralité donc (et de la critique, et de la déconstruction, et du « savoir ») est lui aussi une aventure survenue à la peau pulsionnelle.

Jean-François Lyotard.

Avant-propos

Le propos de ce livre touche aussi bien à des spéculations hautement théoriques qu'à des questions brûlantes d'art moderne et à des suggestions pratiques pour l'enseignement des beaux-arts; aussi ai-je bien peu de chances de trouver un lecteur qui puisse circuler aisément à tous ces niveaux. C'est heureusement sans grande importance, car il suffit pour comprendre les idées principales de ce livre de s'en tenir à l'une des directions de l'argumentation : les autres aspects n'ajoutent à mon propos qu'une profondeur stéréoscopique, et pas de substance réellement nouvelle. Puis-je alors demander au lecteur de ne pas s'irriter du caractère parfois obscur de mon matériau, de tirer du livre ce qui lui parle et de laisser le reste sans le lire? On pourrait dire qu'une lecture de ce type demande ce que j'appellerai une approche syncrétique. Les enfants peuvent bien écouter avec passion un conte dont le sens leur échappe en grande partie. Pour reprendre l'expression de William James, ils survolent « en sauts de puce » de longs passages qui échappent à leur compréhension et se fixent sur les quelques points qui leur parlent. Cette compréhension incomplète est loin d'être sans profit pour eux. On peut attribuer une telle aptitude — car c'en est une — à leur capacité syncrétique de saisir une structure globale plutôt que d'en analyser les éléments particuliers. L'art enfantin affectionne de même la structure globale, et ne s'embarrasse pas de détails analytiques. Je crois avoir moi-même préservé quelque chose de cette aptitude.

ce qui me permet de lire des livres techniques avec profit sans que tous les termes m'en soient forcément familiers. Le lecteur qui ne saurait survoler « en sauts de puces » des portions d'informations techniques qui lui échappent ne pourrait que devenir un spécialiste très limité. Aussi a-t-on tout avantage à garder un peu de l'aptitude syncrétique de l'enfant pour éviter une spécialisation excessive. Ce livre ne s'adresse certainement pas à qui ne pourrait assimiler d'information que dans un registre bien délimité de termes techniques.

Un lecteur d'une maison d'édition me reprochait un jour mon défaut de centrage. Il voulait dire par là que mon propos sautait facilement de spéculations psychologiques à des recettes tout à fait pratiques, mêlait le jargon scientifique au langage quotidien, etc. Ce genre d'exposition peut paraître chaotique à un esprit ordonné, — et pourtant je n'éprouve pas le moindre remords. Je m'aperçois que la structure apparemment chaotique et éparpillée de mon écriture convient au sujet de ce livre, puisqu'il s'agit de l'illusion de chaos qu'offre l'immense substructure de l'art. Il est un « ordre caché » dans ce chaos, accessible aux seuls lecteurs ou amateurs d'art qui ont une réceptivité appropriée. Toute structure artistique est essentiellement « polyphonique »; elle ne se développe pas selon une ligne unique de pensée, mais en plusieurs courants superposés à la fois. Aussi la créativité exige-t-elle un type d'attention diffus, éparpillé, en contradiction avec nos habitudes logiques de pensée. Est-ce trop prétentieux de ma part de revendiquer pour le propos polyphonique de mon livre une telle attention créatrice? De toute façon, je ne pense pas que le lecteur désireux de s'en tenir à une piste unique puisse comprendre la complexité de l'art et de la création en général. Pourquoi donc faudrait-il en tenir compte? Le raisonnement le plus persuasif et le plus logique lui-même ne pourrait suppléer à son manque de sensibilité. Inversement j'ai lieu d'espérer qu'un lecteur réceptif à la structure cachée de l'art n'aura aucune difficulté à suivre la structure diffuse et éparpillée de mon exposition.

La progression de ce livre observe, bien entendu, un ordre intrinsèque. Comme toute recherche sur la psychologie des profondeurs, sa démarche va de la surface consciente aux

niveaux plus profonds de l'inconscient. Les premiers chapitres traitent des problèmes techniques et professionnels
familiers à l'artiste. On voit ensuite surgir peu à peu des
aspects qui résistent à ce type d'analyse rationnelle. On
découvre par exemple que les effets plastiques de la peinture (l'espace pictural), familiers à tout artiste et à tout
amateur d'art, sont déterminés par des perceptions profon-
déments inconscientes. Ils échappent, en dernier ressort,
à tout contrôle conscient. On voit ainsi venir au premier
plan un conflit profond entre les contrôles conscient et
inconscient (spontané), conflit qui se révèle apparenté à
celui que j'ai décrit entre la pensée monodique * et l'attention « polyphonique » éparpillée. La pensée consciente est
étroitement focalisée et fortement différenciée dans ses
éléments ; plus nous pénétrons dans l'imagerie et les fantasmes souterrains, plus la piste unique se divise et se ramifie
en directions illimitées pour donner finalement à sa structure une allure chaotique. Une pensée créatrice est capable
d'osciller entre ses modes différenciés et indifférenciés, et
de les atteler ensemble pour leur confier des tâches bien
précises. Le psychotique non créateur succombe à la tension entre les modes conscient (différencié) et inconscient
(indifférencié) du fonctionnement mental. L'impossibilité
d'intégrer leurs fonctions divergentes entraîne un véritable
chaos. Les fonctions inconscientes prennent le dessus,
fragmentent la sensibilité consciente de surface et mettent
en pièces la raison. L'art moderne exhibe très ouvertement
cette attaque de la déraison contre la raison. Les pouvoirs
de l'esprit créateur permettent cependant d'éviter un désas-
tre réel. La raison peut paraître temporairement mise à
l'écart, et l'art moderne paraît alors réellement chaotique.
Mais le temps fait monter à la surface l' « ordre caché »
dans la substructure de l'art (le travail de la création
inconsciente de la forme). L'artiste moderne s'attaque
bien à sa propre raison et à la pensée monodique, mais
un ordre nouveau est déjà en gestation.

Jusqu'à un certain point, tout travail vraiment créateur

---

* *Monodique:* mot à mot « à piste ou à voie unique » *(single-track)*. La
proximité de « polyphonique » semble ici autoriser ce néologisme et cette
transposition (de la voie à la voix). C'est d'ailleurs un semblable jeu qui
prêta longtemps à « parodie » cette double étymologie. *(N.d.T.)*

implique la mise à l'écart des cristallisations aiguës de la pensée rationnelle et de la fabrication d'images. Dans cette mesure, la créativité implique l'autodestruction — ce qui explique peut-être que l'art ait si souvent affaire avec la tragédie. Dans un essai publié dans le *Journal International de Psychanalyse* [4] *, j'ai essayé pour la première fois, il y a bien des années, d'expliquer l'imagerie autodestructrice qui caractérise tant d'œuvres créatrices. Plus tard, sur une suggestion du livre de Marion Milner, *An Experiment in Leisure* [21], je m'aperçus que l'imagerie autodestructrice du « dieu mourant » (Frazer) symbolisait moins une fantasmatique masochiste que le processus de création lui-même, c'est-à-dire l'attaque autodestructrice des fonctions inconscientes contre la sensibilité rationnelle de surface. Ces images tragiques ne sont pas symboliques au sens habituel du terme; elles n'expriment pas en effet les pulsions archaïques ou infantiles (le ça), mais des événements survenant dans la personnalité créatrice (le moi). Quand nous nous endormons, nous voyons parfois des scènes de chute dans un abîme sans fond, ou d'autres scènes semblables. De tels fantasmes représentent l'acte de l'endormissement et sont appelés communément « hypnagogiques ». J'ai appelé de même « poémagogiques » (cf. p. 225) les images tragiques de la créativité parce qu'elles décrivent l'acte de la création. Ces images poémagogiques comportent plusieurs niveaux. Paradoxalement le plus profond de tous, apparemment dépourvu de toute structure, est le plus facile à extraire et j'en ai traité en premier lieu. C'est le niveau « océanique » : notre existence nous donne le sentiment de s'abîmer dans une union mystique avec l'univers. Ce niveau correspond à l'image jungienne du mandala et à son archétype de l'enfant divin autocréateur. Il est mal connu de l'analyste. Mais, comme je le soutiendrai, la psychanalyse de l'œuvre créatrice peut se révéler, pour sonder à ses niveaux les plus profonds le moi créateur en acte, un meilleur instrument que l'expérience clinique du psychanalyste dans son cabinet. Avec les niveaux plus élevés de l'imagerie poémagogique, on touche à un

---

* Les chiffres entre crochets renvoient aux références bibliographiques qu'on trouvera à la fin du volume. *(N.d.T.)*

terrain plus familier : on peut les associer aux niveaux oral, anal, génital de la fantasmatique, dont la psychanalyse clinique a rendu pleinement compte. Mais là encore émergent des aspects structuraux nouveaux qui échappent à l'orthodoxie clinique. J'ai ajouté, pour aider le lecteur, un appendice qui résume certaines questions techniques de psychanalyse et tente de situer mon apport dans le cadre général de la théorie clinique courante. Si toutefois — pour en revenir à la question que j'ai soulevée au début — le lecteur est obligé de sauter les spéculations psychanalytiques plus techniques qui relient mon argumentation au corps de la recherche psychanalytique, c'est sans importance, car mon livre forme aussi un tout cohérent comme analyse esthétique de la substructure profonde de l'art.

La gestation de ce livre a pris plus de douze ans. Peu à peu se sont rassemblés les différents aspects de la substructure indifférenciée de l'art. Je n'aurais pas pu l'écrire en moins de temps. La Fondation Bollingen a offert à ma recherche le soutien d'une bourse universitaire quand mon travail en était encore à son stade initial. Toute ma reconnaissance va aux membres de la Fondation pour leur patience et pour leur indulgence.

LIVRE I

Maîtriser l'Œuvre

Première partie

L'ORDRE DANS LE CHAOS

CHAPITRE I

La vision du monde chez l'enfant

Dans son concept classique, le processus primaire (qui forme la fantasmatique inconsciente) se voit refuser toute structure. La fantasmatique inconsciente ne distingue pas en effet entre les opposés, n'articule pas l'espace et le temps tels que nous les connaissons, et laisse toutes les frontières fixes se fondre en un libre entrelacement chaotique de formes. L'art, au contraire, paraît être l'incarnation d'une organisation rigoureuse. Aussi a-t-on affirmé que la structure de l'art est façonnée exclusivement par des fonctions conscientes et préconscientes, ce qu'on appelle le processus secondaire. Mais c'est inacceptable. Dans la conférence qu'elle prononça à l'occasion du centenaire de Freud, « La Psychanalyse et l'Art » [23], Marion Milner disait qu'une révision du concept de processus primaire était dans l'air et que les problèmes soulevés par la nature de l'art incitaient à une telle révision.

La psychanalyse « appliquée » de l'art pourrait bien avoir, pour une fois, un retour de flamme et modifier la théorie clinique originelle. Un tel développement ne serait pas nouveau dans l'histoire de la science. La science du corps humain, qui avait, elle aussi, commencé sous la forme de la médecine, ne tarda pas à se ramifier en disciplines voisines, non cliniques, qui devaient peu à l'investigation des phénomènes pathologiques et pouvaient à leur tour modifier la théorie médicale existante. Il se peut que la psychanalyse comme science de l'esprit humain ait aujourd'hui atteint ce stade : que les branches non cliniques de la recherche réclament leur indépendance et n'aient plus à reprendre à leur compte, sans critique, la théorie clinique. La psychologie psychanalytique du moi — et l'étude de l'œuvre créa-

trice appartient à ce champ de recherche — s'est abondamment nourrie de l'analyse freudienne du rêve, qui était
certainement non clinique. Après une longue période de
stagnation, la psychologie du moi attire de nouveau l'attention. On peut penser que l'analyse de l'art prendra la
relève, là où en est restée l'analyse du rêve.

Avant Freud, on voyait dans le rêve le produit hasar-
deux d'un esprit à demi paralysé. Son mérite fut d'en
montrer le sens caché en le référant à une fantasmatique
onirique latente circulant sous le rêve désarticulé. En
justifiant le contenu absurde du rêve, Freud ne justifiait pas
sa structure apparemment chaotique. Il l'attribuait, comme
je l'ai dit, à un processus primaire, impuissant à différencier réellement les opposés, l'espace et le temps, et dépourvu
en fait de toute autre structure consistante. L'analyse
formelle de l'art peut rattraper cette omission. Les composantes inconscientes de l'art font apparaître un chaos bien
trompeur; par exemple, les « écritures » griffonnées de l'art
moderne ou les textures des arrière-plans exhibent la même
absence de structure précise. J'ai cherché, dans tous mes
écrits, à montrer que leur apparence superficielle ne doit
pas nous tromper. Il peut s'agir, simplement, d'une différenciation moindre : je veux dire qu'essayant de faire trop
de choses à la fois, elles ne peuvent se permettre de distinguer (différencier) entre les opposés et d'articuler un
temps et un espace précis. Je montrerai que la complexité
d'une recherche créatrice, tenue d'explorer bien des voies,
exige une progression sur un front plus large pour maintenir
ouvertes des options contradictoires. Devant des tâches
complexes, l'indifférenciation de la vision inconsciente
devient un instrument d'une précision rigoureuse et mène
à des résultats pleinement acceptables pour la rationalité
consciente. Dans la maladie mentale, évidemment, le
matériau indifférencié ne surgit de l'inconscient que pour
rompre les modes de la pensée discursive consciente plus
étroitement focalisés; le chaos et la destruction que nous
associons d'habitude à la fantasmatique indifférenciée du
processus primaire envahissent alors la raison du malade.
Contrairement à la maladie, l'œuvre créatrice réussit à
coordonner les résultats de l'indifférenciation inconsciente et
de la différenciation consciente, révélant ainsi l'ordre caché
de l'inconscient. Or, ce travail de la sublimation créatrice
est mal connu de l'étude clinique, qui s'attache essentiellement à interpréter et à traduire les contenus de la fantasmatique inconsciente. Une fois les conflits inconscients résolus,

c'est à l'action automatique du moi de sublimer en une œuvre créatrice utile les pulsions inconscientes qui se sont révélées. Une telle procédure laisse dans l'obscurité le travail créateur du moi. L'étude de la substructure inconsciente de l'art et des processus de *scanning* * dans la science nous offre précisément cette possibilité qui nous manquait d'observer les techniques créatrices du moi et l'usage qu'il fait de la structure dispersée de la perception inconsciente. Le chaos de l'inconscient est aussi trompeur que le chaos de la réalité extérieure. Pour l'un comme pour l'autre, nous ne pouvons prendre conscience de leur ordre caché sans avoir recours aux techniques moins différenciées de la vision inconsciente. Il faut au savant du courage pour affronter la fragmentation des faits physiques et pour balayer la multitude des liens possibles, susceptibles de donner un sens au chaos apparent. Je soutiendrais, pour ma part, qu'il a besoin de la structure plus dispersée (indifférenciée) de la vision profonde pour projeter dans la réalité l'ordre manquant. En même temps — et c'en est tout le bénéfice psychologique —, il fera un usage constructeur de ses facultés inconscientes et réalisera l'intégration de son propre moi. Dans la créativité, les réalités extérieure et intérieure s'organisent toujours ensemble, par le même processus indivisible. L'artiste, comme le savant, doit affronter le chaos dans son œuvre avant que le *scanning* inconscient vienne réaliser à la fois l'intégration de son œuvre et celle de sa propre personnalité. Je chercherai à démontrer que le *scanning* inconscient tire parti des modes de vision indifférenciés qui paraîtraient chaotiques au regard normal. Aussi limite-t-on souvent le rôle du processus primaire à la production d'un matériel de fantasmes chaotiques que les processus secondaires du moi devraient ensuite ordonner et façonner. Il s'agit, bien au contraire, d'un instrument de précision pour un *scanning* créateur, bien supérieur à la raison et à la logique discursives.

Le concept d'indifférenciation n'est pas facile à distinguer

---

* La langue française n'offre pas d'équivalent pour ce terme, dans son acception technique. Là où une traduction s'impose (emploi transitif du verbe), nous aurons recours au verbe français « balayer », qui nous paraît faire le moins trahison. Pour la signification de *scanning*, nous nous permettons de reprendre la définition que donne J. Lacan (« L'instance de la lettre dans l'inconscient », p. 513, n. 1, in *Écrits*, Paris, 1966) : « On sait que c'est le procédé par où une recherche s'assure de son résultat par l'exploration mécanique de l'extension entière du champ de son objet. » *(N.d.T.)*

du chaos. Permettez-moi de décrire, pour les besoins d'une exposition plus claire, l'évolution de ses caractères au cours de l'enfance. La structure indifférenciée de la fantasmatique du processus primaire correspond à la structure primitive encore indifférenciée de la vision du monde chez l'enfant. Pour désigner cette qualité particulière de la vision de l'enfant et de son art, Piaget a répandu le terme de vision « syncrétique ». Or, le syncrétisme implique le concept d'indifférenciation. Autour de la huitième année, l'art enfantin subit un changement radical, du moins dans la civilisation occidentale. Tandis que le jeune enfant fait des expériences audacieuses de forme et de couleur en représentant toutes sortes d'objets, l'enfant plus âgé commence à analyser ces formes en les confrontant * avec l'art adulte qu'il trouve dans les magazines, les livres et les images. Il trouve, en général, son œuvre insuffisante. Elle devient alors plus terne de couleur, plus angoissée de trait, perd en majeure partie sa première vigueur, sans que l'éducation artistique puisse grand-chose pour arrêter cette dégradation. Ce qui est arrivé, c'est que la vision de l'enfant a cessé d'être totale et syncrétique, pour devenir analytique. La vision syncrétique, plus primitive, de l'enfant, ne différencie pas, comme celle de l'adulte, les détails abstraits. L'enfant ne décompose pas la forme d'un objet concret en éléments abstraits plus petits, pour ensuite confronter un à un les éléments de ses dessins. Sa vision est encore globale et comprend tout l'ensemble qui reste indifférencié quant aux détails qui le composent. Aussi le jeune artiste qu'est l'enfant est-il libre de distordre la couleur et les formes de la façon la plus imaginative et — à nos yeux — irréaliste. Mais l'enfant, lui — à cause de sa vue globale, inanalytique —, la trouve réaliste. Un même gribouillage peut représenter bon nombre d'objets qu'un spectateur analytique trouverait très différents. Si « abstrait » que puisse paraître à l'adulte le dessin de l'enfant, il est, aux yeux de l'enfant, une traduction correcte d'un objet concret, individuel. La vision syncrétique de l'enfant lui permet en effet de négliger les correspondances de détail à détail.

Comme je l'ai dit, la vue globale syncrétique est indiffé-

---

* Anglais : *matching*. L'auteur joue dans les pages qui vont suivre sur la richesse sémantique du verbe *to match* (comparer, confronter, assortir, allier, mettre en rivalité) et la ressource des postpositions dont dispose l'anglais... Ici : *to match against* : confronter avec. Selon les cas, la traduction usera donc des notions françaises de « confrontation », ou de « correspondance ». *(N.d.T.)*

renciée dans ses éléments. Leur distorsion et même leur changement complet n'affectent pas nécessairement l'identité de l'objet. On ne devrait pas rejeter comme fruste et primitive la négligence syncrétique du détail dans la saisie d'un objet total, ni l'attribuer au manque d'exigence. N'oublions pas qu'il y a plus de réussite esthétique dans les premières œuvres que dans l'art timoré de l'enfant plus âgé. Bien plus, la vision syncrétique n'est jamais détruite entièrement et peut se révéler comme un instrument puissant aux mains de l'artiste adulte.

Dans son livre désormais classique, *L'Art et l'illusion* [12], E. H. Gombrich a montré que le réalisme dans l'art ne se borne pas à copier les perceptions subjectives de l'artiste, car il serait impossible sans l'existence de schémas conventionnels pour représenter la réalité, développés à travers les siècles. Libre à l'artiste inventif de les raffiner davantage et de confronter ensuite ses formes nouvelles avec la réalité extérieure. La « composition » initiale (qui est un acte intuitif) du schéma doit être justifiée par la « confrontation » du résultat provisoire avec la réalité. Ce que Gombrich implique, sans jamais le dire explicitement, est que cette confrontation peut être double : soit analytique soit syncrétique. La confrontation de formes globales à un niveau syncrétique est plus libre et paraît — à tort — arbitraire au regard analytique. Pour Gombrich, cette confrontation se fait d'habitude, mais pas toujours, au niveau analytique. Pourtant, le syncrétisme peut être aussi précis, sinon plus, que la confrontation analytique de détail. Dans ses portraits — qui sont étonnamment convaincants — Picasso déjoue toute confrontation analytique en jetant pêle-mêle et en distordant tous les détails d'un visage. Mais nous ne pouvons juger de la ressemblance du portrait sans être devenus réceptifs à une représentation de ce genre. Il ne s'agit plus alors d'en juger la vraisemblance en analysant les traits un à un, mais en les saisissant intuitivement comme un tout indivisible. On connaît le livre de l'écrivain espagnol Sabartès, qui fut un temps le secrétaire de Picasso, sur son maître : il est illustré par une série de portraits de l'auteur par le peintre qui s'échelonnent du réalisme académique de jeunesse aux distorsions les plus arbitraires. Dans un des derniers, Picasso a renversé la position des lunettes du modèle pour les installer branches en l'air sur l'arête du nez. Pourtant le tout se tient et le plus arbitraire des portraits devient le plus convaincant et le plus « réaliste » de tous. Une telle absence de vraie différenciation et de cohérence spatiale n'est chaotique qu'en apparence. La ressemblance obtenue par un portrait syncrétique repose sur un équilibre subtil qui ne relève pas de l'analyse consciente, sans interdire pour autant un jugement précis : il faut supposer ici un ordre caché qui nous guide (fig. 1). On trouve la même sûreté et la même précision

FIGURE 1. *Épisode tiré du* Bristow *de Franck Dickens (dans l'Evening* Standard *de Londres). Bristow représente un employé d'un certain âge, sans qualification, qui travaille dans une affaire importante. Ses états d'inquiétude, de découragement et d'enthousiasme s'expriment par les différentes positions de ses yeux. Quand il est d'humeur gaie, ses deux yeux descendent vers une de ses narines, même s'il est dessiné de profil. Le nez lui-même commence à sourire. Il a fallu Picasso pour permettre de tels déplacements ; mais aujourd'hui, ils se sont fait accepter sans provoquer d'impression de violence et de fragmentation. On peut lire ces « yeux nasaux » comme une bonne ressemblance avec la réalité.*

dans la saisie syncrétique de la réalité chez le jeune enfant. Il a beau négliger le détail abstrait, ses pouvoirs de reconnaissance sont parfois supérieurs à la vision plus émoussée de l'adulte. Souvent, il lui suffit, pour identifier un objet, d'un indice à peine visible qui échappe à l'adulte moins innocent. Un ami me racontait que son petit garçon de trois ans pouvait identifier la marque presque entièrement cachée d'une voiture d'après une caractéristique obscure du capot. Je montrerai que la vision indifférenciée est au total plus pénétrante pour balayer les structures complexes. Elle les traite toutes avec une impartialité égale, si insignifiantes qu'elles paraissent à la vision normale. Normalement, seules les caractéristiques évidentes attirent notre attention. Elles seules sont alors clairement différenciées. Les autres se perdent et constituent un fond insignifiant. Si la vision syncrétique est impartiale, c'est qu'elle ne fait pas cette différence entre la figure et le fond. Aussi néglige-t-elle également ce qui paraîtrait important à la vision analytique. Mais cette négligence n'entraîne pas le chaos, et encore moins l'absence de structure.

Dans *L'Art et l'illusion*, Gombrich étudie les propriétés de la caricature. Il est évident que le réalisme de la caricature ne se fonde pas sur la correspondance analytique. Chacune des distorsions, prise en elle-même, est à coup sûr irréaliste et il est parfois impossible d'y reconnaître une partie de visage humain. Mais leur somme donne facilement une vue globale bien plus ressemblante au modèle qu'un portrait plus conventionnel (pl. 9). Nous n'avons aucune norme rationnelle pour serrer la ressemblance analytiquement. Le spectateur doit faire appel en lui-même à la vision syncrétique enfantine qui ne différenciait pas l'identité d'une forme en confrontant un à un ses détails, mais allait droit à l'ensemble. La vision syncrétique peut surpasser dans le détail l'exactitude photographique en se bornant à focaliser sur la vue globale. Elle se montre bien plus souple que la vision analytique. Nous pourrions à ce compte retourner le jugement habituel, et considérer que la vision analytique est plus fruste et moins sensible que les modes indifférenciés (syncrétiquement) de la vision, propres aux niveaux primitifs (infantiles) de l'attention *.

Il est difficile, sinon impossible, de décrire le fonctionnement exact du syncrétisme, tant il est éloigné de l'introspection directe. Nous pouvons affirmer que le *scanning* complexe inconscient ne cesse pas. Il équilibre les distorsions entre elles et en extrait un dénominateur commun ou un axe qui n'apparaît pas en ligne de compte. Les subtiles distorsions qui parcourent l'art japonais sont peut-être de ce type. Les Japonais eux-mêmes n'en sont pas du tout conscients. Quand j'étais jeune, mon père me demanda de montrer les sites de ma Vienne natale à un juriste japonais. A l'époque — il y a presque un demi-siècle — les moyens de communication de masse — livres, périodiques, films — n'avaient pas encore entraîné la diffusion actuelle des goûts esthétiques à travers le monde. Le Japonais, malgré sa grande culture, n'avait aucune connaissance de l'art occidental. Nous fûmes rapidement bons amis, et je m'aperçus

---

* On sait que le terme anglais *awareness*, de même que l'allemand *Bewusstheit*, n'a pas d'équivalent dans notre langue. Selon ses occurrences, on le traduira par conscience (conscience de quelque chose), attention ou parfois même perception. *(N.d.T.)*

que tout l'art européen traditionnel lui paraissait très stylisé et décoratif. Je lui fis aussi visiter une exposition tout à fait ordinaire d'art contemporain postimpressionniste : elle produisit sur lui la même impression de stylisation. Intrigué, j'entrevis alors que seul l'art japonais pouvait être réaliste à ses yeux, malgré — ou plutôt grâce à — son schéma conventionnel qui distord à sa manière chacune des lignes. Apparemment, une fois que le spectateur japonais a été mis au diapason de la régularité secrète qui régit la fluidité d'une ligne constamment distordue, il peut ne pas en tenir compte. Il arrive ainsi à une vue globale (syncrétique) qui lui paraît très fidèle à la nature. On pourrait trouver une formule mathématique pour faire la moyenne de la distorsion dans le tracé japonais. Mais on ne ferait qu'approfondir le problème du *scanning* inconscient : comment peut-il embrasser les déviations largement éparpillées en un acte immédiat et unique de compréhension? Il semble à nouveau que l'élargissement du foyer provoqué par l'indifférenciation accroît considérablement l'efficacité du *scanning*. Je soutiendrai pour ma part que ce pouvoir accru du *scanning* est nécessaire au contrôle que doit exercer tout artiste pour bâtir la structure complexe d'une œuvre d'art.

Si cette conception de la vision syncrétique est correcte, nous ne pouvons plus dire que l'enfant manque d'autocritique quand il crée ses équivalents fantastiques de la réalité. Quand s'éveille la faculté analytique de l'enfant autour de huit ans et qu'il apprend à comparer les détails abstraits, il tend certainement à déprécier, comme frustes et ignorantes, ses anciennes habitudes syncrétiques. Mais n'est-ce pas là un échec de notre enseignement? L'éveil de l'autocritique est-il à ce point autodestructeur, faute d'avoir été éduqué plus tôt? Nous avons toujours tendance à sousestimer l'intelligence de l'enfant. Même les singes peuvent être capables d'apprécier leurs propres effets esthétiques. A notre avis, il faut aider l'enfant à apprécier son œuvre au niveau syncrétique lui-même. Il y a des degrés de réussite et d'échec, même dans l'invention de l'équivalent le plus libre et le plus fantastique. Nous avons vu que nous pouvons trouver justes ou fausses les fantasmagories de Picasso ou les distorsions sauvages de la couleur chez les Fauves, sans avoir pourtant de normes rationnelles pour les juger Si l'enfant a reçu un soutien adapté à ses normes esthétiques au niveau syncrétique, l'éveil tardif de son autocritique analytique ne sera plus si nuisible.

Il serait inutile, et même erroné, de décourager l'enfant de huit ans d'appliquer à son œuvre ses nouvelles facultés analytiques. Nous devons seulement l'empêcher de détruire ses pouvoirs syncrétiques primitifs qui gardent une telle importance, même pour l'artiste adulte. Le seul moyen d'y arriver serait de créer autour de l'enfant un environnement adulte d'œuvres d'artistes aussi spontanés que Picasso, Klee, Miro, Matisse, etc., qui pourrait maintenir aux côtés de sa conscience analytique nouvelle son ancienne vision syncrétique. On ne peut se contenter d'encourager, contre les nouvelles facultés de l'enfant, l'ancienne « libre expression-de-soi » qui fonctionnait aveuglément. Avec un entraînement esthétique, sa vision syncrétique pourrait bien survivre à l'attaque de la nouvelle vision analytique, et revivifier son invention de patterns désormais fatiguée.

J'aurai beaucoup plus à dire sur la dispersion du foyer inhérente à la vision syncrétique. Mais considérons d'abord le pattern de la perception analytique ordinaire. Dans la mosaïque indifférenciée du champ visuel, nous sommes contraints de choisir une « figure » qui concentre l'attention tandis que le reste des données visuelles recule pour se fondre en un vague arrière-plan de texture indistincte. La psychologie de la forme *(Gestalt)* a étudié les principes qui gouvernent le choix et la formation d'une figure particulière de préférence aux autres. Dans un nombre de constellations possibles qui peuvent regrouper les stimuli visuels, nous tendrons à choisir le pattern le plus dense, le plus simple et le plus cohérent : on dit qu'il possède les propriétés de « bonne » gestalt. La bonne qualité d'une gestalt se juge d'après nos goûts esthétiques habituels. La psychologie de la forme dépend donc de l'esthétique, qui est un terrain bien peu ferme pour y construire une théorie sûre. Une bonne gestalt se rapproche de patterns géométriques simples, rarement fournis par la nature. Mais peu importe. Le principe de la gestalt ne se contente pas de gouverner le choix du meilleur pattern dans le champ visuel, il contribue aussi activement à le perfectionner : à combler et à aplanir les moindres lacunes et les imperfections d'une gestalt par ailleurs parfaite. C'est pourquoi la vision analytique de la gestalt tend à se généraliser et ignore l'individualité syncrétique.

J'ai appris d'un portraitiste qu'on dispense en général dans les classes de nus et de portraits une formation peu favorable à une bonne ressemblance. On y apprend en effet à analyser un visage en termes de patterns abstraits presque géométriques, qui équivalent à une bonne gestalt, en laissant ignorer les caractères individuels et tout ce qui dévie imperceptiblement d'un pattern régularisé. Ce portraitiste me disait qu'il essayait de réinvestir d'une individualité nouvelle les patterns d'un visage en les transformant en paysages imaginaires, « Indien dans un canoë », etc. Avoir recours à des rêveries arbitraires de ce type pour redonner de l'individualité aux objets n'est pas sans paradoxe. Néanmoins, la réalité plastique de notre perception extérieure est en relation directe avec la richesse de la fantasmatique inconsciente. Freud, on le sait, a découvert que le rêve devait moins son impression de réalité à la précision et à la clarté de son imagerie qu'à la richesse du contenu fantasmatique inconscient qui le soutenait. Il en est de même de notre perception éveillée. Pour le schizophrène, coupé de cet ancrage, le monde est sans relief et irréel. La vision syncrétique, par son ancrage dans l'inconscient indifférencié, est aussi plus plastique et plus réelle (tout en étant moins nettement définie) que la vision analytique du pattern abstrait. Le rêve diurne, de type paresseux, n'a pas besoin de la même plasticité et de la même réalité. Le portraitiste qui projette des paysages dans un visage est tout à fait en éveil. C'est le privilège de l'artiste de combiner l'ambiguïté du rêve avec les tensions d'une conscience pleinement éveillée. Au moment de l'inspiration, la réalité lui paraît surréelle et intensément plastique.

Si nous voulons marquer des différences subtiles dans la forme abstraite, nous devons y projeter une signification fantastique. Il est bien connu que nous pouvons apprécier avec une étonnante justesse la position relative de trois points dans un cercle si nous les interprétons comme deux yeux et une bouche dans un visage rond. Le plus léger déplacement de leur position affectera leur expression physionomique. Un visage souriant devient alors triste ou menaçant, et vice versa. Un copiste réussira mieux en copiant globalement cette expression faciale qu'en s'attachant aux relations géométriques du détail. La vision syncrétique totale prouve encore ici la supériorité de son pouvoir de *scanning*, de son aptitude à reconnaître les caractéristiques individuelles, qu'il oublieuse qu'elle soit du détail abstrait. C'est là le paradoxe de l'ordre dans le chaos.

La vision analytique de l'enfant de huit ans représente le principe abstrait de la gestalt complètement développé. L'enfant commence à focaliser son attention sur les détails géométriques abstraits de ses dessins, et à les comparer un à un, aux éléments des objets qui l'entourent. Il n'est plus question de disperser son attention sur l'apparence globale, sans égard au détail. La théorie courante de la gestalt ignore le syncrétisme. Elle prétend que ces tendances relativement tardives de la gestalt sont en nous dès la naissance. L'enfant serait contraint, dès qu'il ouvre les yeux sur le monde, d'articuler le champ visuel en « bons » patterns de gestalt sur un fond estompé. Par un heureux hasard, pensaient les psychologues de la gestalt, les objets biologiquement essentiels possèdent aussi les propriétés d'une bonne gestalt. Ce qui explique que l'enfant serait tout de suite amené à les percevoir. Il s'agissait, bien entendu, d'une affirmation toute théorique, fondée sur les contraintes de la gestalt, sans autre vérification que celle de la vision adulte. Mais il y a le cas des aveugles-nés — ou de ceux qui ont perdu la vue très jeunes —, qui n'ont recouvré la vision que bien plus tard après une intervention chirurgicale. Par le toucher, bien entendu, ils n'étaient pas sans connaître les formes des objets, et ils n'ignoraient pas la simplicité des patterns géométriques fondamentaux : sphères et cercles, cubes et carrés, pyramides et triangles. À en croire la psychologie de la forme, ils devaient, en ouvrant sur le monde leurs yeux naguère aveugles, avoir l'attention immédiatement attirée par les formes qui présentent de tels patterns fondamentaux. Quelle occasion exceptionnelle d'observer à l'œuvre le principe de la gestalt et de le voir organiser automatiquement le champ visuel en une figure précise contrastant avec un fond indistinct! Aucune de ces prévisions ne se réalisa! Les cas rassemblés par Von Senden [28] montrent les difficultés incroyables que rencontraient les malades subitement confrontés aux complexités du monde visuel. Beaucoup d'entre eux (faute d'avoir trouvé des médecins attentifs à leurs difficultés) manquèrent de résolution et ne purent fournir l'effort nécessaire pour organiser le chaos bourdonnant des taches colorées. Certains ressentirent même un profond soulagement quand, repris par la cécité, ils purent se replonger dans leur monde familier du toucher.

Les aveugles montraient peu de facilité ou de goût pour repérer les formes géométriques de base. Pour pouvoir distinguer, disons, un triangle d'un carré, il leur fallait « compter » les coins un à un, comme ils le faisaient du temps de leur cécité. Ils connurent souvent des échecs pitoyables. En tout cas ils étaient loin de cette connaissance immédiate et facile d'une gestalt simple et évidente qu'avaient prévue les théoriciens de la gestalt. La simplicité du pattern ne jouait que peu de rôle dans leur apprentissage. Le psychanalyste apprendra sans surprise que c'était leur intérêt libidinal pour la réalité plutôt que pour la forme abstraite qui leur servait de guide le plus stimulant et le plus efficace. Par exemple, une aveugle particulièrement attachée aux animaux identifiait, avant toute autre chose, son chien bien-aimé. Un cas récent a montré que le visage du médecin était la première tache informe repérée dans le brouillard général du champ visuel.

Il y a là tout un travail à faire pour aider les aveugles récemment opérés à se servir convenablement de leurs facultés virtuelles. Psycho-cliniciens et psychologues de la perception pourraient y trouver l'occasion d'une collaboration plus étroite. Dans son brillant ouvrage *Eye and Brain* (World University Library, 1969), R. L. Gregory a rendu compte du cas que j'ai cité : il fait remarquer très justement que le malade avait tendance à se servir de sa vision nouvelle essentiellement pour vérifier l'ancien modèle de la réalité qu'il s'était formé par le simple toucher. Il n'en tire pourtant pas la conclusion assez évidente que cet usage étonnamment limité peut en grande partie expliquer son échec. On est en effet surpris de voir ces malades s'imposer une telle limitation. Le malade de Gregory — si je peux dire, puisque Gregory n'a suivi ce cas qu'à titre de chercheur scientifique — se montra d'abord très désireux de prendre sa vision comme un moyen indépendant d'explorer la réalité, mais son intérêt retomba bientôt. Comme ce fut le cas pour d'autres aveugles, le monde visuel était pour lui grisâtre, brouillé, sans vie et sans relief, et pourtant lourd de terreurs irrationnelles. Les angoisses qui avaient écrasé sa curiosité et son impatience initiales furent apparemment la cause directe de son retrait. Elles le forçaient à se raccrocher à son ancien modèle d'une réalité tactile; sa vision ne lui servait qu'à chercher les patterns équivalents. L'essentiel de ma thèse reviendra évidemment à dire que la vision normale de la réalité ne se fonde pas sur l'interprétation de patterns : elle va tout droit à l'objet visuel, assez indifférente à sa forme abstraite. Comme je voudrais le montrer maintenant, nous ne pouvons faire de notre vision un instrument efficace de *scanning* de la réalité sans réprimer notre intérêt pour le pattern en lui-même. La répression de la forme est plus déterminante pour la qualité plastique de la vision — qui fait tout l'éclat de la réalité — que son articulation précise. J'ai tenté de démontrer ailleurs [5], avec quelque détail, que la vision du rêve aussi bien que celle de la veille tiennent leur qualité plastique de leur substructure inconsciente. Dans la vision périphérique, par exemple, les formes échappent normalement à l'attention consciente. La vision dépersonnalisée tendrait à avoir un champ périphérique plus net, mais elle a aussi moins de relief et, en un sens, de réalité. On gagne donc en netteté du détail ce qu'on perd en réalité plastique. Je soutiendrai aussi qu'en peinture on peut avoir dans la qualité plastique de l'espace pictural le signal conscient d'une vaste substructure inconsciente. L'apprentissage de la vue suppose la formation d'une telle substructure inconsciente de la vision; la. répression des détails impertinents rend attentif à des objets intensément plastiques, dépourvus de contour défini. Cette plasticité brouillée contribue davantage à l'efficacité de la vision que le déchiffrage de formes et de patterns précis. Malheureusement les médecins et les chercheurs qui s'occupaient de ce malade semblaient l'avoir fourvoyé (comme on l'a vu dans bien des cas auparavant) en l'invitant à chercher des patterns précis à mettre en relation avec des modèles tactiles d'objets, déjà existants — ce qui pourrait bien avoir entravé un véritable progrès : le malade se retira d'un monde visuel encombré de détails inutiles et effrayants et mourut, au bout de quelques années, dans une dépression profonde. Les médecins ont commis dans le passé la grave erreur de maltraiter — comme ils l'ont fait souvent — leurs malades en les obligeant, dans leurs expériences, à identifier des patterns abstraits qui n'avaient pas le moindre intérêt libidinal pour eux. Il en résultait une grande souffrance et, au mieux, un retard douloureux dans leur apprentissage de la vue.

La recherche récente, fondée en partie sur des expériences avec de jeunes animaux et de très jeunes enfants, invite à penser que le jeune animal ne voit pas les formes abstraites, mais balaie l'objet total à la recherche d'indices qui sont immédiatement reliés à des objets réels. Pour certains jeunes oiseaux, une même forme de bois suggère, par exemple, une oie avec un long cou si on la pointe dans un sens, et un dangereux faucon si, la ramenant en arrière, on transforme le long cou en une longue queue. La couleur peut jouer à elle seule le rôle d'indice pour l'identification d'un ami, d'un ennemi, de parents, etc. Un masque grossier, terrifiant, peut faire sourire un jeune enfant, pour peu qu'il comporte certains indices minimaux capables de suggérer le visage maternel, mais il provoquera des manifestations de peur si ces indices font défaut. Reconnaître les objets en se fondant sur des indices au lieu d'analyser le détail abstrait marque le début de la vision syncrétique. La vision analytique ne ferait alors qu'entraver la reconnaissance des objets, car le moindre mouvement d'un objet peut affecter profondément la forme abstraite de ses détails. Le nez humain, par exemple, a l'air d'un triangle vu de profil et d'une fioriture informe vu de face. Ces deux aspects n'ont rien de commun. Il nous est cependant facile de reconnaître un visage que nous avons d'abord vu de profil quand il vient ensuite à se présenter de face (fig. 2).

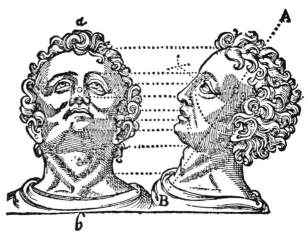

FIGURE 2. *D'une vue de face à une vue de profil, un tel changement affecte tous les traits du visage, au point qu'il interdit une reconnaissance en termes de forme abstraite. Mais aucun changement n'affecte la ressemblance globale. La reconnaissance des objets réels ne dépend pas de la mémorisation de leurs divers aspects formels. La compréhension de la réalité précède l'appréciation de la forme abstraite.*

Si la théorie de la gestalt avait été juste, et notre première connaissance de la réalité analytique, et non pas synthétique, l'identification des objets présenterait des difficultés considérables. Si nous pouvons si facilement décompter les changements et les pertes constants dans le détail abstrait, il faut l'attribuer à la mystérieuse saisie syncrétique de la forme globale, qui peut être hypersensible aux caractères individuels tout en ignorant le pattern abstrait insignifiant. On a donc tort de parler, à propos de l'enfant, d'une vision primitive incapable d'analyser une forme abstraite; il s'agit plutôt d'une faculté supérieure parfaitement adaptée à la reconnaissance instantanée des objets individuels. Comme je parlais un jour à une assemblée d'artistes du dualisme du syncrétisme et de la forme abstraite analytique, je provoquai l'indignation d'un peintre qui travaille dans des patterns abstraits simples. Il s'empressa de raconter une petite histoire que nous étions tous probablement en mesure de raconter. Un jour qu'il était allé se promener sur la place de St-Ives en Cornouailles, au crépuscule, il vit de loin une silhouette qu'il pouvait à peine distinguer. Il reconnut pourtant aussitôt — peut-être à une idiosyncrasie indéfinissable dans son attitude — une vieille connaissance qu'il n'avait pas vue depuis des années et qu'il savait vivre en Afrique du Sud. Avait-il retrouvé la forme géométrique de son attitude caractéristique? Comment ce vague contour, dans le crépuscule, pouvait-il être assez caractéristique pour évoquer instantanément un individu qu'il ne pouvait se rappeler autrement? Cela n'a pas grand sens de prétendre qu'il retrouvait justement cette attitude caractéristique parmi une foule d'autres formes très différentes. Ce qui a dû certainement jouer, c'est une mémoire plus globale, qui n'est pas le rappel de détails spécifiques. Nous ne connaissons pas encore toute l'étendue et la structure de nos pouvoirs de *scanning* (inconscient), mais nous devons en chercher une explication du côté d'une sensibilité souterraine indifférenciée qui n'est pas sans rappeler le syncrétisme. Je pose là un nouveau problème sans essayer de le résoudre. La psychologie de la perception inconsciente est encore à écrire. (Notre seule certitude raisonnable est peut-être le lien étroit de son développement avec une évolution parallèle de la libido. Je reviendrai plus tard à l'évolution parallèle du ça et du moi pour soutenir que le développement libidinal du ça guide la différenciation de la perception du moi.)

Je me contente ici de poser que l'indifférenciation et le syncrétisme, loin d'être chaotiques, sont d'une utilité vitale. Comme nous l'avons vu, la faculté syncrétique

peut abstraire à partir de différences du détail analytiques
et identifier ainsi un objet dans ses aspects changeants.
Elle décompte aussi les nombreuses malformations du
détail abstrait qui, dans une bonne caricature, distordent
la projection photographique « correcte ». Le *scanning*
inconscient indifférencié extrait des nombreux détails
variables un dénominateur commun ou un axe qui joue
le rôle d' « indice ». L'enseignement artistique, au lieu de se
concentrer sur l'analyse abstraite de la forme, pourrait
exercer cette précieuse faculté syncrétique et frayer la
voie à l'apparition d'un nouveau réalisme, en exploitant,
par exemple, les ressources encore insondées de la caricature. Sans la moindre agressivité ou le moindre ridicule, il
pourrait viser simplement une vraie ressemblance avec la
réalité, sans attention au détail. Giacometti n'a-t-il pas dû
écraser la silhouette humaine pour obtenir plus de vérité
dans la ressemblance? Il pourrait bien s'agir de sa part,
inconsciemment, d'une attaque destructrice contre le corps
humain. Mais sa destructivité initiale était en rapport
avec le syncrétisme et put ainsi mener à la renaissance de
l'individu dans son intégrité.

On a beaucoup de mal à accepter que la reconnaissance
de la chose soit syncrétique, et donc indépendante de la
perception de détails analytiques bien définis. Bertrand
Russell définit — presque comme une évidence — les
choses comme des faisceaux de qualités définies. Il nous
faudrait d'abord apprendre à retrouver une à une les
qualités abstraites : rougeur, rondeur, etc., pour les associer
ensuite en « faisceaux » cohérents et concrets qui tendent
à se produire ensemble dans l'espace-temps. Position
bien naïve pour un philosophe aussi sceptique! La théorie
philosophique des données sensibles a mis un temps
invraisemblable à mourir de sa mort lente. Cette théorie
soutenait que la perception commence par la vue de données sensibles abstraites insignifiantes, de taches colorées
dans le champ visuel qui sont communiquées au cerveau
pour une estimation plus approfondie. Selon Russell,
elles « se lient en faisceaux » pour former des entités plus
complexes, associées aux choses réelles. La psychologie
de la forme ne représente guère de progrès par rapport
à cette théorie naïve, même si on la compare aux théories
atomistiques plus précoces qu'elle a remplacées. Avant
l'avènement de la psychologie de la forme, on prétendait
que les données sensibles consistaient en une mosaïque
pointilliste. Pièces et morceaux s'additionnaient ensuite

en entités plus grandes. La psychologie de la forme a raison de faire l'économie de cette mosaïque et de suggérer que la perception va directement à des patterns abstraits complets, qu'on appelle gestalt. Mais nous sommes encore bien loin de mieux comprendre notre conscience immédiate syncrétique des objets concrets. Tout comme avant, nous donnons aux aspects abstraits gestaltiques d'une chose le rôle de données sensibles insignifiantes, qui sont réservées pour être associées à l'idée de l'objet concret. On comprend mal qu'il soit si difficile d'envisager une perception guidée par la libido, allant droit globalement aux objets individuels, sans avoir conscience de leurs éléments abstraits. Peut-être le dualisme éternel de la forme et du contenu — la bête noire de l'esthétique — fausse-t-il aussi la clairvoyance psychologique : on croit la forme de la compréhension antérieure à son contenu. C'est tout à fait faux. La perception de la chose concrète précède la conscience d'une gestalt abstraite généralisée. Bien plus, comme nous l'avons vu, cette conscience abstraite gêne, au lieu de la soutenir, notre reconnaissance de la réalité. La perception de la chose, avec sa saisie syncrétique d'un objet total, doit être fermement établie avant qu'aux alentours de la huitième année, la conscience analytique du pattern abstrait vienne prendre sa place. Mais à ce moment-là, la « latence » a donné un coup d'arrêt aux pulsions sexuelles de l'enfant. Les liens libidinaux de l'enfant avec la réalité, en s'affaiblissant, permettent à la perception de se détacher de son ancienne quête syncrétique de l'objet concret individuel pour s'attacher à des patterns abstraits généralisés ; s'installe ainsi dans son orientation vers la réalité un clivage profond, qui ne sera jamais entièrement résolu.

Il ne s'agit pas, bien entendu, de déprécier l'éveil des facultés abstraites analytiques pendant la latence. Bien au contraire ; la conscience nouvelle de la forme abstraite devient l'un des instruments les plus puissants qui soient aux mains de l'artiste et du savant. L'abstraction scientifique est en effet un produit de la différenciation inconsciente. Elle se fonde sur un mélange d'images qui apparaissent incompatibles à l'introspection consciente et s'effacent réciproquement. Je traiterai dans un chapitre séparé de cette relation étroite entre l'indifférenciation et l'abstraction. (Je parlerai d'indifférenciation pour me référer à la structure statique de la fabrication inconsciente d'images, et de dédifférenciation pour décrire le processus dynamique par lequel le moi disperse et refoule l'imagerie de surface.)

Le développement d'images nouvelles dans l'art et de concepts nouveaux dans la science se nourrit du conflit de deux principes structuraux opposés. L'analyse d'éléments de gestalt abstraits se heurte à la saisie syncrétique de l'objet total, la focalisation sur le détail au *scanning* complexe, la fragmentation à la totalité, et la différenciation à la dédifférenciation. Le conflit que signalent ces polarités oppose également les processus primaire et secondaire. Le nouveau sens technique que j'ai donné aux termes « indifférenciation » et « dédifférenciation » peut obliger à modifier la conception actuelle non seulement du processus primaire, mais aussi du terme « inconscient »; le retrait des images de la conscience ne tient pas seulement à la censure qu'exerce le surmoi sur certains *contenus* choquants; leur *structure* indifférenciée peut suffire à les rendre inaccessibles. On peut expliquer ainsi le paradoxe de la vision syncrétique : on la croit parfois vide de détails précis alors qu'elle est en fait simplement indifférenciée. Son absence de différenciation lui permet d'accommoder sur un champ étendu de formes incompatibles, — par exemple sur toutes les distorsions possibles opérées sur un visage par une bonne caricature. Néanmoins, la vision syncrétique est fortement sensible au moindre indice et se révèle plus efficace pour identifier les objets individuels. Si elle nous donne l'impression d'être vide, vague et généralisée, c'est uniquement que la conscience de surface étroitement focalisée ne peut en saisir la structure plus vaste et plus globale. Son contenu concret précis est devenu inaccessible et « inconscient ».

CHAPITRE II

Les deux types d'attention

Au niveau de la conscience, la contrainte de la gestalt nous fait diviser le champ visuel en « figure » signifiante et en « fond » insignifiant. Et pourtant, s'il est une impossibilité pour l'artiste, c'est précisément de diviser le plan du tableau en aires signifiantes et insignifiantes. Seul un mauvais artiste concentrera exclusivement son attention sur la composition d'ensemble et traitera comme des additions décoratives, sans aucune signification structurale, les éléments de forme moins articulés, — textures ou « écritures » griffonnées de l'art moderne. Un véritable artiste reconnaîtra avec le psychanalyste que rien ne peut passer pour insignifiant ou accidentel du produit de l'esprit humain, et qu'il faut — au moins à un niveau inconscient — renverser le jugement habituel. Un détail apparemment insignifiant ou accidentel peut fort bien porter le symbolisme inconscient le plus important. Le grand pouvoir émotionnel des écritures spontanées atteste en effet leur sens caché et leur symbolisme (pl. 13 et 16). Une grande œuvre picturale dépouillée de sa touche originelle par un mauvais restaurateur perdra presque toute sa substance et restaurer la *Cène* de Vinci ne rimait pas à grand-chose.

Dans une œuvre d'art, tout élément, même le plus pauvre, doit être solidement relié à la structure globale et s'intégrer à un réseau complexe de transversales, rayonnant à travers le plan du tableau Il n'y a pas de division décisive entre la gestalt ou figure, et les éléments de simple arrière-plan. La complexité de toute œuvre d'art, même simple, dépasse, de loin, les pouvoirs de l'attention consciente qui, avec sa focalisation ponctuelle, ne peut s'attacher qu'à une seule chose à la fois. Seule l'indifférenciation extrême de la vision inconsciente peut balayer ses complexités. Elle peut les embrasser d'un seul coup d'œil non focalisé, et traiter avec une impartialité égale la figure et le fond. C'est là un point confirmé par le témoignage des artistes.

Paul Klee [16] parlait de deux types d'attention pratiqués par l'artiste. Le type normal d'attention focalise sur la figure positive qu'enferme une ligne, ou alors — mais au prix d'un effort — sur la forme négative que la figure découpe sur le fond. Klee parle alors de l'aire endotopique (au-dedans) et de l'aire exotopique (au-dehors) du plan de l'image. Selon lui, l'artiste peut ou bien accentuer l'ambivalence de la limite produite par la bisection de plan de l'image; en ce cas, il fixera son attention sur un côté (endotopique ou exotopique) de la ligne qu'il trace; ou alors, il peut éparpiller son attention et regarder le façonnement simultané des aires du dehors et du dedans de chaque côté de la ligne, tour de force que les psychologues de la

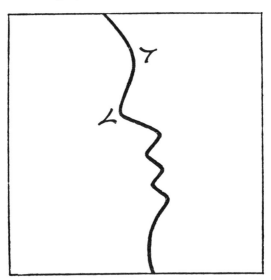

Figure 3. *Les doubles profils de Rubin : les deux visages cherchent à s'embrasser, mais ne peuvent y parvenir ; la focalisation de l'œil sur l'un des deux fait disparaître l'autre. Les ornements réversibles présentent cette structure ; il faut affirmer que l'artiste peut inconsciemment embrasser d'un seul coup d'œil l'alternative des deux images.*

gestalt estimeraient impossible. Selon la théorie de la gestalt, nous devons faire un choix : ou bien voir la figure, et la forme du fond devient invisible; ou bien — au prix d'un effort — déchiffrer la forme négative découpée sur le fond; la figure originelle disparaît alors de la vue. Nous ne pouvons jamais voir les deux en même temps. On peut, bien entendu, construire à dessein des patterns ambigus où la forme et le fond sont aisément interchangeables. Les fameux doubles profils de Rubin en sont un exemple (fig. 3). Une ligne sinueuse partage un carré. On peut la lire soit comme un profil tourné vers la droite — la moitié gauche alors devient consistante, et l'aire de droite n'est plus qu'un fond vide; ou bien on peut y voir un profil regardant de l'autre côté — le côté droit devient alors consistant et l'aire de gauche recule. Nous ne pouvons voir qu'un profil à la fois et devons faire un choix. Mais le faisons-nous en réalité? On appelle souvent « réversibles » les patterns ambigus de ce type et on leur attribue une valeur esthétique et éducative bien déterminée. Certains ornements primitifs peuvent ainsi nous laisser une impression particulièrement vive et pénétrante parce qu'ils se laissent lire aussi facilement comme des patterns noir-sur-blanc que comme des patterns blanc-sur-noir. L'étudiant qui se voit proposer la tâche de construire de tels réversibles, a des chances de la trouver insurmontable. Sa difficulté est bien révélatrice des enseignements de la gestalt. Je me suis aperçu que lorsque les étudiants en art sont trop rigides, ils font alternativement sauter leur attention de l'aire endotopique à l'aire exotopique séparées par la ligne. Cette méthode bien incommode leur permet de vérifier que les deux lectures ont un sens esthétique, — mais certainement pas d'obtenir du bon dessin. Au fond, comme l'affirme Paul Klee, un bon artiste doit être capable d'embrasser en un seul foyer indivis le plan entier du tableau. Il donnera automatiquement, en dessinant une ligne unique, une forme esthétique au négatif que sa ligne découpe sur le fond. Les réversibles ne représentent qu'un cas particulier, où le négatif est consciemment relié au pattern positif (pl. 19).

Le besoin se fait évidemment sentir ici d'une attention indifférenciée voisine de la vision syncrétique qui ne focalise pas sur le détail mais embrasse en un seul regard indifférencié la structure entière de l'œuvre d'art. L'introspection ne peut ici nous être d'aucun secours. Le contenu de cette attention dispersée apparaît essentiellement « blanc » *(blank)* et vide au souvenir conscient. L'usage de patterns ambigus pour les tests de la personnalité manifeste la qualité réellement inconsciente et virtuellement disruptive de l'indifférenciation. La psychanalyste américaine Else Frenkel-Brunswik [11] a remarqué que certaines personnalités rigides et mal intégrées faisaient une réaction d'angoisse aux patterns ambigus. Il n'y a là rien d'étonnant. Elles sont aussi incapables d'oscillation régulière entre les différents niveaux de la perception que l'étudiant en art rigide incapable de focaliser son attention. Cette incapacité est due à une dissociation presque pathologique des fonctions de leur moi, dissociation telle que la percée incontrôlable des modes indifférenciés de vision menace de disruption soudaine et de désintégration leur sensibilité de surface rigidement focalisée.

Ou encore : leur angoisse peut venir des contenus du ça infiltrant les fantasmes inconscients. Une fois que les perceptions indifférenciées sont devenues inaccessibles à la conscience, elles sont investies de fantasmes du ça. La peur inconsciente de ces fantasmes renforcera alors le clivage qui existe déjà entre les différents niveaux de vision et durcira davantage la rigidité du moi. Il n'y a qu'une différence quantitative entre une personnalité schizoïde rigide et la rigidité hyperconcrète de la pensée schizophrénique. Dans la schizophrénie, la peur inconsciente de la dédifférenciation franchit le seuil critique, et le rythme créateur du moi qui oscille entre les niveaux différenciés et les niveaux indifférenciés s'arrête totalement. A cette extrémité, une percée de la fantasmatique inconsciente provoque le chaos catastrophique que nous associons volontiers au processus primaire. Nous commençons à percevoir que le chaos n'est pas inhérent à la structure indifférenciée du processus primaire, mais seulement à son impact sur des fonctions de surface pathologiquement rigides et dissociées.

L'artiste en vient très aisément à une dispersion souple de l'attention, ne serait-ce que par son besoin d'embrasser en un seul acte indivis d'attention tous les éléments du tableau. Il ne peut se permettre la bissection fatale en figure et fond imposée par le principe conscient de la gestalt. Spectacle familier qu'un artiste, qui tout d'un coup s'arrête en chemin sans raison apparente, prend du recul devant sa toile et la fixe d'un regard singulièrement vide! C'est qu'alors la gestalt consciente se voit interdire la cristallisation. Rien ne semble venir à l'esprit du peintre. Peut-être l'un ou l'autre détail s'éclaire-t-il un instant pour sombrer à nouveau dans le vide. Pendant ce passage à vide, un *scanning* inconscient semble se poursuivre. Soudain, comme venu de nulle part, surgira un détail choquant jusqu'alors ignoré : il bouleversait en fait l'équilibre du tableau, mais il était resté inaperçu. Le peintre, soulagé, met alors fin à son apparente inactivité. Il retourne à sa toile et effectue la retouche nécessaire. Cette vacuité « pleine » du *scanning* inconscient se produit dans bien d'autres exemples de travail créateur. L'attention dispersée de Paul Klee, qui peut se fixer sur la figure et le fond des deux côtés d'une ligne, en fait partie. Pour ce qui est de la conscience, c'est une attention vide. Le principe de la gestalt qui règle la perception consciente ne peut en effet renoncer à avoir prise sur la figure.

La vacuité « pleine » de l'attention peut aussi exister dans l'audition. Paul Klee fait lui-même le lien entre la peinture et la musique. Il appelle « multidimensionnelle » (expression qui en accentue heureusement la structure irra-tionnelle), son attention dispersée capable de se fixer sur le plan entier du tableau, ou encore « polyphonique ». Ce qui est aussi une bonne appellation, car l'audition polyphonique surmonte également la division consciente entre figure et fond. En musique, la figure est représentée par la mélodie, qui se détache sur le fond indistinct de l'accompagnement harmonique. Les musiciens répugnent à appeler pur accom-pagnement les fils polyphoniques d'une progression har-monique bien construite, car l'accompagnement des voix forme souvent des phrases mélodiques parallèles, qui sont expressives par elles-mêmes. La terminologie habituelle s'applique pourtant bien à l'ordinaire naïf de notre plaisir musical. De plus, elle correspond à la demande du principe de la gestalt qui exalte la mélodie comme figure sur fond d'accompagnement. Pour notre mémoire, un morceau de musique ne laisse que le souvenir d'une mélodie. Mais, comme nous nous en sommes peu à peu rendu compte, la perception artistique n'est ni ordinaire, ni dépendante des limites étroites de l'attention quotidienne, ni confinée à sa focalisation précise qui est incapable de se fixer sur plus d'une mélodie à la fois. Le musicien, comme le peintre, doit s'exercer à disperser son attention sur la structure musicale entière, pour pouvoir saisir le bâti polyphonique caché dans l'accompagnement.

À la différence des artistes visuels, parmi lesquels seul Klee a eu conscience du problème, les musiciens ont forgé des termes techniques pour les deux types d'audition. Le type focalisé normal d'attention ne peut entendre dans une structure polyphonique lâche que des accords harmoniques consistants, et leur progression pesante sous la mélodie dominante. Comme on écrit verticalement les accords dans la notation musicale, on appelle vertical ce type consistant d'audition. Le second type d'attention plus dispersé (polyphonique) est appelé horizontal. Dans la notation, en effet, on écrit les voix polyphoniques horizontalement le long de la portée. C'est une terminologie assez superficielle, purement visuelle : elle ne rend pratiquement pas compte du problème psychologique qui y est impliqué. Rares sont les musiciens qui perçoivent la vacuité « pleine » de l'audition horizontale. Un de mes souvenirs d'enfance est une discussion à laquelle j'assistai, très impressionné, entre de jeunes musiciens, sur leur capacité respective d'audition horizontale. Pour les étudiants en musique, il allait de soi que l'audition horizontale était simplement l'audition verticale normale multipliée, et demandait une pleine attention consciente à toutes les voix polyphoniques, simultanément. L'un d'eux prétendait tristement n'en pouvoir au mieux suivre que deux à la fois. Un autre pensait pouvoir aller jusqu'à trois. Il est significatif qu'aucun d'eux n'ait affirmé pouvoir suivre, sans en perdre aucune, les quatre voix qui font l'effectif normal d'un son harmonique complet. On connaît pourtant l'exemple du jeune Mozart qui entendit un jour dans la Chapelle Sixtine un morceau polyphonique dont la partition était tenue rigoureusement secrète par le chœur. Le jeune garçon put néanmoins noter la partition de mémoire. Il est évident que le nombre des voix polyphoniques ne gênait en rien ce jeune génie. Un chef expérimenté peut aussi repérer dans l'orchestre au complet l'instrument qui s'égare, sans se repérer forcément aux défaillances du son vertical. A mes yeux, l'erreur des jeunes musiciens était de confondre l'audition horizontale avec l'attention focalisée normale. Si nous nous observons de plus près, nous découvrons bientôt l'impossibilité — à un niveau conscient — de partager notre attention, fût-ce entre deux voix indépendantes, à moins bien entendu de la faire sauter de l'une à l'autre, en nous essoufflant à vouloir les rattraper tour à tour. Mais ce n'est certainement pas le moyen d'apprécier la musique. L'audition polyphonique est non focalisée et « vide » pour le musicien aussi bien que pour le profane ; mais de cette vacuité pleine, le musicien peut extraire toute l'information qui lui est nécessaire avec l'aide du *scanning* inconscient que j'ai décrit maintes fois. Si rapide est l'infor-

mation obtenue qu'on oublie rétrospectivement le moment
de vacuité. C'est pourquoi les coupures du flot de conscience en perpétuelle oscillation nous sont si mal connues.
Dans ces coupures le travail du *scanning* inconscient se
poursuit.

Le musicien exercé laisse son attention osciller librement
entre les états focalisés et non focalisés (vides); tantôt il
focalise sur les sons verticaux consistants des accords,
tantôt il vide son attention pour pouvoir embrasser dans sa
totalité la trame lâche et transparente des voix polyphoniques. Il se peut que le profane naïf ne veuille pas renoncer
à prendre la mélodie dominante pour unique objet de son
attention (verticale). Il se sentira déjà mal à l'aise en écou-
tant des symphonies classiques, où le fil de la mélodie
dominante peut être repris tour à tour par divers instruments, sans que les raccords soient toujours nets; des coupures s'y produisent ainsi que des chevauchements, ce qui
lui interdit une focalisation stable sur une ligne continue.
Il en résulte confusion et malaise, et sa déconfiture n'est pas
sans rappeler les angoisses provoquées par les patterns
ambigus (réversibles) chez les observateurs rigides, qui sont
dues également à une attaque contre le principe gestal-
tique de la perception focalisée.

Un auditeur plus averti n'éprouvera pas semblable
confusion. Il a déjà appris à disperser et à éparpiller son
attention en un type d'audition plus horizontal. Il remar-
quera à peine les coupures et les chevauchements du flot
mélodique. Or, il n'y a pas plus de distinction rigoureuse
entre les auditions verticale et horizontale qu'il n'y a de frontière marquée entre les processus conscient et inconscient.
On passe progressivement d'un niveau mental à l'autre.
L'oscillation entre les deux types d'audition est parfois
superficielle, mais elle peut aussi être profonde. La structure de la musique diatonique classique passe alternativement de la fusion harmonique consistante des accords (qui
favorise l'audition verticale) à leur dissolution temporaire
en une trame lâche de ramifications polyphoniques. L'attention ne cesse de dériver * entre une mélodie sonore, soutenue

---

* En anglais : *shift*. Ce terme, très fréquent en anglais, a, dans la langue
courante la signification peu marquée de « déplacement ». Mais il est aussi
susceptible d'acceptions plus techniques ou conceptuelles (cf. son emploi
en linguistique). C'est, selon toute vraisemblance, l'emploi qu'en fait
Ehrenzweig; un emploi systématique pour désigner un déplacement
flottant (le terme est souvent chez lui très voisin d'oscillation), par exemple

par la consistance verticale des accords harmoniques, et la transparence légère du contrepoint polyphonique. Des tons dissonants dans un accord peuvent résister à l'aspiration dans le son vertical. Ils se détachent alors temporairement et détournent l'attention sur l'étape mélodique horizontale qui « résout » la dissonance. Il y a certainement un conflit entre ces deux types d'attention, chacun croissant aux dépens de l'autre. La différenciation (focalisation) de l'attention s'obtient aux dépens de la dédifférenciation (dispersion) et vice versa. La trame lâche du contrepoint affaiblit la consistance, facile à focaliser, des accords harmoniques, tandis que chaque jonction des voix en accords opaques et consistants obscurcit la clarté et la transparence du contrepoint. Les voix forment parfois de bons accords à chaque étape. Ainsi en est-il, pour une bonne part, des chorals lents, dans la *Passion selon saint Matthieu* de Bach. Et pourtant, les mélodies confiées à chaque voix y sont assez puissantes et expressives pour équilibrer la tendance à une fusion harmonique complète. L'attention est libre d'osciller entre les modes vertical et horizontal. Les fonctionnements mentaux conscient et inconscient s'intègrent harmonieusement de façon surprenante, sans cette disruption mutuelle violente qui se produit si souvent dans la musique moderne. L'oscillation régulière entre les modes de perception focalisés et non focalisés est l'occasion d'une gymnastique mentale infiniment bénéfique à la santé du moi.

Cette intégration réussie remet en question la présence de phénomènes inconscients, au sens technique, dans l'audition polyphonique et la vision multidimensionnelle de Klee. On n'y éprouve pas davantage l'impression de chaos non structuré qui adhère au processus primaire de l'inconscient profond. C'est le vieux problème insoluble, qui surgit dès que nous oublions que l'intégration des principes opposés tient à la seule réussite d'un rythme du moi créateur. A défaut de cette réussite (comme le démontrent le désarroi des observateurs de Mme Frenkel-Brunswick et celui de l'auditeur naïf devant les chevauchements polyphoniques), l'antagonisme entre les deux principes ne se

le déplacement de la conscience ou de l'attention entre leurs divers modes de fonctionnement.

On a donc cherché à le rendre en français par un terme qui évoque ce flottement (déplacement est pour nous trop figé), et puisse faire figure de concept. Le mot français « dérive », par ses connotations et certains de ses emplois contemporains, a paru s'y prêter. *(N.d.T.)*

résout pas. Sans cet effort créateur d'intégration, le clivage entre les deux types de sensibilité a toutes les chances de se produire. Comme je l'ai signalé, l'artiste, s'il n'est pas entraîné, fait un clivage entre la figure et le fond. Il rejette comme insignifiants et chaotiques les éléments texturaux de l'arrière-plan, pour les rajouter au besoin, une fois achevé le travail principal de la composition. Il faut tout le secours d'un regard vide et dispersé pour surmonter ce grave clivage anticréateur. Artistes et connaisseurs accordent beaucoup de prix aux « écritures » ouvertement torturées, et apparemment incontrôlées qui résistent à tous les maniérismes et astuces délibérés. C'est là une expression de la personnalité de l'auteur mystérieusement plus fidèle que ses compositions plus réfléchies. Est-ce parce que ces textures indifférenciées recèlent des symboles inconscients, inaccessibles pour toujours à l'interprétation consciente? Si, comme je le crois, la structure apparemment chaotique de l'écriture recèle un ordre inconscient caché, cet ordre est détruit dès qu'il est imité par un effort conscient, — ce qui n'est pas sans remettre sérieusement en question l'hyperassurance des restaurateurs, qui n'hésitent pas à reproduire la touche du maître de façon parfaitement délibérée. Le conflit qui oppose les méthodes de travail délibérées aux méthodes spontanées est en effet profond. Tandis que l'attention consciente de l'artiste est, par exemple, absorbée par la composition de l'ensemble, sa spontanéité (inconsciente) ajoute les innombrables inflexions à peine articulées qui constituent son écriture personnelle. Tout éclair d'attention consciente sur ces distorsions, griffonnages et textures infimes, dérangerait leur manque apparent de structure (pl. 17). Ce serait y introduire une part de bonne gestalt et les dépouiller ainsi de leur qualité la plus précieuse : cette impression de chaos instructuré dont dépend leur impact émotionnel (et donc aussi leur ordre et leur signification inconscients). Nous ne pouvons pas plus définir leur organisation et leur ordre cachés que nous ne pouvons déchiffrer leur symbolisme inconscient. Leur contenu et le principe formel de leur organisation sont réellement inconscients.

Il n'y a en fait qu'une progression quantitative de l'attention multidimensionnelle de Paul Klee qui embrasse le plan entier indifférencié du tableau au contrôle que les mains vides de l'artiste exercent sur les inflexions et les écritures inarticulées. Le regard vacant, non focalisé de l'artiste, prête attention au moindre détail, si éloigné soit-il, de la figure consciemment perçue. Le refus démocratique de se permettre la moindre distinction entre la signification des éléments constitutifs d'une œuvre d'art appartient à l'essence de la rigueur artistique.

Il en est de même en musique. Les éléments conscients articulés y sont classés en « systèmes » variés de gammes, de rythme et d'harmonie. Tout ce qui ne rentre pas dans ces systèmes est automatiquement exclu de notre attention normale, par exemple les innombrables inflexions inarticulées de la mélodie par *vibrato*, *portamento*, *rubato*, etc., dont aucune n'est assez articulée pour figurer dans la notation musicale et qu'on laisse à la spontanéité de l'exécutant. Elles contribuent fortement à l'impact émotionnel de la musique et font certainement partie de sa structure essentielle. Un mauvais peintre, qui fait dans le commercial, singe une écriture artistique torturée en imprimant délibérément à sa main un tremblement stéréotypé; de même, le violoniste ou le chanteur de pop commerciaux font trembler leur mélodie avec un *vibrato* ou un *portamento* appliqués sans discrimination, pour charger leur son de sensualité, — sans pour autant nous donner le change.

Un exécutant inspiré comme Casals réserve, au contraire, les *vibramento* ou les *portamento* à certains endroits, à l'exclusion des autres, sur l'ordre d'une discipline rigoureuse qu'il est incapable de formuler — ce qui n'enlève rien au caractère contraignant de sa discipline spontanée. S'il voulait laisser son attention consciente contrôler leur application par un effort conscient, son dessein échouerait et le ferait s'égarer. A un examen conscient, fût-ce celui de l'artiste, ces inflexions ne peuvent que paraître chaotiques et arbitraires. Aussi l'attention consciente priverait-elle l'exécutant de la stricte discipline qui lui est nécessaire pour façonner la structure globale de l'œuvre. On peut, bien entendu — et cela a donné lieu à d'intéressants travaux — mesurer avec précision le *vibrato* de bons chanteurs et arriver à certaines fréquences optimales. Mais de telles valeurs optimales sont évidemment sujettes aux changements de goût comme tout élément de l'art. Les chanteurs de pop se complaisent à un *vibrato* lent qui serait inacceptable pour chanter le *lied*. Ce genre d'évaluation mène forcément à des maniérismes stéréotypés. A écouter le *vibrato* d'un grand instrumentiste, nous nous apercevons que son intensité change parfois au cours d'un même concert. Les éléments de forme appliqués spontanément sont délicats et sujets à d'imprévisibles changements d'humeur. Un interprète change facilement les micro-éléments inarticulés de son interprétation d'un concert à l'autre, sans que cette instabilité les rende arbitraires. Tout changement contraint l'exécutant à remanier son interprétation de l'œuvre entière, sous l'inspiration du moment. Cette intégration totale ne peut être contrôlée que par le regard vide du *scanning* inconscient, seul capable de surmonter la fragmentation de la structure superficielle de l'art. La petitesse relative des micro-éléments défie l'articulation consciente; il en est de même pour les macro-éléments de l'art à cause de leur ampleur excessive. C'est le cas par exemple pour la macro-structure d'une symphonie, distinguée de ses différents mouvements. La capacité, tant vantée, à saisir la structure totale d'une symphonie n'est pas à la portée de bien des chefs d'orchestre renommés. La plupart se contentent de moduler leurs phrases dans le seul contexte immédiat, ce qui accentue la fragmentation de l'ensemble. Superficiellement, la structure globale d'une sonate ou d'une symphonie paraît faire des détours pour échapper à une saisie totale. Ses différents mouvements sont étroitement organisés et composent par eux-mêmes des structures de bonne gestalt. Ils sont ensuite nettement contrastés dans le rythme, l'harmonie et la forme. Plus que jamais on a besoin d'un regard vide et indifférencié pour transcender des divisions aussi nettes et forger l'œuvre totale en un tout unique et indivisible. L'art se ferait presque pervers pour créer des tâches impossibles à maîtriser par nos facultés normales. Le chaos menace de près.

Nous en revenons ainsi à notre problème central : le rôle de l'inconscient dans le contrôle de la vaste substructure de l'art. Sa contribution paraît à la fois chaotique et acciden-telle, aussi longtemps du moins que nous nous en remettons, sous la tutelle de la gestalt, à la discipline de la perception consciente. Malgré toutes les précautions prises pour assurer les fondations de la pensée psychanalytique, et qui la font se méfier des impressions de chaos et d'acci-dentalité, l'esthétique psychanalytique a jusqu'ici échoué et succombé à l'impression chaotique qu'offre, avec tant de séduction, la substructure de l'art.

Une fois la mystification déjouée, on ne peut plus ignorer le rôle éminemment constructeur, dans l'art, du processus primaire.

CHAPITRE III

Le scanning *inconscient*

Le lot commun à tous les exemples de dédifférenciation est d'échapper à l'obligation de faire un choix. Le principe conscient de la gestalt impose, lui, la sélection d'une gestalt bien déterminée comme figure; au contraire, l'attention multidimensionnelle dont parle Paul Klee peut embrasser à la fois figure et fond. L'attention verticale doit sélectionner une seule mélodie, tandis que l'attention horizontale peut contenir toutes les voix polyphoniques sans choisir entre elles. La perception indifférenciée peut saisir en un seul acte indivis de compréhension des données qui seraient incompatibles pour la perception consciente. J'ai désigné ailleurs ces constellations qui s'excluent réciproquement du nom de structure « ou bien-ou bien » du processus primaire. Structure sérielle serait un meilleur terme. La vision de surface est disjonctive, tandis que la vision profonde est conjonctive et sérielle. Ce qui paraît ambigu, pluri-évocateur, ou sans fin déterminée à un niveau conscient, devient à un niveau inconscient une seule structure sérielle aux frontières parfaitement fixées. A cause de son rayon plus grand, la vision profonde peut servir d'instrument de précision pour balayer des structures de vaste envergure qui offrent un grand nombre de choix. On a régulièrement affaire à de telles structures dans toute recherche créatrice.

Des expériences de vision subliminale ont confirmé que la vision inconsciente a plus d'efficacité pour balayer la totalité du champ visuel. « Subliminal » n'est qu'un autre terme pour inconscient, exigé uniquement par notre répugnance à accorder une qualité réellement inconsciente à l'imagerie que sa seule structure indifférenciée a rendue inaccessible. On peut parler d'un refoulement « structurel » purement formel, qui donne une qualité inconsciente à des expositions tachistoscopiques d'une fraction de seconde et aux images subliminales totalement invisibles. Lorsque, dans les expériences tachistoscopiques, on réduit au-delà d'un seuil critique l'exposition encore visible d'une fraction de seconde, l'image disparaît et l'écran reste vide. Le psychanalyste new-yorkais Charles Fisher [10] a présenté subliminalement les doubles profils de Rubin (que j'ai décrits plus haut) et demandé à ses observateurs de faire des dessins par associations libres. (Il allait ainsi à l'inconscient par le même raccourci que celui qu'avait pris Freud après avoir abandonné l'hypnose comme moyen de capter l'inconscient.) Les dessins donnèrent un nombre significatif d'images qui faisaient se regarder deux objets à la manière des doubles profils. L'exposition d'une fraction de seconde avait manifestement suffi à la vision subliminale pour repérer simultanément les formes positive et négative. La vision inconsciente se révèle ainsi capable de balayer des structures sérielles et de rassembler plus d'information qu'un examen conscient cent fois plus long. La vision subliminale enregistre les détails avec la même acuité, sans tenir compte de leur appartenance à la figure ou au fond. Elle tend à inverser la préférence consciente pour la figure et accorde plus d'attention aux éléments de la texture et de l'arrière-plan. Un tel déplacement de l'accent est, évidemment, caractéristique du processus primaire. Les images subliminales envahissent souvent les rêves qui leur succèdent avec leurs caractéristiques très marquées : condensation, déplacement, représentation par l'opposé, fragmentation, duplication et autres techniques du processus primaire; sans pour autant — une fois de plus — entraîner le chaos. Une fois la dédifférenciation accomplie, la structure sérielle plus vaste des images souterraines reçoit volontiers — et contient en fait dès l'origine — les nombreuses variations possibles de la constellation de gestalt originellement choisies. Ce qui importe dans notre contexte est que la structure indifférenciée de la vision inconsciente (subliminale) est loin d'être aussi faiblement structurée et chaotique que le suggèrent les premières impressions; elle offre au contraire les possibilités du *scanning* qui sont supérieures à celles de la vision consciente.

La technique de sérialisation dans la musique moderne offre peut-être l'exemple le plus élégant en art d'une structure sérielle indifférenciée, qui contient dès l'origine un nombre illimité de variations. La sérialisation dispose pêle-mêle d'un nombre fixe d'éléments selon toutes les séquences possibles au point que leur relation se brouille totalement pour une audition consciente. Le compositeur marque bien cependant que, contrairement aux apparences, toutes les variations sont au fond équivalentes. Schoenberg, qui fut le premier à utiliser la sérialisation systématique, admit que leur équivalence ne se reconnaissait qu'inconsciemment. La « variation » classique d'un thème pouvait librement varier beaucoup d'éléments, mais préservait normalement la séquence de la progression harmonique. Pour l'auditeur naïf, l' « accompagnement » harmonique discret de la mélodie s'élevait ainsi au rang de structure essentielle de la musique, par un renversement assez adroit des valeurs musicales naïves. La variation explicite aussi l'intégration étroite de la mélodie et de l'harmonie : des mélodies deviennent très proches si elles partagent la même substructure harmonique. La mélodie se voit aujourd'hui sérieusement contester son droit à représenter la gestalt consciente de la musique, au profit d'une signification plus profonde. La sérialisation met au rebut tout reste d'une séquence identique et attaque systématiquement les vestiges d'une gestalt superficielle. Or, la préservation de la séquence temporelle est — comme je l'ai dit — le principe de la gestalt acoustique. On peut transposer les mélodies ; changer leur tonalité ; elles restent reconnaissables tant qu'on ne touche pas aux intervalles mélodiques. Mais une fois cette séquence remaniée, par exemple en renversant une mélodie de la fin au début, le thème perd son identité. Schoenberg considérait pourtant ce type de renversement comme la variation la plus caractéristique de son thème. Il voyait dans les douze tons de la gamme chromatique le thème éternel contenant dès l'origine le nombre illimité des permutations qui doivent en principe garder intacte l'identité du thème. Nous sommes une fois de plus confrontés au chaos du processus primaire qui traite avec le même mépris cavalier la cohésion temporelle et la cohésion spatiale. L'identité de la séquence temporelle comme principe d'une gestalt acoustique a pour parallèle, dans la vision, l'identité de la distribution spatiale. Il est difficile de reconnaître un objet qu'on nous montre sens dessus dessous, et c'est pratiquement impossible quand on brouille les relations spatiales entre ses éléments. C'est précisément le cas des portraits de Picasso et de ses conglomérats arbitraires de la silhouette humaine. J'ai affirmé qu'une vision syncrétique totale, indifférenciée dans l'agencement des détails, est capable de transcender l'impression chaotique et de reconnaître la ressemblance et l'intégrité inviolée du corps humain.

A propos de Schoenberg ou de Boulez, les critiques se sont plaints, à juste titre, de l'impossibilité de reconnaître, par les moyens ordinaires d'appréciation, l'ordre enfoui de leur sérialisation. La sérialisation, en effet, attaque directement tout moyen conscient de continuité. Mais c'était ne pas tenir compte de l'essentiel : la sérialisation cherchait effectivement à mettre en échec les pouvoirs conscients d'appréciation. On voit ici l'intellect se tourner contre lui-même. Aussi le compositeur et l'auditeur doivent-ils recourir à la visualisation indifférenciée qui peut embrasser en un seul coup d'œil la structure sérielle complexe des permutations possibles. Je montrerai à présent que le choix d'un bon sujet de fugue implique aussi une saisie intuitive, non intellectuelle, des nombreuses combinaisons polyphoniques auxquelles le sujet peut se prêter. On peut établir comme loi psychologique générale que toute recherche créatrice suppose que l'œil interne fixe une multitude de choix possibles, qui mettraient en échec total la compréhension consciente. La créativité garde ses relations étroites avec le chaos du processus primaire, — que nous ayons alors le sentiment d'un chaos ou bien d'un ordre créateur élaboré, cela dépend entièrement de la réaction de nos facultés rationnelles. Si elles sont capables de laisser leur contrôle dériver de la focalisation consciente au *scanning* inconscient, la disruption de la conscience se fait à peine sentir. Le passage à vide momentané est oublié au moment où l'esprit créateur remonte à la surface avec une pénétration fraîchement acquise. Si au contraire, les facultés de surface font une réaction de rigidité défensive et s'obstinent à juger les contenus de la dédifférenciation à partir de leur propre foyer restreint, alors, l'imagerie de la visualisation profonde, qui s'éparpille davantage sur des bases plus larges, nous laisse une impression de vague et de chaotique. Dans la maladie, les facultés de surface présentent souvent une telle réaction défensive. Elles tendent à un effritement catastrophique, en essayant de résister à la lame de fond des images et des fantasmes indifférenciés. La peur schizoïde du chaos prend une réalité psychique terrifiante à mesure que le moi se désintègre.

Mais attachons-nous d'abord au fonctionnement sans heurts du moi créateur, et observons l'alternance fructueuse qui se fait entre les modes différencié et indifférencié de ce fonctionnement. Toute recherche créatrice, qu'il s'agisse d'une image ou d'une idée nouvelle, implique l'examen d'un nombre souvent astronomique de possibilités. On ne peut pas choisir correctement entre elles en soupesant consciemment chacune de ces possibilités qui surgissent au cours de la recherche; à le tenter, on ne

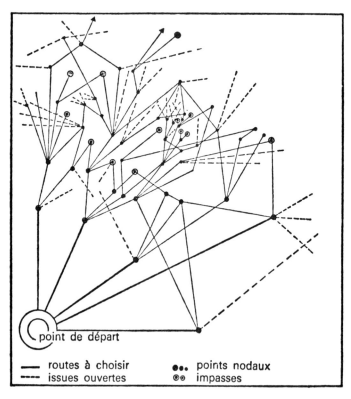

point de départ

—— routes à choisir   •• points nodaux
---- issues ouvertes   ⊚⊚ impasses

Figure 4. *Le labyrinthe (structure sérielle) d'une recherche créatrice. Le penseur créateur doit progresser sur un front étalé qui laisse ouvertes de nombreuses options. Il doit se faire une vue compréhensive de la structure entière du chemin à parcourir, sans pouvoir focaliser sur aucune possibilité particulière.*

ferait que s'égarer. Une recherche créatrice en effet ressemble à un labyrinthe qui comprendrait un grand nombre
de points nodaux (fig. 4). De chacun de ces points rayon-
nent dans toutes les directions de nombreux chemins
possibles qui mènent à d'autres intersections révélant
à leur tour un nouveau réseau de chemins principaux
et secondaires. Tout choix a la même importance cruciale
pour la progression ultérieure. Le choix serait aisé si
nous avions à notre disposition une vue aérienne du réseau
entier des points nodaux et des chemins rayonnants qui
repartent de là. Ce n'est jamais le cas. Si nous pouvions
tracer tout le chemin à parcourir, il n'y aurait plus besoin
de recherche. En fait, le penseur créateur doit prendre
une décision sur sa route sans avoir toute l'information
nécessaire pour choisir. Un tel dilemme appartient à
l'essence de la créativité. La structure d'un problème
mathématique en est un exemple parfait, puisque le
penseur créateur doit l'examiner sans pouvoir espérer
en avoir une vue vraiment nette. Mettons qu'on doive
transformer une équation algébrique en un certain nombre
d'étapes successives jusqu'à ce qu'elle prenne une forme
acceptable comme solution d'un problème non résolu.
Chaque transformation possible ouvre un nombre illimité
de nouvelles transformations, les unes fructueuses, les
autres aboutissant à des impasses. On admet qu'il existe
des règles strictes pour gouverner les transformations
algébriques; mais elles n'indiquent pas celle de ces transformations possibles qui se révélera finalement fertile.
Pour juger de la productivité de chaque étape nouvelle,
on doit en quelque sorte anticiper toute la route à faire.
Mais on ne peut en avoir une vue nette, ne serait-ce qu'à
cause du grand nombre de possibilités qui s'excluent
mutuellement. Elles finissent pas former des structures
sérielles typiques qui débordent le foyer étroit de l'attention
normale. C'est-à-dire que le mathématicien créateur doit
prendre, comme dans tout problème vraiment original
en art ou en science, des décisions correctes sans disposer
de toute l'information qu'elles exigent. Le mathématicien
Hadamard [15] qui s'intéressa à la psychologie de la pensée
mathématique, affirme avec insistance que toute tentative
pour visualiser nettement le chemin à parcourir ne peut
qu'égarer; il faut laisser la décision à l'inconscient. Ce
qui revient à poser, comme je l'ai fait, que la visualisation
inconsciente est mieux équipée pour balayer la structure
sérielle complexe d'un nouvel argument mathématique.

Hadamard admet que l'étudiant ne peut pas commencer par effacer son attention consciente. Il lui faut d'abord apprendre les règles conscientes qui gouvernent les transformations mathématiques pour vérifier chaque étape en fonction d'elles. Mais à un certain moment, qui est en rapport avec l'éveil de la créativité, il doit abandonner la visualisation précise. Au lieu de se concentrer sur chaque étape particulière, il lui faut viser et saisir la structure globale de l'argument par rapport à toute autre structure possible. Il doit visualiser syncrétiquement cette structure globale sans pouvoir regarder assez loin en avant pour voir nettement les choix et les décisions détaillés qui l'attendent. Pour reprendre les termes de Wittgenstein : sa vue doit être compréhensive même si elle n'est pas nette dans le détail. Hadamard, comme Poincaré avant lui, affirme catégoriquement qu'il est nécessaire de voiler sa conscience pour pouvoir prendre la bonne décision. Mais ce vague conscient n'est évidemment pas suffisant s'il ne conduit pas à faire dériver l'attention vers la vision souterraine non focalisée.

Le besoin excessif d'une visualisation nette est dicté par la dissociation schizoïde des fonctions du moi. Il est caractéristique d'une personnalité rigide non créatrice incapable de lâcher prise sur les fonctions de surface. Non sans ironie, l'enseignement académique encourage habituellement la visualisation précise du processus de travail et de son résultat. Dans tous les domaines de l'apprentissage, on vante la capacité d'un bon exécutant à contrôler pleinement le processus de travail. On attend de lui qu'il voie nettement le chemin à parcourir et choisisse la route la plus directe vers le résultat désiré. De telles ambitions sont louables pour le débutant, mais elles deviennent absurdes et nuisibles dès que l'exécutant doit résoudre une tâche nouvelle véritablement originale. Il ne peut plus alors avoir qu'une vue compréhensive sans la netteté du détail, comme l'est la mystérieuse vision syncrétique capable de saisir avec précision une structure globale dont les composantes sont interchangeables.

Le besoin exagéré d'une visualisation nette peut même faire du tort dans des jeux combinatoires relativement simples comme les échecs ou le bridge qui ne sont pas sans rappeler le travail créateur. Le *scanning* des structures sérielles y est aussi nécessaire pour pouvoir décider d'une stratégie. Une partie de bridge est susceptible de bien des développements suivant la distribution des cartes entre les joueurs. Pour jouer la bonne carte ou faire le bon appel, le joueur doit évaluer toutes les distributions possibles des cartes. Les permutations de ces distributions possibles représentent des structures sérielles typiques. Moi qui suis un très mauvais joueur, je dois envisager une à une toutes les constellations possibles pour finir, bien entendu, par prendre une mauvaise décision. J'échoue, faute de pouvoir élargir le foyer étroit de l'attention quotidienne normale et de pouvoir m'occuper de plus d'une distribution possible à la fois. Le joueur expérimenté, doué d'un mystérieux sens des cartes, peut envisager, en une fraction de seconde, toutes les distributions pertinentes comme s'il les tenait toutes à la fois sous son regard. Si nous devions lui demander comment il a réussi ce tour de force et ce qu'il avait réellement dans l'esprit quand il examinait la « structure » d'un jeu donné, il serait probablement incapable de nous répondre. Son attention était « blanche » et brouillée tandis que se poursuivait aux niveaux plus profonds de son esprit un *scanning* inconscient. Toute tentative d'une visualisation plus précise serait aussi déroutante pour lui qu'elle l'est dans une recherche créatrice. Si, au moment crucial du choix, nous essayons de saisir trop clairement une situation, nous rétrécissons automatiquement le champ de notre attention, nous privant ainsi de la faculté de *scanning* souterrain dont dépend le coup juste.

Mais les jeux représentent rarement une activité créatrice; le nombre des choix possibles, si grand soit-il, est strictement limité par les règles du jeu. Le travail créateur, lui, ne comporte aucune limite de ce genre; il crée ses propres règles qui ne se laissent connaître qu'une fois le travail achevé. La structure sérielle de la recherche doit toujours contenir des variables inconnues et le penseur créateur doit être capable de s'ajuster sur elles sans rien perdre en précision. Je pensais à ces variables ouvertes lorsque je disais que la pensée créatrice impliquait la capacité de manier avec une extrême précision un matériel imprécis. J'ai évoqué la tendance de la perception de la gestalt à colmater les brèches et à raboter les imperfections qui déparent un matériel simple et par ailleurs cohérent. Par exemple il est difficile de détecter dans une rangée de cercles parfaits et identiques l'unique cercle imparfait qui montre une petite brèche dans sa circonférence. La « loi de clôture » postulée par la théorie de la gestalt tendra toujours à arrondir et à simplifier les images et les concepts de la pensée consciente. Elle rend difficile, sinon impossible, pour la pensée rationnelle de manier un matériel « ouvert » sans en arrondir prématurément les angles. Une élaboration secondaire contribuera à rendre ce matériel plus précis et plus compact qu'il ne l'est réellement. Ce qui peut amener à des résultats incorrects. La visualisation souterraine, en comparaison, serait mieux équipée pour traiter les formes ouvertes et éviter ainsi les traquenards préparés par la « loi de clôture ». Géomètres, architectes, logiciens, qui manient tous essentiellement un matériel d'une gestalt presque parfaite, doivent apprendre à se méfier de la loi de clôture. Ils tendent à « idéaliser » leur matériel et ont souvent du mal à en accepter la fragmentation. Les logiciens, par exemple, qui prennent pour objet les imperfections du langage quotidien, essaient de le perfectionner pour en faire un instrument idéal de description de la vérité et de la réalité. A la fin de sa vie, Wittgenstein reconnut qu'il avait succombé à son désir d'idéaliser le langage et au besoin presque compulsif de lui donner le maximum de clarté. Il renia son fameux *Tractatus* qui assure encore, pour une grande part, sa réputation. Il avait d'abord cru pouvoir décrire la précision inhérente au langage en comparant sa structure logique à la structure d'un tableau. C'était la fameuse « théorie picturale » du langage, où il affirmait — ce qui passerait pour naïf aux yeux d'un peintre — qu'un tableau consistait en éléments dont on pouvait analyser et confronter la structure avec la réalité de façon objective. Il espérait que la structure logique du langage avait une relation aussi précise à la réalité. Nous savons aujourd'hui — depuis Gombrich — que le réalisme pictural ne présente aucune relation de ce type objectif, terme à terme, entre ses éléments et la réalité. Il se fonde entièrement sur l'apprentissage de « schémas » conventionnels. Plus tard, Wittgenstein renia sa théorie picturale du langage. Dans ses *Investigations philosophiques* [35] (les citations de paragraphes qui vont suivre se réfèrent à cette œuvre), il lui substitua un autre modèle : le langage est un « jeu » dont nous devons fabriquer les règles au fur et à mesure (§ 83). Il s'agit ici de l'usage créateur du langage. Nous avons vu qu'en général, l'usage créateur des images (les mots ne sont qu'un cas particulier de la production d'images mentales) formule ses règles de jeu au fur et à mesure. Une idée claire de leur usage ne se fera jour qu'une fois la recherche créatrice achevée. La logique classique ne traite que de l'imagerie verbale bien déterminée qui est disponible une fois la recherche achevée :

aussi les intuitions nouvelles doivent-elles se couler dans le
moule d'une exposition nettement déterminée si l'on veut
communiquer à d'autres une nouvelle découverte. Wittgenstein avait beau protester qu'il n'était pas un psychologue, la psychologie des profondeurs appliquée à la pensée
créatrice l'intéressait tout autant qu'Hadamard et Poincaré. La philosophie anticipe souvent des sujets de recherche, qu'une science nouvelle en développement reprendra
plus tard. On ne comprendra pleinement, à mon avis,
les dernières théories de Wittgenstein qu'une fois explicités
les problèmes de psychologie des profondeurs qui sont
implicites dans le combat majestueux qu'il livra au langage. Écoutons ses propres termes : au paragraphe 126 des
Investigations philosophiques, il parle de la structure de
notre pensée telle qu'elle se présente avant une découverte
lumineuse, quand il y reste encore des contradictions à
résoudre. La tâche du logicien n'est pas, selon lui, de
résoudre et de clarifier ces contradictions, mais de donner
une idée compréhensive *(übersehbar)* de la situation
déroutante qui précède la résolution de la contradiction
(§ 125). Si le langage offre alors un aspect déroutant, j'y
verrais volontiers la structure sérielle ambiguë de tentatives
mutuellement incompatibles d'une solution finale. Il faut
embrasser en une vue compréhensive *(übersehbar)* ces
possibilités mutuellement contradictoires. Ce qui rejoint
tout à fait ma conception d'une vision non focalisée
indifférenciée inhérente à toute recherche créatrice. Malgré
son apparence vague, elle doit être précise et compréhensive.
La difficulté qu'éprouve Wittgenstein à communiquer ses
intuitions se manifeste dans la traduction fautive donnée
par son disciple G. E. M. Anscombe pour le mot *übersehbar.*
Elle le traduit par « évident » ou « clair » (§ 122, 125) en
commettant l'erreur dangereuse de le tirer vers ce besoin
de « pureté cristalline » et de clarté que Wittgenstein
tenait tant à rejeter comme une idéalisation compulsive
du langage. Le dilemme posé par l'usage des symboles
dans la recherche créatrice ne tient pas à son caractère
parfaitement vague et à son manque de netteté (ce qui est
largement inévitable), mais plutôt à la coexistence nécessaire de ce vague de détail avec une vue d'ensemble
compréhensive et précise du problème. C'est pratiquement
en ces termes qu'Hadamard décrit la nécessité de saisir la
structure globale d'un argument mathématique qui doit
être précise sans qu'on puisse voir clairement les différentes
étapes qui la composent. Nous en revenons une fois encore

au dilemme du syncrétisme; il s'agit de saisir avec une précision compréhensive une vue totale dont les éléments sont variables et échangeables. Nous *sommes* capables — selon Wittgenstein — de comprendre un mot « en un éclair », alors que son sens précis n'est pas encore définissable, et ne pourra se faire jour qu'à travers tout l'usage ultérieur qu'on fera de ce mot (§ 139). Les disciples de Wittgenstein rendent l'enseignement de leur maître souvent inintelligible en interprétant ces propos comme un plaidoyer pour une pensée floue. Il ne s'agit en fait que d'un jugement sur l'usage réel des mots. On peut aussi bien dire avec précision quelque chose de vague. Le sens d'un mot réside dans son usage futur; il doit pourtant être déjà présent quand nous le saisissons en un éclair, « sans être pourtant présent » (§ 197). Wittgenstein dissipe le paradoxe : nous n'avons pas besoin de connaître le plein usage d'un mot pour le saisir dans un éclair de compréhension. Simplement, il y manquera encore, bien souvent, l'information détaillée. L'essentiel est que nous sachions jouer le jeu du langage sans pouvoir — pas plus que dans un vrai jeu — anticiper tous les coups dont les règles — que nous sommes encore en train de constituer — laissent la possibilité ouverte.

Il suffit d'introduire le concept de *scanning* inconscient pour résoudre le paradoxe de Wittgenstein. Nous ne serions pas capables consciemment de saisir tous les usages futurs d'un mot, mais le *scanning* inconscient en est capable. Les choses se compliquent du fait qu'objectivement tous les usages futurs peuvent ne pas exister encore pour le moment et échappent ainsi au *scanning* inconscient. Il nous faut donc trouver une formulation moins élémentaire : le *scanning* inconscient — contrairement à la pensée consciente qui a besoin de patterns de gestalt clos — peut manier des structures « ouvertes », aux frontières indistinctes, qui ne trouveront de tracés réellement précis que dans un futur inconnaissable. Le législateur doit faire des mots exactement le même emploi et anticiper les usages des termes légaux que les développements sociaux et économiques pourraient rendre nécessaires dans un futur imprévisible. L'architecte, en dessinant un bâtiment fonctionnel, doit aussi anticiper un certain nombre d'usages possibles qui sont en partie déterminés par des facteurs futurs inconnaissables. En somme, ces formes ouvertes peuvent absorber des aléas purement « accidentels » qui échappent entièrement à tout type de planning rationnel. Seul leur emploi ultérieur « définit » les termes scientifiques expérimentaux, les bonnes lois et les bons édifices. Dans tous ces cas cependant — l'usage logique des mots, la formulation de statuts légaux, le projet d'édifices — le penseur créateur doit saisir en un éclair la fonction globale de son œuvre en la distinguant de ses emplois plus détaillés. Bien jouer le jeu créateur est ici la seule exigence. Visualiser précisément ou, pis encore, tendre son attention pour voir une limpidité cristalline là où il n'y en a en fait aucune, ne donnera que des résultats incorrects ou inutilisables.

Dans l'enseignement des langues étrangères, on peut commencer par exercer l'étudiant à la grammaire et à la syntaxe. Il en acquiert des règles précises pour agencer des phrases entières à partir de mots — matériel fondamental du langage. Si l'étudiant se satisfait trop facilement de la combinaison mécanique de ses phrases, il n'arrivera pas à saisir l'esprit d'une langue vivante. On ne peut en effet sentir cet esprit qu'en balayant l'éventail illimitable des constellations qui assemblent les mots dans leur usage quotidien. Ce *scanning* défie bien entendu l'analyse consciente et n'est pas enseignable tel quel. Selon la constitution psychologique de l'étudiant, il est possible que trop d'insistance sur l'analyse grammaticale détaillée et la combinaison lui fasse du tort et doive être remplacée par une saisie globale plus intuitive du langage. Prévoir le programme d'une école artistique exige de semblables décisions. Aussi longtemps qu'on fait leur part à l'analyse rationnelle et au travail intuitif, leur combinaison dans un cas précis ne devrait pas présenter de difficultés insurmontables. Il faut trouver des moyens de stimuler la sensibilité profonde et une vraie spontanéité sans forcément provoquer une disruption de la raison et des tendances gestaltiques qui la soutiennent. Cependant, lorsque nous sommes confrontés à une rigidité défensive chez un étudiant en art, il se peut que nous devions encore trouver le moyen de la résoudre et de dissiper les rationalisations qu'il met en avant pour la justifier. J'ai fait état d'une pareille attitude défensive quand j'ai parlé du désir d'un contrôle pleinement conscient du processus de travail chez l'étudiant immature. Nous pouvons neutraliser ou tourner ces défenses en déviant immédiatement l'attention de l'étudiant sur les facteurs incontrôlables de l'art, tels que l'émergence de l'espace pictural ou la discipline cachée qui gouverne en musique les textures qui distordent imperceptiblement la clarté du ton donné, le rythme et l'intensité. Nous ne pouvons pas, par exemple, décourager totalement chez un jeune pianiste l'ambition d'arriver à un plein contrôle physique de ses doigts. Or, le jeu musculaire des cinq doigts présente de telles différences anatomiques qu'il est extrêmement difficile de leur donner une frappe égale sur les touches du piano, et qu'il faut des exercices quotidiens pour rattraper le handicap musculaire des doigts les plus faibles. Le pianiste finit ainsi par être capable de faire ses gammes avec une régularité absolue de vitesse et d'intensité. Mais s'il parvient à un contrôle trop absolu, il peut ne plus être attentif aux irrégularités plus subtiles de son jeu. Il existe une « sagesse du corps » : le pianiste ne devrait jamais perdre l'habitude de prêter l'oreille à son propre doigté, tout comme un violoniste doit vérifier son accord ou un peintre surveiller l'étalement de son trait de pinceau. Mais comme au piano l'accord des coudes est fixe, le mauvais pianiste se bornera à contrôler son action musculaire, en négligeant de prêter l'oreille aux apparentes imperfections de la régularité de son jeu, par exemple au *rubato* qui distord imperceptiblement la rigidité mécanique de la mesure. On ne peut enseigner, ni obtenir par un contrôle conscient, ces distorsions organiques du rythme. Elles font partie de ces textures inarticulées que seule une discipline inconsciente de la forme peut façonner. Le pianiste consciencieux souhaite acquérir d'abord la technique nécessaire pour régulariser le jeu de ses doigts. A ignorer les inflexions spontanées de son jeu, il tuera l'esprit de la musique vivante, il n'aura plus d'égards ni pour ce que lui dit son propre corps ni pour la vie indépendante de son œuvre, et il ne pourra qu'échouer comme artiste. Car la créativité est toujours liée à ce moment heureux où l'on peut oublier tout contrôle conscient. Ce que l'on ignore trop, c'est le conflit véritable qui oppose deux types de sensibilité, l'intellect conscient et l'intuition inconsciente. Chacune croît aux dépens de l'autre, dès que la rigidité du moi provoque leur dissociation. Un mauvais enseignement artistique et une ambition mal placée exacerbent cette dissociation.

Il n'est pas avantageux pour le penseur créateur de manier des éléments précis par eux-mêmes, comme les diagrammes géométriques ou architecturaux. Leur gestalt presque parfaite parle trop facilement au principe de la gestalt et à sa loi de clôture, et ils résistent à la dédifférenciation indispensable à un *scanning* inconscient fructueux.

Hadamard en vint à la conclusion qu'on se fourvoie à se servir de diagrammes pour faire de la géométrie — je pense évidemment aux inventions créatrices — parce que leur simplicité a des chances d'obscurcir la complexité (structure sérielle) d'un problème. Il s'exerçait lui-même à ignorer la bonne gestalt de semblables diagrammes et détournait à dessein son attention vers un détail en lui-même insignifiant. Il faut détruire subjectivement la bonne gestalt, même si le matériel à manier possède objectivement des qualités de bonne gestalt.

Au contraire, quand on fait du calcul mécanique, non créateur, selon des règles fixes, on est aidé, bien loin d'être desservi, par la visualisation précise. Hadamard suggère que la géométrie grecque a perdu son élan créateur à l'époque hellénistique à cause d'une visualisation trop précise, qui lui donna des générations de calculateurs et de géomètres habiles, mais pas de vrais géométriciens. Le développement de la théorie géométrique s'arrêta dès lors totalement, et Descartes pour sortir de l'impasse dut faire litière de la visualisation précise et de la séduction de diagrammes clairs. Il inventa la géométrie analytique qui exprimait par les seuls nombres les relations géométriques. Aujourd'hui la géométrie non euclidienne interdit la visualisation précise d'une grille d'espace stable. Nous nous trouvons devant l'interaction dynamique de plusieurs systèmes spatiaux en dérive. Aucune focalisation précise n'est possible. Rien d'étonnant, dès lors, à ce que l'intuition de l'espace soit chez les mathématiciens le plus rare des dons.

Elle est tout aussi rare, d'ailleurs chez les architectes qui ne se sont jamais vraiment affrontés aux difficultés inhérentes à la visualisation de l'espace. Ils ont tant de mal à faire de bons cours d'épure qu'au moins une école importante d'architecture a repoussé à un stade avancé tous les cours de dessin ou d'épure, au profit d'une formation plus générale, et pas nécessairement visuelle. C'est la banqueroute de l'enseignement. La représentation diagrammatique d'une structure architecturale peut en effet avoir deux fins : ou bien elle peut servir à exposer une épure terminée, ou aider visuellement à chercher une solution qui n'existe pas encore. Si on la prend comme instrument créateur d'invention, elle devrait rester vague, ouverte, pour ne pas monopoliser d'avance la solution à un stade aussi précoce. En d'autres termes, on ne doit pas confondre l'usage non créateur de diagrammes en tant qu'exposition avec leur usage créateur, qui est de visualiser des tentatives vagues et provisoires pour renouveler les solutions d'un problème. Un jeune étudiant en architecture m'a raconté qu'il avait horrifié son professeur en attaquant un problème d'épure par un détail de l'élévation avant de visualiser le plan au sol. L'enseignement académique a coutume de valoriser ces pouvoirs de visualisation précise non seulement dans les arts, mais aussi en musique ou en science, et certainement aussi en logique, comme en témoigne le vain combat de Wittgenstein. Je verrais volontiers, dans cette demande insistante de précision formulée par l'enseignement académique, un processus secondaire de défense au sens psychanalytique : les facultés de surface négligées tentent de réprimer le *scanning* inconscient pour pouvoir garder un plein contrôle du processus de travail. Le brouillage indispensable de la focalisation consciente est ressenti comme un danger et une menace de chaos total, et cette peur n'est peut-être qu'un nouvel aspect de l'incompréhension plus générale à laquelle se heurte la participation inconsciente à l'œuvre d'art. Comme je l'ai dit, on voit souvent, à tort, dans l'acceptation par Wittgenstein du vague du langage quotidien, un plaidoyer pour une pensée vague et cotonneuse. La procédure recommandée par Hadamard pour l'usage des diagrammes en géométrie déplace l'accent des traits importants vers les détails insignifiants. Rien de plus facile que de l'interpréter comme un encouragement au chaos ! Or, le déplacement de l'accent propre est une technique de processus primaire typique. Qu'un penseur créateur ait besoin, pour contrôler la vaste complexité de son œuvre, des techniques syncrétiques du processus primaire plutôt que de la clarté analytique du détail, voilà qui est bien difficile à admettre pour des académiciens arides. Mon propos ne les convaincra sans doute pas davantage.

Deuxième partie

LE CONFLIT CRÉATEUR

CHAPITRE IV

Le motif fécond et l'heureux accident

La recherche créatrice procède donc par paliers et par étapes; chacun d'eux représente un résultat provisoire qu'il est encore impossible de relier à la solution finale. Même si la solution visée est donnée, comme c'est le cas quand on cherche à prouver une proposition hypothétique la voie à suivre est inconnue. Euler, qui avait le chic pour inventer de nouvelles preuves, choisissait souvent les routes les plus détournées souvent sans rapport aucun, du moins à un niveau conscient, avec le résultat final. Il inventait des symboles obscurs, dont la fonction précise ne se faisait jour qu'une fois la preuve administrée. Cet usage des symboles rappelle tout à fait la description que donnait Wittgenstein de l'usage créateur du langage : seul leur usage postérieur révèle le sens exact (la fonction) des mots. Le penseur créateur doit proposer et prendre des décisions provisoires sans pouvoir visualiser leur relation précise avec le produit final. J'ai montré comment il arrive à extraire de ce matériel à peine dégrossi une information qui déborde largement sa valeur nominale en maintenant délibérément voilée et imprécise sa visualisation consciente, et en s'en remettant au *scanning* inconscient pour le guider sur son chemin.

Un critique américain s'est un jour plaint auprès de moi de ce qu'on ne voie habituellement dans l'*action painting* qu'une affaire de jeu musculaire. S'il était vrai, disait-il, que le peintre ne pouvait pas prévoir précisément le résultat final, il n'en restait pas moins qu'à chacun des stades de son travail, l'état de sa peinture était loin de le laisser indifférent. A chaque stade, il se voyait imposer de nouveaux choix et de nouvelles décisions qu'il n'aurait pu prévoir à un stade antérieur. J'espère que le lecteur a désormais reconnu que cette description s'applique à tout type de travail créateur. Mais à dire que l'esprit créateur est indifférent à l'aboutissement final, on finit par obscurcir le résultat effectif. Pour un créateur, l'effet de ses décisions provisoires sur le résultat final est évidemment primordial, mais il doit pouvoir supporter l'incertitude. Stanley W. Hayter, le pionnier de la gravure moderne, expliquait un jour dans une conférence comment il dépassait dans son enseignement le professionnalisme étroit de la gravure traditionnelle. Il disait à ses élèves de travailler par stades successifs sans planifier à l'avance la composition. Chacun de ces stades introduisait un motif ou une procédure technique nouveaux. Les étudiants devaient inventer d'abord un motif particulier, puis le mettre en balance avec un contre-motif qui enrichissait le premier, et ajouter par paliers des idées et des techniques nouvelles. Il y avait une logique et une cohésion mystérieuses dans cette construction progressive de la composition. Les paliers étaient tous aussi décisifs, même si l'on ne pouvait sur le moment visualiser précisément leur pertinence. Si l'élève prenait la bonne décision, le flot de ses idées s'en trouvait accéléré d'autant; s'il en prenait une mauvaise, ses idées ne tardaient pas à se dessécher et l'œuvre se retrouvait prématurément au point mort. Comme dans tout travail créateur, l'étudiant devait prendre la décision adéquate sans avoir sous la main l'information nécessaire pour la prendre.

Un « motif » vraiment fécond — dans la musique ou le théâtre comme dans les arts visuels — a souvent quelque chose d'incomplet et de vague dans sa structure. Il porte l'empreinte de la vision indifférenciée qui l'a créé en premier lieu et qui guide son usage. Il y a loin de sa structure ouverte et imparfaite à la netteté de la gestalt compacte qu'offre le matériel logique, géométrique et architectural, qui vient flatter les besoins de gestalt de la vision consciente. Un motif fécond, par sa structure indifférenciée, refuse souvent la satisfaction esthétique immédiate et renvoie sa justification à son développement ultérieur. Un bon thème musical est rarement une bonne mélodie expressive. Mais une fois que nous l'avons entendu exécuter entièrement, il se peut que ses contours effrangés et son manque de poli ne nous gênent plus, rétrospectivement. Ses imperfections sont désormais justifiées par les développements ultérieurs — qui étaient, en un sens, déjà présents uans la forme originale du thème et qui, affluant autour de lui, lui évitaient de se figer trop tôt. La loi de « clôture » de la gestalt qui règle notre vision de surface s'efforcera toujours d'en arrondir les angles et d'en polir la structure prématurément, risquant ainsi d'interrompre son développement ultérieur. Il est aussi difficile de ne pas lâcher les imperfections d'un bon thème que de l'inventer en premier lieu. Par chance, à ces niveaux mentaux plus profonds où le principe de la gestalt n'exerce plus son empire, le penseur créateur est en pays de connaissance. La moindre bribe de mélodie ou de texture lui offre parfois la clé de la structure totale émergente, bien plus sûrement qu'une mélodie bien polie ou une composition soigneusement élaborée. C'est un principe généralement admis dans la formation artistique qu'un étudiant doit savoir résister à l'attirance esthétique d'un détail heureux obtenu trop tôt; il doit pouvoir le détruire pour sauvegarder l'intégrité de l'ensemble. Un futur poète doit apprendre à détruire les trouvailles d'un morceau de bravoure, tout comme le compositeur doit résister à l'attrait de la sonorité pour elle-même, qui parle à notre amour de la beauté et en dernier ressort aux demandes du principe (conscient) de la gestalt.

Il est impossible d'analyser consciemment la future fécondité d'un motif. C'est vrai aussi de la fugue et du sonnet, dont le développement est soumis à des règles. Le choix d'un bon sujet de fugue est d'une importance cruciale, mais aucune règle consciente ne nous aidera à faire le bon choix. Nous devons balayer intuitivement la complexité des textures polyphoniques qui en feront la trame. On admirait beaucoup Bach pour son habileté à inventer ou emprunter de bons sujets. Ses contemporains trouvaient ce don si étrange qu'ils l'attribuaient à une recette secrète transmise de génération en génération dans la grande famille Bach. Il n'y avait, bien entendu, aucune recette de cet ordre, mais l'anecdote est révélatrice : nous reconnaissons tacitement par là que l'analyse rationnelle d'un motif ne peut en évaluer les usages futurs. On retrouve ici le problème que Wittgenstein affronte si courageusement à propos de l'usage logique des mots.

Il n'y a pas de recette précise qui permette de rompre la règle pernicieuse de la préconception du projet et de donner libre cours à la vision diffuse inarticulée de l'inconscient. Michel-Ange, cet artiste admirable, commençait parfois par un schéma d'ensemble traditionnel, mais dans ses mains le schéma se soulevait, se gonflait et prenait des proportions gigantesques. Ce dont Adrian Stokes dans son livre *Michelangelo, A Study in the Nature of Art* [31] a proposé une explication convaincante : le gonflement et la dilatation qu'imprimait inconsciemment Michel-Ange aux formes réalistes de ses nus masculins étaient un symbole inconscient de leur ambivalence sexuelle, qui mêlait les caractères masculins et féminins. Il explique la *terribilità* de Michel-Ange par cette ambiguïté inconsciente, qui met en échec la compréhension rationnelle et suscite ainsi l'angoisse. Beethoven est souvent comparé à Michel-Ange; cependant, si nous en prenons pour preuve ses carnets, sa méthode de composition était souvent différente. Comme Michel-Ange, Beethoven aboutissait finalement à des structures d'ensemble, mais ne commençait pas toujours par la structure globale pour la laisser ensuite éclater aux coutures. Il adoptait souvent une sorte de méthode « tachiste »; il pressait, harcelait des bribes de mélodie inarticulée, insignifiantes par elles-mêmes, pour leur faire rendre, souvent après une lutte de plusieurs années, des phrases développées, des mouvements entiers et peut-être même la structure d'ensemble. Dans le troisième mouvement (lent) de la sonate pour piano, op. 106, dite *Hammerklavier*, le gauchissement brutal qui fait irruption dans la belle et ample *cantilène* et qui produit une rupture mélo-

mesure 13

FIGURE 5. *La rupture du troisième mouvement de la* Hammerklavier. *Le si naturel d'en haut placé après la barre de mesure produit une rupture complète de la ligne mélodique, que la note d'agrément ne fait qu'accentuer, sans relier le si d'en haut à la phrase précédente. La plupart des pianistes, même Schnabel, atténuent la rupture, en la jouant enlevant ainsi à la* cantilène *initiale son brûlant* appassionato, *et toute sa froideur à la phrase de rupture.*

dique aussi bien qu'harmonique me fait encore aujour-
d'hui un choc. Son carnet de notes nous apprend que la
première notée par Beethoven fut cette transition abrupte,
et non pas l'ample thème de l'adagio (fig. 5). Chose étrange
qu'une transition entre des mélodies qui n'existent pas
encore! Quant aux mélodies, elles se sont développées
ensuite, à partir de cette rupture qui les séparait. Beethoven n'est jamais revenu sur la rupture alors qu'il ne
cessait de polir et de raffiner les mélodies plus amples.
Nous avons ici un bon exemple d'une idée disruptive
inarticulée qui guide et développe les structures d'ensemble. Une mélodie bien bâtie, pleinement articulée, relève
trop de la conscience, tandis qu'un fragment incohérent,
un élément de forme disruptif est plus apte à rompre
le foyer étroit de la pensée intellectuelle et à produire dans
la surface lisse de l'esprit une fissure qui mène à la profondeur de l'inconscient.

Je ne préconise pas pour autant l'usage de fragments et
de bribes de texture comme motifs artistiques. Le chaos
est sans valeur en lui-même. On a tout intérêt, cependant,
à ce qu'un motif manque des qualités objectives d'une
bonne gestalt et puisse repousser plus aisément une attention exclusivement consciente. Qu'une mélodie soit bien
tournée, une image nette et complète par elle-même,
n'exclut pas *per se* leur usage comme motif fécond; mais il
leur devient plus difficile de résister à la séduction de
l'attention superficielle. Développer un beau motif de ce
type peut exiger d'abord sa fragmentation et sa distorsion
pour qu'il puisse pénétrer les niveaux indifférenciés plus
profonds de la fabrication des images. C'est souvent le cas,
pour un mouvement classique de sonate, dans la section
où se développe le thème. Prenons par exemple une belle
mélodie d'une certaine ampleur. La développer signifie
souvent la mettre en pièces, sans égards à la cohérence de
son phrasé, en attaquant pratiquement de front le principe
de la gestalt, impuissant à sauvegarder son intégrité.
L'important, ce n'est pas la structure objective du thème
ni ses qualités de bonne ou de mauvaise gestalt, mais l'usage
subjectif qu'on en fait. Le penseur créateur, devant la
gestalt bien trop précise et compacte du thème, doit pouvoir le décomposer ou en effranger la lisière pour en faire
un matériel ouvert, plus malléable, proche des structures
sérielles de la vision profonde. Un motif textile présente,
par exemple, une telle double nature. Pris en lui-même, il
peut représenter une image nette et complète par elle-

même qui donne une satisfaction esthétique immédiate. Il faut cependant l'oblitérer comme image de plein droit pour le développer en texture d'ensemble d'une étoffe imprimée ou tissée. Un morceau de tissu qui nous présenterait la même petite image reproduite partout où nous posons les yeux provoquerait en nous une impression de gêne. Pour fonctionner, le motif textile doit être noyé et ses contours brouillés là où il recoupe sa réplique, non sans rappeler la façon dont un sujet de fugue se rejoint lui-même pour tisser sa riche structure polyphonique. L'effet textural est qualitativement différent de l'attrait esthétique du motif particulier. Tout l'effort créateur porte sur l'invention d'un motif particulier, mais on ne peut prévoir avec précision sa transformation finale. Le dessin commercial, maintenu au rang de parent pauvre de l'art commercial comme il l'est aujourd'hui dans l'enseignement, n'incite guère à l'imagination et à la créativité. Il a trop à faire avec les techniques mécaniques de ce qu'on appelle la « reprise » (la répétition polyphonique du motif), pour que l'étudiant puisse mesurer l'immense défi créateur que représente l'invention d'un motif vraiment original. L'étudiant moyen, préoccupé comme il l'est à ajuster sans bavures la reprise, sera gêné plutôt qu'exalté par la transformation radicale que subit son joli motif en se noyant dans la structure d'ensemble en train d'émerger. Il faudrait (mais on ne le fait jamais) l'exercer à porter sur un motif un regard ambivalent. Il est légitime qu'il en jouisse comme d'une petite image de plein droit. Mais ce plaisir ne doit pas l'empêcher d'y voir — appréciation plus importante — un élément générateur du développement de la future texture d'ensemble. L'analyse consciente ne lui sera d'aucun secours. Il doit effacer dans sa vision subjective la gestalt trop précise et compacte du motif pour la transformer en un fragment voilé, à peine articulé, qui tirera une valeur esthétique de sa seule oblitération finale.

Les motifs ne préservent leur fécondité que si leur rapport avec le résultat final reste obscur. Autrement, ils tournent à la recette mécanique d'agencement. J'ai parlé du handicap que représentent pour l'épure architecturale la tendance à visualiser trop précisément et l'abus de secours diagrammatiques (plan au sol, élévation, etc.). Ces secours visuels semblent préciser la présentation du problème architectural, mais ils l'obscurcissent en fait. Il est vital pour obtenir une bonne épure d'en décomposer le processus en stades qui n'ont aucune relation évidente avec le résultat final. On a vu, dans l'histoire récente de l'architecture, des explosions créatrices réussir à briser l'empire des formules maniérées : en inventant des procédés disruptifs, elles ont endigué la précipitation massive vers une solution prédéterminée. Il y eut un temps où tout facteur fonctionnel récemment découvert jouait ce rôle. Superficiellement, le fonctionnalisme représente une approche de l'épure purement rationnelle et pleinement consciente. Mais les facteurs fonctionnels, tant qu'ils ne sont pas familiers, compliquent le processus de l'épure et rendent très incertain le résultat éventuel. Ils contraignent l'auteur de l'épure à une nouvelle démarche : il faut prendre en considération chaque facteur à chacun des stades transitoires d'où l'on passe à des décisions transitoires encore sans rapport avec la structure finale. Le premier type technologique de fonctionnalisme utilisait les limitations technologiques imposées par les techniques et les matériaux nouveaux, et aboutissait ainsi à des solutions nouvelles. Les techniques modernes de construction se sont rapidement révélées si souples qu'on pouvait les adapter à pratiquement toutes les structures préconçues. Les architectes sont de nos jours à l'affût de facteurs sociologiques qui puissent introduire des complications bienvenues dans leurs calculs. Leur demande est telle que bien souvent, ils ne se contentent pas de pourvoir aux besoins sociaux existants, mais qu'ils se prennent pour des réformateurs sociaux et créent de nouveaux besoins pour avoir à les satisfaire. Je n'ai pas l'intention de décrier ce nouveau fonctionnalisme. Si douteuses que soient de telles aspirations sociales, ces facteurs jouent assez bien leur rôle de catalyseurs créateurs. Même si Le Corbusier, en réalisant son *Unité d'habitation* à Marseille, n'a pas réussi à créer une nouvelle communauté, il a certainement créé une nouvelle forme architecturale qui est l'expression de son profond humanisme.

Le modulor de Le Corbusier fut au début un véritable motif. Il joua le rôle d'élément générateur à développer en une structure d'ensemble imprévisible. Comme unité architecturale de base, il correspond à certaines mensurations humaines et à l'ordre cosmique de la Section d'Or. Mais ces intentions conscientes ont relativement peu d'importance. L'usage du modulor empêcha Le Corbusier de prévisualiser trop aisément la solution finale. Au lieu de commencer par la coquille extérieure d'un bâtiment, — une façade stylée par exemple — il devait développer son épure à partir de l'intérieur, en stades transitoires, en commençant par l'unité la plus petite. Le Corbusier espéra un moment avoir inventé une recette définitive pour obtenir de bonnes épures. Mais le modulor ne put fonctionner comme catalyseur créateur que tant qu'il disruptait une visualisation prématurée du résultat final. Comme procédé disrupteur, il fut aussi éphémère que les divers facteurs fonctionnalistes qui l'avaient précédé. Les disciples de Le Corbusier apprirent sans tarder à l'assembler en bâtiments très semblables à ceux qu'ils avaient construits auparavant. Il n'est pas facile de bloquer longtemps notre besoin conscient — relevant de la gestalt — de visualisation précise. Un processus secondaire de défense viendra bientôt contrecarrer la disruption de la visualisation consciente, et transformer le procédé originellement disruptif en procédé mécanique d'agencement, totalement sous contrôle conscient. L'intuition et le *scanning* inconscient sont une fois de plus remplacés par la planification rationnelle et la prévision. Le conflit créateur entre les principes opposés n'est jamais résolu.

Le dépérissement rapide du modulor comme catalyseur créateur trouve une piquante correspondance dans l'histoire du *leitmotiv* inventé par Richard Wagner. Celui-ci rendit au maître d'assez grands services, mais ne put fournir la recette définitive qu'on avait cru pouvoir attendre de lui. Le *leitmotiv* ressemble au modulor en ce qu'il a aussi démembré les parties traditionnelles du grand opéra et contraint Wagner à reconstruire de l'intérieur la structure d'ensemble de l'opéra en commençant par le motif comme plus petite unité. Les différents *leitmotive* étaient reliés organiquement aux motifs dramatiques de l'intrigue; leur filature et leur tissage donnaient une mélodie et une polyphonie en accord avec les changements de la situation dramatique. Pour Wagner, les résultats mélodiques et polyphoniques restaient imprévisibles. Quand il reprit, dans *Le Crépuscule des dieux*, des motifs inventés vingt ans plus tôt pour *L'Or du Rhin*, la nouveauté du son qu'il pouvait tirer d'un matériel abondamment exploité le remplit de terreur et d'étonnement. Il n'en fut pas de même de ses disciples. Le *leitmotiv* devint pour eux un procédé d'agencement pour composer une nouvelle forme conventionnelle d'opéra, le drame musical teutonique en l'occurrence. Il suffisait alors d'inventer un certain nombre de motifs appropriés en rapport avec les incidents de l'intrigue et de les enfiler les uns aux autres pour illustrer musicalement les événements de la scène. L'unité tant vantée du drame musical était évidemment assurée; la méthode se révéla pourtant stérile. L'agencement délibéré des motifs donnait des résultats entièrement prévisibles, dans le style sonore de Wagner.

Les cours de dessin fondamental que les écoles des beaux-arts avancées ont répandus dans le monde entier connaissent aujourd'hui le même déclin, dû à la réaction de processus secondaires anti-intuitifs (élaboration secondaire). Les écoles artistiques reprennent à leur compte les innovations artistiques avec un retard de dix ou vingt ans, bien longtemps après qu'elles ont perdu leur pouvoir disrupteur. Les écoles maternelles et primaires vivent toujours sous le règne de la « libre expression de soi », ce résidu d'idées romantiques et dada qui n'ont plus guère de sens pour l'art contemporain. La victoire fulgurante que remporte aujourd'hui dans nos écoles des beaux-arts le dessin fondamental atteste que l'art abstrait a gagné une victoire presque trop décisive. Il est sûr que le désir s'est fait pressant, en dehors de nos collèges artistiques, de remplir ses formes déjà vides d'une quelconque signification nouvelle. Quand on introduisit pour la première fois le dessin fondamental à l'époque du Bauhaus et de la renaissance de sa tradition dans les années 1950, il ne se présentait pas comme cette analyse desséchée d'une pure forme vide qu'il est généralement aujourd'hui. Dans la période héroïque de l'art abstrait, la disruption du cliché académique eut un effet libérateur et vivifiant. Il suffisait de prendre le contre-pied des méthodes prudentes de la composition préméditée et d'utiliser à la place des procédures « fondamentales » simples, sans aucune intention précise, pour produire une imagerie passionnante et pertinente. Rauschenberg rappelle la révélation qu'il eut en voyant son professeur déchirer sa composition appliquée et en rassembler les morceaux au hasard. Une telle fragmentation physique ne produirait plus aujourd'hui ni choc, ni révélation. Les méthodes de dessin fondamental, même quand elles usent de ce genre de disruption, mènent à des résultats pleinement prévisibles : on peut en voir des exemples partout dans les galeries d'art commerciales.

L'agencement des formes les plus « fondamentales » de toutes : points, droites, carrés, cercles, etc., passe pour avoir une valeur éducative particulière pour la sensibilité d'un débutant. On voit difficilement pourquoi. Après ce que nous avons découvert sur la dangereuse séduction des formes précises en géométrie et en architecture, il devient évident que c'est un exercice particulièrement difficile à manier. Les formes géométriques, qui s'adressent au principe conscient de la gestalt, empêchent la dispersion de l'attention nécessaire pour observer la structure globale qui se dégage, — mouvement distinct de la focalisation sur les éléments de base isolés. La géométrie ne se coulera pas aisément dans la vacuité pleine de la vision profonde. Rendre l'étudiant conscient de la possibilité d'agencer à partir d'éléments simples n'importe quelle composition, si complexe soit-elle, est certainement une bonne chose. On obtient ainsi un dessin net et vigoureux. Mais on pourrait aussi en tirer l'illusion que cette conscience des éléments de base donne au dessinateur un contrôle pleinement conscient de son processus de travail. A trop s'occuper des unités géométriques, le dessinateur pourrait passer à côté de la transformation qualitative qui se produit au moment où les unités fusionnent en une structure globale plus complexe. Il peut être passionnant d'observer leur croissance organique, que la nature des unités particulières ne peut aucunement laisser prévoir. Si, insensible à leur croissance, on traite trop délibérément les éléments, on empêche de se développer le pouvoir intuitif (syncrétique) nécessaire au *scanning* des interrelations en constante dérive dont dépend leur vie organique. Il est prévisible que, comme dans le cas de la géométrie et de la logique, le *scanning* intuitif ne pourra se réaliser pleinement avant que l'étudiant ait appris à effacer sa visualisation trop précise, à laisser son attention dériver vers les niveaux mentaux plus profonds. C'est particulièrement difficile d'y arriver avec les éléments géométriques. Les étudiants déjà touchés par une certaine rigidité du moi peuvent avoir à souffrir des exercices géométriques. Il faudrait en fait renoncer à les prendre comme méthode générale de l'enseignement artistique fondamental.

Un bon enseignement artistique a toujours intuitivement disrupté la visualisation trop précise de l'étudiant. S'il a trop bien appris à maîtriser un médium particulier, le professeur l'aiguille sur une nouvelle technique peu familière, qui a encore le pouvoir de frustrer ses intentions préconçues. Les étudiants rigides, parfois profondément perturbés de ne pouvoir exercer un contrôle absolu, réduisent les maladresses et les accidents inévitables à des sujets de plaisanterie anodins qui n'ont rien de probant pour eux. La psychanalyse nous a, bien entendu, appris à porter un jugement différent sur les accidents. Freud a forgé

l'expression : « psychopathologie de la vie quotidienne » et
montré que la fantasmatique inconsciente met à profit
les effondrements de la planification consciente pour s'infil-
trer et prendre la part qui lui revient dans l'affairement de
notre vie. L'artiste arrivé à maturité garde assez de souplesse dans ses intentions — par sa capacité à circuler
librement à travers les nombreux niveaux différenciés et
dédifférenciés de la conscience — pour pouvoir se débrouiller avec son médium sans exercer sur lui un plein contrôle
conscient. La révélation progressive du grain du bois dans
la masse, et les détours rebelles de ses fibres, qui obligent le
sculpteur à modifier ses projets, l'exaltent au lieu de le
dérouter. « Accident » est un terme relatif. Un même
incident imprévisible en effet peut gravement disrupter
la planification d'un étudiant rigide et lui faire l'effet d'un
« accident » frustrant, ou au contraire s'insérer dans la
planification plus souple de l'artiste mûr, comme une subtilité bienvenue et même sollicitée. Le peintre anglais Heins
Koppel a parlé du conflit bénéfique qui oppose le point
de départ de l'artiste et la résistance du médium. Si une
idée est réellement nouvelle, l'artiste ne peut jamais prévoir
sa réalisation dans un médium. Une idée nouvelle sera
inévitablement modifiée par son impact sur le médium qui
résiste et lui imposera à son tour de nouvelles utilisations.
Pour finir, l'idée et le médium, par leur impact réciproque,
trouveront l'un et l'autre une réalisation plus profonde.
L'artiste verra son idée purifiée des éléments préconçus
et maniéristes étrangers au reste de sa personnalité et enrichie des fantasmes inconscients exclus de la conception
première. Il ressent ce besoin d'élargir son point de départ
et se réjouira donc de la vie indépendante de son médium.
Entre l'artiste et son œuvre, il s'engage quelque chose
comme une conversation. Le médium, en frustrant les
intentions purement conscientes de l'artiste, lui permet
d'entrer en contact avec les parties les plus enfouies de sa
personnalité et de les faire remonter à la surface pour les
livrer à la contemplation consciente. Dans le combat
qu'il livre à son médium, l'artiste, devenu étranger pour
lui-même, se débat avec la personnalité inconsciente que
lui révèle l'œuvre d'art. Reprendre à l'œuvre, à un niveau
conscient, ce qu'on y a projeté à un niveau inconscient,
est peut-être le résultat le plus fructueux et le plus douloureux de la créativité. Dans la troisième partie, je montrerai
qu'on peut distinguer trois phases dans le travail créateur :
la projection, suivie de l'intégration partiellement incons-

ciente (*scanning* inconscient) qui donne à l'œuvre sa vie indépendante, et enfin la réintrojection partielle et la rétroaction à un niveau mental plus élevé.

Il faut expliquer à l'étudiant qu'un contrôle purement conscient du processus de travail n'est ni souhaitable ni possible. L'étudiant rigide vient souvent suivre les cours avec, comme motivation, le souhait pieux d'une bonne maîtrise, qu'il s'imagine à tort comme un contrôle conscient de son médium. Il veut exécuter exactement « ce qu'il a dans l'esprit ». Il est inutile de lui expliquer qu'il s'agit, en général, de clichés et de maniérismes qu'il a glanés dans l'art existant au cours d'une longue vie de dévotion aux chefs-d'œuvre du passé et du présent, et que des idées réellement nouvelles ne permettent pas un usage prévisible du médium. La véritable maîtrise n'impose pas sa volonté au médium, mais explore ses différentes réponses dans cette quasi-conversation d'égal à égal que j'ai décrite. Une vigilance passive mais vive aux variations subtiles de la réponse du médium est le véritable sommet de la maîtrise. Le premier coup de pinceau sur une feuille de papier blanc fait vibrer d'un frémissement tout le plan pictural délimité par les quatre bords du papier. On ne peut jamais prévoir la forme précise qu'un coup de pinceau tracera sur le papier. Sa charge, la netteté de son contour, l'intensité de sa couleur, varient suivant la consistance de la peinture, la proportion d'huile et de térébenthine. Chacune d'elles modifiera à son tour l'élasticité du pinceau et la pression requise. L'usure des poils pendant le travail et leur réponse physique à la peinture détermineront aussi la forme exacte de la trace; aussi la plus grande vigilance est-elle la première exigence de la maîtrise : il faut réagir instantanément aux innombrables variables qui appuieront un changement subtil de plan et nous feront répondre volontiers aux formes sans cesse nouvelles qui se développent et se modifient les unes les autres sous nos yeux. Un désir excessif de contrôle fermera la sensibilité de l'étudiant à des variations aussi subtiles.

J'ai parlé du frémissement que le moindre coup de pinceau imprime au plan du tableau. Sa vibration contribue à l'émergence progressive d'un « espace pictural » dynamique, donnant ainsi le résultat à la fois le plus imprévisible et le plus significatif. Il ne s'agit en rien de la perspective traditionnelle et de son illusion réaliste de profondeur. Un intérieur de Vermeer donne précisément cette illusion de profondeur. Mais en même temps, comme dans tous les chefs-d'œuvre, le plan du tableau a sa vie propre; ses éléments se creusent et se gonflent sans cesse, indifférents au réalisme illusionniste. La nouvelle peinture américaine nous a rendus plus conscients de cet espace pictural abstrait, qui représente la vie secrète, indépendante de l'art, et qui échappe totalement à la planification et au contrôle conscients. Comme je l'ai dit, chaque fois qu'on gagne en substructure inconsciente de l'art, on obtient un renforcement de l'effet plastique qui en est le signal extérieur à un niveau conscient; ainsi chez Freud, les moments particulièrement vifs du rêve indiquent une substructure inconsciente complexe. C'est pourquoi le miracle de l'espace pictural, la puissance de sa vibration qui soulève le plan du tableau, doivent échapper à jamais au contrôle conscient. C'est le résultat d'une substructure inconsciente bien intégrée, et seul le foyer élargi de la vision profonde peut façonner et balayer la structure sérielle de la complexité des transversales qui réunissent entre eux les éléments. Un bon espace pictural est donc une démarche du contrôle proprement inconscient, opposé à la planification consciente. D'où l'importance d'inculquer aux étudiants que le plus simple élément — un seul coup de pinceau, par exemple —, a un impact imprévisible sur le plan du tableau. Il leur faut comprendre que la première trace noire du pinceau sur une feuille de papier blanc la ride dans son entier. L'étudiant rigide, qui tient à un plein contrôle conscient du processus de travail, s'aveuglera lui-même aux modulations constantes de l'espace pictural qui accompagnent le déploiement progressif de la structure de l'œuvre. La composition consciente doit constamment réagir aux soulèvements de l'espace pictural. L'étudiant, dès qu'il s'est sensibilisé à l'instabilité dynamique de l'espace pictural, a aussi pris contact avec la substructure de l'art. Il apprendra par la suite à se servir du *scanning* inconscient pour contrôler effectivement les complexités infinies de l'art. On ne saurait exagérer l'importance d'un enseignement qui fasse prendre conscience de l'espace pictural. Il devient alors plus facile de remarquer l'ordre caché de l'art et l'oscillation des effets plastiques qui en sont le signal extérieur. La perspective illusionniste du vieux réalisme ouvrait un nouvel horizon derrière la toile. L'espace pictural contemporain fait saillie vers le spectateur et va presque jusqu'à l'envelopper dans son étreinte.

Notre impression d'un espace pictural animé de gonflements et de vibrations est entièrement subjective et dépend, comme je l'ai suggéré, du *scanning* inconscient des innombrables complexités cachées dans une œuvre d'art. J'ai eu l'occasion de démontrer la subjectivité de l'espace pictural en présentant un diagramme du métro de Londres (fig. 6).

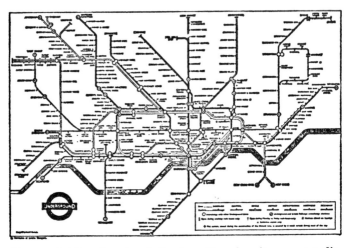

FIGURE 6. *Plan du métro de Londres. Si on le voit comme un diagramme informateur, on en reste à un pattern à deux dimensions; si on le prend au contraire comme un dessin esthétique, il se transforme en un espace pictural plastique, dont les lignes s'imbriquent et s'animent d'un mouvement d'oscillation (l'effet s'accuse notablement quand on retourne la page du haut en bas).*

Le dessin offre ici des mérites esthétiques incontestables. Nous n'y réagissons pas si nous n'y cherchons qu'une information sur les points desservis; il ne présente alors que deux dimensions. Mais si nous choisissons de le regarder comme un bon dessin, les lignes du diagramme se détacheront soudain de la surface, s'entrelaceront rythmiquement et s'accoleront l'une l'autre. Ce changement indique que nous ne réagissons plus avec notre seule raison et que nous avons mobilisé des niveaux plus profonds de sensibilité.

En résumé, nous pouvons dire que l'enseignement artistique ne devrait user de techniques disruptrices — qui attaquent notre sensibilité de surface — que pour stimuler notre sensibilité inconsciente plus profonde. Les accidents sont utiles à condition qu'ils déplacent le contrôle des niveaux conscients aux niveaux inconscients de l'esprit. Ce n'est pas Jackson Pollock qui a inventé de peindre en déversant de la peinture. Dans le passé, on avait déjà réalisé depuis longtemps d'élégantes pages de garde en versant de la peinture à l'huile sur de l'eau et en prélevant un motif unique sur les arabesques que dessinait la peinture en flottant sur l'eau. Les heureux effets décoratifs du motif unique ne sont pas en ce cas ressentis comme « accidents » et ne peuvent aucunement dérouter la planification consciente. Toute intention consciente est trop ténue, trop molle et trop aveugle pour produire un tel effet, — et n'aide certainement pas à aiguiser la sensibilité de l'artiste. L'*action painting* s'est de la même manière dégradée en confection de textures décoratives quelques années seulement après la percée de Jackson Pollock dans un nouveau domaine de la sensibilité. Nous ne disposons pas d'une imagination historique suffisante pour comprendre que les rideaux mouvants de Pollock et ses crochures géantes aient pu apparaître inquiétants et vertigineux. Le *dripping* et le *splashing* ne font guère de part à l'accident. Vu sous cet angle, l'usage habile de l'accident est aussi ancien que l'art lui-même. Les techniciens les plus experts du xixe siècle savaient utiliser des techniques apparemment incontrôlables. L'aquarelliste habile fait ses délices de l'étalement insaisissable de la couleur fluide. Il a à peine le temps de rattraper les flots de couleur et de les canaliser dans des directions définies : à chaque coup de pinceau, il risque, en voulant en arrêter l'écoulement, de déclencher ailleurs un nouveau courant. Le peintre a toujours un temps de retard dans son effort, pour garder du contrôle, indépendamment de son impuissance à anticiper entièrement le changement de la couleur dû au séchage. Personne n'irait pour autant l'accuser d'être plus irresponsable ou de compter plus abusivement sur l'accident heureux que le peintre qui use d'un pinceau plus sec. Savoir user avec bonheur de la peinture à l'eau passe pour le comble du talent : l'aquarelliste académique a plus de peine, objectivement, à prévoir l'aboutissement exact de son œuvre que l'artiste moderne qui reprend, à la suite de Jackson Pollock, la technique de déversement ou d'éclaboussure de peinture. Il suffit en effet d'un jour ou deux de pratique pour maîtriser cette dernière technique; on ne peut évidemment pas en dire autant pour l'aquarelle.

On peut donc reconnaître qu'il faut à l'aquarelliste de

talent une grande agilité pour suivre le ruissellement des couleurs et réagir instantanément aux événements du papier. Cette réaction sensible et cette rétroaction instantanée, qui appliquent des décisions toujours nouvelles, distinguent précisément le talent d'une exploitation irresponsable de l'accident. L'artiste incorpore immédiatement l'accident dans sa planification, sans qu'on puisse de ce fait le distinguer de son projet plus intentionnel. C'est la relation subjective à la planification de l'artiste qui décide du caractère de l'accident. Est accidentel en ce sens tout ce qui dans le médium ne se conforme pas à la planification préconçue de l'artiste, ce qu'il ressent comme totalement étranger et qui échappe à son contrôle. Si nous lançons l'étudiant dans des éléments tout prêts — comme les lettres de l'alphabet, un matériel de collage constitué d'*objets trouvés* —, ou si nous le restreignons à des éléments géométriques de base qui ne collent pas avec ses préoccupations plus picturales, nous le mettons aux prises avec des facteurs extérieurs qui sont « accidentels » et étrangers à ses intentions. Mais dès que l'étudiant s'est familiarisé avec leurs effets, ils perdent leur ancien effet disrupteur et s'intègrent facilement à sa planification. Le professeur doit alors imaginer une nouvelle situation, assez étrangère, pour priver l'étudiant d'une solution toute faite. Bien des méthodes de dessin fondamental sont ainsi devenues désuètes et inefficaces, souvent après une vogue bien courte. Il n'est pas sûr qu'il soit encore utile d'inventer de nouveaux procédés disrupteurs. Les étudiants sont maintenant avertis des bonheurs de l'accident. Ils en sont presque à attendre les surprises et les disruptions : ils savent bien que ces techniques auront vite fait de devenir de nouveaux trucs. La disruption elle-même comme technique d'enseignement a peut-être aujourd'hui perdu tout son tranchant ; il faut peut-être y renoncer. Elle se rattache de trop près aux tendances disruptives autodestructrices qui ont sous-tendu les révolutions périodiques de l'art moderne au cours de la première moitié de ce siècle. Toute innovation disrupte nécessairement la forme de sensibilité existante. Mais l'esprit surréaliste de l'art moderne s'est dévoyé lui-même pour gauchir notre sensibilité rationnelle et attaquer notre raison. Ce qui est peut-être arrivé dans la seconde moitié du XXe siècle est que ce gauchissement délibéré a cessé de stimuler. Nous avons appris à l'attendre et à lui faire bon accueil. L'art moderne reposait largement sur les techniques surréalistes

de surprise et de disruption. Je soutiendrai pour ma part
que l'art moderne est déjà devenu un style historique, tout
comme l' « art nouveau » a perdu la nouveauté qu'implique
son nom, pour se transformer en art de musée. Il semble
bien s'être produit la même chose pour l'éducation artistique. Les techniques disruptives d'enseignement ne nous
surprennent plus et ne peuvent donc aller à contre-courant
de notre attente et de nos préconceptions. Elles ne sont pas
davantage capables de faire dériver le contrôle du processus
de travail vers des niveaux plus profonds du moi et de stimuler le *scanning* inconscient. Elles ont donc perdu toute
signification. Il se peut que l'art et l'enseignement artistique doivent en revenir à des techniques plus constructives,
qui soient sous contrôle intellectuel sans pour autant exclure
la participation de l'inconscient. Certains motifs ont révélé
une étonnante indépendance vis-à-vis des changements de
style et de sensibilité. Ils offrent le reflet le plus direct de
cette décomposition temporaire de nos fonctions de surface
que la créativité doit toujours opérer. Je traiterai, dans la
seconde moitié de ce livre, du motif du « dieu mourant »
dont toute l'histoire de la civilisation humaine montre
l'incroyable persistance pour soutenir que le pouvoir cata-
lytique de ce thème éternel tient à sa capacité d'entraîner
la dérive critique du contrôle vers les niveaux les plus profonds du moi. L'esprit créateur doit s'identifier au destin
du « dieu mourant » pour céder son contrôle aux pouvoirs
des profondeurs.

CHAPITRE V

La fragmentation de l'art moderne

Avant l'avènement de l'art moderne, aucun conflit ouvert (dissociation) n'opposait la sensibilité de surface à la sensibilité de profondeur, l'intellect à l'intuition. La gestalt consciente de surface gardait dans le passé assez de souplesse pour accommoder, sans effort excessif, les contributions du processus primaire. On ne connaissait pas alors l'expérience du chaos ou de la disruption. Comme nous l'avons expliqué, l'intégration des structures verticale et horizontale se faisait sans difficulté dans la musique classique. Il n'y a pas davantage de disruption pour nous à entendre la mélodie articulée traversée par des inflexions inarticulées de ton, de rythme et d'intensité. Pas plus qu'en peinture, les distorsions et les textures subtiles qu'introduit le tracé fiévreux d'un artiste ne dérangent une composition d'ensemble délibérée.

Cependant, même dans l'art ancien, la disruption se devine toute proche de la surface et éclate au grand jour, pour peu que nous refusions d'abandonner la forme normale de notre sensibilité, qui est déterminée par la gestalt. J'ai déjà parlé des forces de distorsion qui travaillent l'œuvre de Michel-Ange et celle de Beethoven. Beethoven semble, dans ses dernières œuvres, avoir accordé de moins en moins d'attention à la continuité de surface. (Je montrerai plus tard qu'on peut en dire autant des dernières œuvres de Goethe.) Les chefs d'orchestre, tenus par l'impératif technique de contrôler l'orchestre, escamotent souvent les irrégularités rythmiques. A passer en revue les différentes éditions des opéras de Verdi, on a découvert que les éditeurs des versions récentes tendaient à éliminer les dérives rythmiques. Ce qui n'est évidemment pas possible avec l'œuvre de Beethoven. Le premier mouvement de sa *Neu-vième symphonie* produit une rupture rythmique intentionnelle. Il a paru impossible aux chefs d'orchestre, avec leur manie d'une battue clairement définie, de rendre ces dérives rythmiques par une transition naturelle : aussi escamotent-ils simplement les ruptures du bâti musical. Le mouvement débute par une lente ondulation cosmique suivie, sans transition manifeste, des coups de tonnerre aigus du thème principal. Furtwängler prolongeait la lenteur sourde de l'ondulation cosmique pour étirer ensuite les coups de tonnerre en un roulement sourd ; Toscanini, au contraire, anticipait les coups de tonnerre et accélérait l'ondulation cosmique. Ce qu'il faudrait ici — mais on n'y atteint pratiquement jamais aujourd'hui —, c'est la magie de l'illusion artistique qui fait ressentir de la même manière les différents tempi. La disruption qui surgit des niveaux plus profonds de la sensibilité serait alors contenue. On peut dire, en un sens, que le dernier Beethoven appartient déjà à ce climat de disruption ouverte, délibérée, qui domine l'histoire mouvementée de l'art moderne. Nous ne pouvons en sentir la cohérence profonde, enfouie, sans renoncer — et ce n'est pas sans peine — à notre besoin conscient de logique, d'ordre, et de suite. La fragmentation superficielle passe alors inaperçue et fait place à un sentiment de nécessité interne, beaucoup plus puissant que nos besoins de raison consciente et de logique. Je montrerai plus tard que Goethe, à la fin de sa vie, abandonna intentionnellement la logique consciente pour répondre aux exigences d'une continuité plus profonde. Une difficulté excessive à supporter la fragmentation superficielle est un sérieux handicap, car il en faut toujours une part pour mettre en jeu la sensibilité profonde, qui est d'ordinaire étouffée. Les chefs d'orchestre qui s'obstinent dans une battue rigide peuvent même en arriver à ignorer l'excès de fragmentation qui caractérise la dernière période de Mozart. Sa musique y passe tour à tour, avec une extrême rapidité, par des humeurs maniaques et des humeurs dépressives, parfois même à l'intérieur d'une même phrase. Ces changements d'humeur rompent constamment le fil d'un cours mélodique sans histoires. Aussi le chef d'orchestre doit-il accepter, ou plutôt accentuer, la fragmentation de la surface pour restituer dans toute leur force les alternances d'exaltation et de mélancolie. Cela n'a évidemment pas empêché Mozart de devenir aujourd'hui un symbole de construction musicale équilibrée. On a tout avantage évidemment à ignorer son tumulte enfoui. Si pourtant on mettait en lumière la séquence inexorable des épisodes maniaques et dépressifs — en accentuant le contraste au lieu de le niveler —, la fragmentation superficielle disparaîtrait au profit d'une continuité plus profonde. Dans la réalité, les chefs d'orchestre escamotent en général les ruptures au bénéfice d'une fluidité superficielle. C'est peut-être que la fragmentation ouverte de notre art moderne, l'attaque délibérée et sauvage qu'il mène contre notre sensibilité de surface nous ont rendus incapables de prendre plaisir à la musique classique sans en exclure la fragmentation. Et les adversaires farouches de cette sauvagerie, de cette auto-destruction modernes se tournent volontiers vers la séré-nité de Mozart pour y soulager leur sensibilité blessée.

L'art moderne est tout intellect, ou toute spontanéité, rarement les deux à la fois. L'artiste moderne attaque ses propres facultés rationnelles pour faire place à un dévelop-pement spontané. Il y a là un cercle vicieux. Les facultés de surface attaquées prennent les armes pour se défendre et, du jour au lendemain, la percée spontanée venue d'en bas se transforme en nouveau procédé délibéré, maniériste, qui interdit à son tour toute spontanéité ultérieure et doit être détrôné par une nouvelle explosion venue des profondeurs. Il est bien difficile de décider laquelle, d'une position défensive initiale du contrôle conscient, ou d'une disruption des fonctions profondes, est à l'origine de ce cercle vicieux. Elles se renforcent et se suscitent l'une l'autre. La croûte superficielle de maniérisme interdit aux fonctions spontanées des profondeurs de respirer libre-ment; il faut donc la soumettre à une disruption totale; et cette victoire totale des fonctions profondes provoque les fonctions de surface à une action défensive tout aussi énergique. Je reviendrai plus tard sur cette couleur nette-ment schizoïde de l'art moderne, qui explique la dissocia-tion parfois extrême des fonctions de surface et des fonc-tions profondes.

L'*action painting* offre un bon exemple d'une composi-tion consciente soumise à une disruption presque totale. La première fois que j'ai commenté le caractère spontané de la graphie artistique, j'ai suggéré que l'art moderne, pour une bonne part, laissait envahir la composition prin-cipale par la structure inarticulée de cette graphie. L'*action painting* américaine est venue là-dessus apporter à mon diagnostic provisoire la confirmation la plus spectaculaire. Jackson Pollock a pulvérisé la trame microscopique des griffonnages qui constituent d'habitude la texture et la graphie. Ses énormes crochures et ses dégoulinades ont réussi à brouiller la vision, du moins tant que ce type de peinture est resté nouveau. L'*action painting* représenta, à l'époque, une éruption soudaine de la substructure inconsciente de l'art. Mon interprétation des textures inarticulées comme produit de l'inconscient aurait pu servir à prouver que l'*action painting*, plus que tout autre type de peinture, manifestait très directement les principes inconscients de la forme. On aurait pu le dire du moins tant que l'*action painting* était un mouvement jeune et fruste. Mais il suffit de quelques années pour que se mette en place l'inévitable réaction défensive du processus secondaire. L'*action painting*, qui est aujourd'hui à la mode, n'est guère plus qu'un exercice très délibéré de textures décoratives, assez fermé à la discipline inconsciente de forme qui l'animait à l'origine.

On avait déjà assisté auparavant à des éruptions d'éléments de forme inarticulés et impossibles à focaliser Sir Herbert Read, dès les années 1930, signalait une incompatibilité entre une partie de l'art moderne et les enseignements de la psychologie de la forme. Les psychologues de la gestalt, en effet, avaient soutenu que l'art, plus que toute autre activité humaine, attestait le combat fondamental de l'esprit humain pour l'organisation stable, compacte et simple d'une « bonne » gestalt. Il suffit à Sir Herbert, pour réfuter cette assertion, d'attirer l'attention sur ce qu'il appelait l'effet de l'œil baladeur que suppose le cubisme de Picasso. Le Cubisme en effet s'est lui-même dévoyé pour refuser à l'œil les points de focalisation fixes qui pouvaient servir de pivot au reste de la composition. Au lieu de cela, on envoyait promener l'œil. Dès qu'il se fixait sur un trait, les fragments cubistes composaient un nouveau pattern qui éclatait à son tour quand l'œil, en poursuivant son chemin, se faisait accrocher par un nouveau trait. Le tableau se soulevait et se creusait sans cesse devant l'œil qui s'efforçait d'introduire dans le pattern un peu de stabilité.

Le Cubisme, dans son premier impact, attaquait la sensibilité consciente et le principe de la gestalt qui la règle. Si nous ne nous prêtons pas à cette attaque, nous ne pouvons prendre plaisir aux tableaux ni devenir réceptifs au nouvel espace, extrêmement mobile, créé par le Cubisme. Avec cette ondulation du plan pictural vers l'intérieur et l'extérieur, se manifeste peut-être pour la première fois le nouvel espace pictural que révélera pleinement la peinture plus tardive de Jackson Pollock et de son école. Notre tentative de focalisation doit le céder à la vacuité de ce regard fixe qui embrasse tout et que j'ai décrit comme le signal conscient du *scanning* inconscient (pl. 18). Un tel type d'investigation profonde peut dominer l'impression superficielle de chaos et de disruption et apprécier la discipline formelle rigoureuse qui est sous-jacente. Cet ordre caché compense le caractère quasi schizoïde de l'excessive fragmentation qu'offre, pour une bonne part, l'art moderne.

On pourrait faire remonter le véritable début de la disruption dans l'art moderne à l'Impressionnisme français. La peinture classique avait accentué la cohérence de la ligne et de la surface pour s'épanouir dans les harmonies linéaires d'Ingres. Les Impressionnistes, eux, ont fait éclater toute cette cohérence de la ligne et de la surface pour accentuer la signification de chaque coup de pinceau, et ont usé librement de la fragmentation du plan pictural en éparpillant sur la toile ces coups de pinceau isolés. Nous ne ressentons plus aujourd'hui avec autant d'acuité la sévérité de leur attaque contre les facultés conscientes et nous ne pouvons qu'en deviner la violence, par la réaction des académiciens et de leur cercle. Au bout d'une dizaine d'années environ, avec le temps, et les bons offices de la critique qui soutint le mouvement, leur attaque perdit de sa virulence. Les Impressionnistes découvrirent qu'ils pouvaient regrouper les coups de pinceau épars et composer des patterns stables, en prenant du recul vis-à-vis de la toile et en laissant les coups de pinceau se figer à nouveau en surfaces et en contours fermes. Les critiques d'art déclarèrent alors que les Impressionnistes, loin de disperser la cohérence du plan pictural, avaient en fait construit un nouveau type d'espace atmosphérique qui valait largement en précision et en stabilité l'espace jadis déterminé par les règles de la perspective propres à la Renaissance. Beaucoup de peintres postimpressionnistes se laissèrent aller à une construction délibérée de l'espace, mettant ainsi un terme au traitement spontané d'un plan pictural oscillant librement. Seul Monet, sur sa fin, sut faire céder la barrière et ressusciter dans ses derniers *Nymphéas* la vibration perdue de l'espace pictural. Une fois encore, on put voir les coups de pinceau, lâchés en constellations aérées, parcourir le tableau de leurs oscillations libres. Il n'est plus étonnant, dès lors, qu'on ait ensuite salué en Monet un des précurseurs de la sensibilité moderne.

Nous avons vu que le Cubisme de Picasso, par l'usage

qu'il faisait d'éléments quasi géométriques pour remplacer un travail spécifique au pinceau, repartit à l'attaque de notre sensibilité consciente. Le Cubisme dégénéra à son tour en un exercice académique de construction de l'espace. Durant les années vingt et trente, l'enseignement académique chercha à vérifier partout s'il était possible, selon la remarque de Cézanne, de voir la nature dans les éléments (cubistes) de sphères, cylindres, etc. Aujourd'hui encore, on attache de la valeur à ce type de nu qui convertit systématiquement les formes organiques en cylindres, cubes rigides, etc., exercice particulièrement ennuyeux qui consiste à construire un espace géométrique où manqueraient toute la fragmentation antérieure et les effets de l'œil baladeur. Presque tous les peintres de l'entre-deux-guerres eurent leur phase de construction cubiste de l'espace. Cette décadence explique que Jackson Pollock ait donné une impression si vivifiante en pulvérisant une nouvelle fois le Cubisme académique solidifié, et en filant les rideaux arachnéens de son espace. Un va-et-vient incessant les animait devant l'œil, errant une fois de plus à la recherche de points fixes de focalisation. Le processus secondaire réagit à la plus violente des attaques avec une brutalité tout aussi impitoyable et en peu d'années s'émoussa l'effet de brouillage. Les rideaux mobiles de son espace se fondirent sagement en une texture épaisse et ferme pour offrir à l'étalage d'un élégant mobilier l'arrière-plan le moins gênant.

L'attaque du principe de la gestalt fut ensuite organisée en termes très explicites, presque scientifiques, par l'op'art et ses effets de brouillage, qui interdisaient radicalement la focalisation sur un quelconque élément, fût-ce pour l'instant le plus bref. Aussi un critique d'art avança-t-il qu'on ne pourrait supporter un certain tableau de Bridget Riley, aujourd'hui à la Tate Gallery, que dans un décor domestique, en le cachant derrière les rideaux. Je n'en crois rien. Le processus secondaire réussira sans aucun doute à surmonter jusqu'à cette ultime attaque contre la perception consciente de la gestalt et convertira ces tableaux en éléments décoratifs de tout repos. Une fois que le processus secondaire aura fait son œuvre, nous aurons autant de mal à comprendre les effets produits en son temps par ce brouillage irritant que nous sommes surpris de la réaction de Kandinsky devant les *Meules de foin* de Monet : il en eut la vision brouillée au point d'être incapable de retrouver les meules de foin, dans la profusion des coups de pinceau. Le futur nous réserve-t-il une nouvelle vague

d'attaques contre notre sensibilité de surface? Je n'y crois
guère. L'art moderne se meurt.

On a dit que l'esprit du surréalisme est le père de tous
les mouvements nouveaux de l'art moderne. Cela revient
à dire (comme nous l'avons fait) que l'art moderne a
cherché, par principe, la disruption ou le gauchissement
d'une sensibilité normale. Un musicien noir, aux États-
Unis, me disait qu'à son avis tous les nouveaux styles
de jazz s'étaient inspirés du ragtime. Le ragtime a littéralement « enragé » * les airs existants, en les gauchissant
de façon insupportable. Dès qu'un nouveau style de jazz
s'usait, il suffisait de lui redonner un tour d'écrou pour lui
faire rendre un son incisif et dérangeant. Mais finalement
la rage du jazz a aussi fait son temps. Il est clair que la
disruption systématique de l'esprit surréaliste n'a plus
aucun effet sur nous. On a souvent déprécié Rauschenberg
et ses amis pour n'avoir pas ressuscité le véritable esprit
révolutionnaire de Dada. Ce n'eût été, à mon avis, ni
possible ni souhaitable. Les concoctions rêveuses de Rauschenberg ne nous attaquent plus. J'y verrais volontiers
les phénomènes précurseurs d'un art entièrement nouveau
et moins hostile, que je sens dans l'air. Le besoin pourrait
bien se faire sentir d'un art plus positif, qui cherche des
résultats constructifs au lieu de démolir les formules et les
clichés existants.

Tout art moderne, quelle que soit son époque, ne pouvait évidemment que disrupter les normes conventionnelles
de la vision et de l'audition. Toute innovation artistique
le fait. Mais il était possible, avant l'avènement de notre
art moderne, d'accueillir les innovations comme un enrichissement de la tradition existante : elles ne faisaient pas
figure d'attaques conscientes, radicales contre l'ordre
conscient et la raison. Même le Maniérisme du xvie siècle
n'avait pas voulu détruire les conventions de la Renaissance. Les peintres maniéristes, par désespoir de ne pouvoir
rivaliser avec la grandeur du passé, prenaient timidement
le parti de gauchir la sensibilité pour en tirer des effets
très sophistiqués. Ils étaient certainement très loin de la
destructivité de notre art moderne et de son primitivisme
avoué. A coup de manifestes vibrants, notre art moderne

---

* *Ragtime:* jeu étymologique. On sait que ragtime signifie : mesure
syncopée, hachée (de *rag:* lambeaux). L'auteur la fait ressortir en la
reprenant par le verbe *to rag:* chahuter. Le français n'a pas traduit
ragtime. On a donc remplacé le jeu étymologique par un simple jeu
phonétique, en recourant au verbe « enrager ». *(N.d.T.)*

a essayé de balayer tout l'art préexistant en lui refusant toute signification pour les temps modernes. Mais cette *hubris* s'est usée jusqu'à la corde. Paradoxalement, l'avant-garde d'aujourd'hui se retourne contre le nihilisme de l' « art moderne » d'hier ; elle cherche à tâtons un nouveau traditionalisme, encore très précaire, une déférence nouvelle pour les anciennes valeurs que nos pères croyaient à jamais détruites. Ce traditionalisme nouveau est peut-être encore un symptôme de ce que je voudrais considérer comme l'esprit moins hostile et moins agressif de l'avant-garde actuelle. L'ancien « art moderne » exhibait la dérive créatrice vers la dédifférenciation comme une fragmentation agressive. Nous avons vu que la réaction du processus secondaire se déclenchait avec une violence égale, dégradant pratiquement du jour au lendemain les techniques de fragmentation en procédés maniéristes d'agencement.

Des processus secondaires plus lents ont toujours existé. La sérénité de l'art classique leur est due, pour une bonne part. Ils tempéraient les innovations de la peinture et de la musique anciennes. Tout art nouveau à ses débuts apparaissait certainement moins consistant et plus dispersé qu'il n'apparaît maintenant aux générations récentes. En musique, on a vu la polyphonie dispersée se regrouper peu à peu en une harmonie consistante. Les voix qui convergeaient et se dispersaient librement fusionnent dans la progression majestueuse des accords harmoniques qui soutiennent une unique mélodie dominante. L'inconfortable audition horizontale, dépourvue de véritable point de ralliement pour notre attention, se transforme en une audition verticale d'accords consistants, plus confortable, par un processus qui n'est d'ailleurs pas forcément importun. La nouvelle musique s'est toujours vu reprocher dans l'Histoire son absence de mélodie. Schoenberg espérait que son œuvre, dont la fragmentation excluait prétendument la mélodie, finirait par rendre un jour une mélodie expressive, susceptible de chant. Il y a toutes les raisons de le prévoir. Nous savons que même la musique de Mozart fut accusée de confusion par l'empereur Joseph II d'Autriche, qui déplorait qu'elle fût à ce point surchargée de notes. Son déplaisir tenait probablement à la richesse de la structure polyphonique qui obscurcissait la clarté de la ligne mélodique. Mozart, à la fin de sa vie, renforçait volontairement les voix moyennes, plus effacées, en leur donnant une expressivité mélodieuse propre (alimentant ainsi l'audition horizontale). Il espérait que la subtilité de leur

intrication échapperait à l'auditeur naïf et plairait au con-
naisseur. La gêne de l'empereur prouve que Mozart n'a pas
réussi à abuser l'auditeur naïf. Mais la question ne se pose
plus aujourd'hui. Dans Mozart et dans Haydn — dans
Haydn particulièrement — on n'entendra la plupart du
temps qu'une mélodie agréable, soulignée légèrement par
quelques accords maintenant stéréotypés. On a du mal à
imaginer ce qui a pu pousser l'empereur à rejeter pour son
excès de complexité et de confusion une musique aussi
légère et transparente.

En dirigeant les dernières œuvres de Mozart, Sir Thomas
Beecham usait d'un certain maniérisme pour contrebalancer
la verticalisation secondaire de la complexité polyphonique. Il donnait plus de poids qu'à l'ordinaire aux voix
moyennes, effacées, pour que l'auditeur ait plus de mal à
maintenir son attention sur la dominance de la mélodie
principale. Mais même ainsi, l'auditeur moyen se refuse
à desserrer l'étau de sa prise sur une mélodie unique. Il
faut les attaques sauvages de l'art et de la musique modernes pour déloger des habitudes aussi confortables.

Le processus secondaire de verticalisation est assez rapide
pour agir en l'espace d'une vie. Il suffit d'avoir la mémoire
précise pour voir se confirmer ses pouvoirs uniques de transformation. Peu de gens, pourtant, semblent capables de ne
pas laisser perdre l'impact initial d'une œuvre d'art, une
fois son tranchant émoussé. C'est pourquoi les critiques ne
s'amélioreront jamais et continueront à condamner pour
confusion et incompréhensibilité toute innovation artistique. Il faut attendre que les processus secondaires aient
rendu l'œuvre nouvelle plus digeste au goût de leur estomac
pour qu'ils l'acceptent et s'aperçoivent que sa clarté leur
avait tout simplement échappé à la première audition. Ils
ne comprendront pas que leur propre perception a subi
un changement qualitatif. Un cas semblable se présente
lorsque nous rencontrons pour la première fois une personne qui a un visage repoussant. A mesure que nous
faisons sa connaissance et nous mettons à l'aimer, son
visage se transforme et prend des traits plus agréables.
Nous aurons alors tendance à oublier notre répulsion
première et à penser que nous l'avions simplement mal vue,
et que nous la connaissons mieux maintenant. Il n'en est
rien. L'impression désagréable première était aussi réelle
et vraie que la dernière impression, qui est agréable. On
peut tout autant se fier à l'impression première de confusion qu'on ressent devant l'art nouveau. Elle est conforme

à sa structure objective, encore indifférenciée. La musique de Schoenberg, que nous l'aimions ou non, manquait effectivement et manque encore largement du mélodieux traditionnel. Mais une fois que sa polyphonie éparse se sera figée en une harmonie consistante à l'appui d'une ligne mélodique claire, on aura affaire à autre chose, de qualitativement différent. Il est très probable qu'on aura alors oublié l'impression originale plus diffuse. Je n'aurais jamais pu, pour ma part, analyser la substructure non focalisable de l'art si je ne m'étais pas obstinément refusé à laisser perdre mes premières impressions inconfortables, même après que des expériences plus agréables — et plus insipides — sont venues les recouvrir. Aussi ne pourrai-je probablement convaincre de la réalité des processus secondaires que des lecteurs préparés à revivre des souvenirs semblables. Des gens de ma génération ont peut-être vécu la transformation que la musique de Brahms et, plus tard, celle de Stravinski ont connue au cours de notre vie. J'ai encore très clairement à l'esprit le moment où, il y a un demi-siècle, je commençais à connaître et à aimer la musique discordante de Brahms. Les cercles musicaux de Vienne, très conservateurs, le considéraient alors comme un moderniste. Sa musique rendait un son acide et grêle, qui n'avait pas le poli du fini; l'intrication et l'ample étalement de sa polyphonie produisaient un son fragile, impuissant à soutenir le cours ténu de la mélodie. Cette musique intransigeante me plaisait pour sa virilité. Elle semblait s'accorder à la personnalité rébarbative et solitaire de Brahms. Mais le temps a émoussé les arêtes vives de sa musique. Sa mélodie a pris aujourd'hui un velouté voluptueux, une chaleur presque érotique qui en fait une chère presque trop riche et doucereuse. La mélodie naguère hésitante s'est figée, comme il se doit, en un chant épanoui et consistant, et nous ne pouvons pas plus renverser cette transformation que Sir Thomas ne put restaurer la complexité perdue de Mozart. J'ai gardé moi-même très présent à l'esprit le son discordant et fragile du Brahms de ma jeunesse; mais je ne peux pas, malgré tous mes efforts, associer ce souvenir à la sonorité doucereuse et luxuriante qui me parvient aujourd'hui quand j'écoute au concert cette même musique. Il me reste le souvenir d'un son qu'aucune expérience réelle ne peut désormais reproduire.

Il n'y a rien d'étonnant à ce qu'en général, on se soucie si peu de retenir ces visions obsédantes et ces sons évanescents; et pourtant, l'ensemble d'une grande œuvre présente une unité consistante qui permet de s'y retrouver. Les derniers quatuors de Beethoven, par exemple, attendirent près d'un siècle pour être joués. Parmi ses propres contemporains, seul Richard Wagner pouvait en tolérer la structure fragmentée, — ce qui ne fut peut-être pas étranger à son révolutionnarisme largement autodidacte. Nous commençons seulement aujourd'hui à comprendre l'unité sous-jacente à leur improvisation libre et à leur apparente fragmentation. Une fois notre sensibilité accommodée à ces articulations souterraines, il devient possible de mieux percevoir, dans la première période de Beethoven, les ruptures originelles et les transitions soudaines qui sont le plus souvent perdues aujourd'hui. La familiarité nous a habitués à sauter trop facilement les obstacles qu'on aurait ressentis jadis comme des abîmes profonds ou des crêtes à pic. Les dernières œuvres de Schubert rendent encore aujourd'hui un son fragile et dilué qui n'est pas sans rappeler celui de Brahms. Si nous saisissons les étranges gauchissements harmoniques de ces œuvres, sa première musique dépouillera peut-être cette impression trompeuse de mélodie facile et coulante; peut-être y entendrons-nous tout à coup le faible écho des grondements souterrains. En général, les dernières œuvres à demi oubliées des grands maîtres, qu'une chance heureuse a fait échapper au processus secondaire de transformation, peuvent nous aider, grâce à l'unité d'une grande œuvre, à retrouver, même dans les premières œuvres galvaudées, un peu de ce tranchant perdu. Toute la réussite des grands chefs d'orchestre et des grands exécutants est dans cette réhabilitation. Les ruptures de la *Neuvième Symphonie* ou les grandes pièces fragmentées comme *King Lear* ou *Faust* viennent encore défier les exécutants de plonger sous les discontinuités évidentes de la surface et de capter l'unité cachée sous-jacente.

Seul l'art vraiment nouveau nous permet de mesurer pleinement l'attaque contre la sensibilité consciente, et l'angoisse qu'entraîne toute innovation artistique : le processus secondaire de rationalisation n'y a pas encore raccordé les disruptions superficielles. Si nous nous obstinons dans les habitudes invétérées de vision et d'audition, que nous avons contractées en jugeant l'art traditionnel, nous ne pouvons que nous sentir attaqués et éprouver le malaise aigu qui est lié à l'angoisse inconsciente. Mais en toute honnêteté, il faut reconnaître que seuls certains types psychologiques peuvent abandonner sans peine le besoin de focalisation stable et de cohérence rationnelle. Lowen-

feld [19] distingue deux types d'artistes : le type dit hap-
tique et le type visuel. Pour expliquer cette distinction,
il prend l'exemple du malaise qu'éprouvent les visuels
quand ils regardent par la fenêtre d'un train en marche.
Ils ressentent alors un besoin incoercible de relier les
fragments de paysage qui passent à la fenêtre en une
séquence chaotique, alors que les haptiques se contentent
de poser un regard vide sur le changement constant de
décor. Les artistes haptiques travaillent en grande part
sur un besoin inconscient et se soucient peu de la cohérence de la surface, tandis que les types visuels et plus
rationnels ont besoin d'une cohérence de surface et de focalisation stable.

Les exemples extrêmes de l'*action painting*, comme les
crochures ouvertes, de Jackson Pollock ne peuvent que
créer un malaise chez les visuels, qui sont plus rationnels.
Pour l'éviter, il nous faut abandonner notre tendance
focalisatrice et notre besoin conscient d'intégrer les taches
de couleur en patterns cohérents. Il nous faut laisser notre
œil dériver sans préoccupation de temps ou de direction,
vivre toujours dans le moment sans essayer de relier la
tache de couleur qui entre à l'instant dans notre champ de
vision à celles que nous avons déjà vues ou que nous allons
voir. Si nous réussissons à susciter en nous-mêmes cet état
indécis proche du rêve diurne, l'impression de malaise disparaît ; bien plus, le tableau peut tout à coup se transformer
et perdre son apparence de construction hasardeuse et
d'incohérence. Toute confrontation nouvelle constitue
désormais un développement logique et nous sentons bientôt que nous avons saisi une structure d'ensemble cachée
qui est contenue dans chaque noyau de couleur (j'ai soutenu
de la même manière que pour la vision intérieure de Beethoven, un fragment incohérent de mélodie pouvait tenir
lieu de structure d'ensemble de toute une symphonie).
La cohérence consciente de la surface doit être disruptée
pour que s'accomplisse pleinement la discipline inconsciente de la forme. Puisque cette discipline ne peut s'analyser en termes rationnels, nous sommes rejetés vers notre
sensibilité souterraine, seule capable de faire la distinction
entre les trucs irresponsables d'un savoir-faire et un art
véritablement créateur, que règle une nécessité intérieure.

On a critiqué les expériences sérielles de Boulez sur le
motif que la régularité de leur construction n'était pas
consciemment apparente, sans comprendre que c'était
justement là, psychologiquement, le but de cet exercice de

fragmentation. Comme pour l'*action painting*, à vouloir organiser consciemment un tel type de musique, on ne pouvait qu'aboutir à un malaise aigu. La continuité de la ligne mélodique ou la progression harmonique semblaient faire totalement défaut; les sons instrumentaux s'entrechoquaient comme les tintements d'une harpe éolienne, frappée par des rafales de vent irrégulières. Mais comme tout à l'heure nous laissions notre œil dériver sur une *action painting* sans préoccupation de temps, nous devons maintenant écouter cette musique sans essayer de relier le son présent au son passé et au son futur; ici aussi, les sons nous parviendront bientôt en nous donnant le sentiment d'une nécessité inévitable, obéissant à une cohérence inconsciente enfouie, qui défie l'analyse consciente.

Si l'on re-crée la musique ancienne selon l'esprit de l'art moderne, on risque une situation dramatique : une impression de choc, une disruption soudaine des habitudes confortables d'écoute. Le jeune compositeur anglais, Alexandre Goehr, me joua un jour un tour très troublant, et cependant très instructif. Il prétendait pouvoir me démontrer que Boulez, en dépit de sa destruction délibérée des formes traditionnelles, travaillait en fait à l'intérieur d'une tradition française établie. Il fit d'abord passer l'enregistrement entier du *Marteau sans maître* de Boulez, que je connaissais mal à l'époque. Aussi mon attention se disposa-t-elle naturellement au type d'audition diffus, décousu, qu'exigeait une musique aussi nouvelle. Ensuite, sans plus attirer mon attention, il enchaîna sur *La Mer* de Debussy. Je fus incapable de reconnaître ce classique de l'écriture impressionniste! Le poème symphonique de Debussy provoque d'habitude des associations réalistes : grondement de vagues, du vent... J'y entendis alors, pour la première fois, une variation constante et un mélange si subtil et fugace des timbres que je fus plongé dans un éternel présent comme je l'avais été par la musique de Boulez. Il est évident que les associations réalistes avec des bruits de la nature risquent d'émousser notre sensibilité et nous empêchent d'accorder à Debussy la place qui lui revient parmi les plus grands. Une telle expérience fut pour moi un véritable choc, car je n'étais pas préparé à ce gauchissement de ma sensibilité. Je fus pris d'un rire compulsif, — ce genre de rire qui se produit parfois quand on nous fait reconnaître une identité cachée entre des objets très éloignés : formes animales transformées en visages humains, etc. Je me vis là soudainement confronté à l'affinité cachée entre un morceau de musique impressionniste familier et un exemple moderne de musique dodécaphoniste. Les interprétations trop réalistes, comme je l'ai déjà dit, ont obscurci et émoussé les mélanges de timbres et les contrastes décomposés de Debussy. De même que — nos souvenirs pourraient nous le rappeler — une réinterprétation exagérément réaliste joua le même tour, à la même époque, à la peinture impressionniste de Claude Monet. Dans ces deux cas, nous avons la ressource d'une modernité particulièrement sensible aux textures décomposées de ton et de couleur pour retrouver une partie des tensions originelles perdues. On peut dire en ce sens que l'*action painting* a redécouvert Monet; ou que Boulez nous permet non seulement de réévaluer la véritable réussite de Debussy, mais d'expliquer aussi l'antagonisme considérable qu'il avait provoqué en disruptant le cliché harmonique traditionnel à une époque où Debussy n'assujettissait pas ses séquences libres de timbres en une sonorité grossièrement réaliste.

Je n'ai pas l'intention de soutenir, momentanément, que la sensibilité à l'art moderne nous permet de rétablir l'impression originelle d'une œuvre d'art historique; loin de là. A mon sens, le processus secondaire de rationalisation, une fois imposé à l'art est irréversible, et l'expérience originelle perdue à jamais. Monet et Debussy furent, après tout, des Impressionnistes réalistes, un peu moins seulement que la rationalisation et la verticalisation ne les ont fait paraître par la suite. Monet a bien peint des nymphéas, alors que produire des formes cohérentes aisément focalisées ne l'intéressait visiblement pas. En imposant la disruption de l'*action painting* ou de la musique de Boulez à Monet et à Debussy, nous faisons simplement voler en éclats toute la surface durcie de leur réalisme. Nous mettons au jour la matrice brute, diffuse qui est au-dessous et nous la réinterprétons selon notre propre façon contemporaine de sentir les formes. Tout cela est, bien entendu, très arbitraire, mais pas plus après tout que les rationalisations creuses des générations qui nous ont précédés. C'est le privilège du grand art de pouvoir souffrir cette manipulation arbitraire de la surface consciente, parce que sa substance réelle appartient à des niveaux profonds, qui sont hors d'atteinte. Mon véritable propos n'est pas d'en venir à l'impossibilité de reconstituer les intentions conscientes des peintres des cavernes à l'âge de pierre, ou des anciens Mexicains, puisque nous sentons bien instinctivement l'inimportance relative du message conscient de l'artiste.

La réceptivité moderne de notre civilisation à l'art des autres civilisations, préhistoriques, historiques, primitives et exotiques, vient peut-être de ce que notre propre art moderne s'en tient souvent à travailler sur les niveaux irrationnels profonds de notre seul esprit. La seule chose qui nous importe apparemment est la substructure complexe et diffuse de tout art. Or, l'art a pris sa source dans l'inconscient et, aujourd'hui encore, notre propre inconscient y réagit spontanément, ouvrant la voie à des réinterprétations toujours nouvelles. L'immortalité du grand art semble étroitement liée à la perte inévitable de sa signification de surface originelle, et à sa renaissance dans l'esprit de chaque siècle nouveau.

CHAPITRE VI

Le bâti interne

On ne peut jamais se faire une idée claire du bâti interne indifférencié de l'art. Par l'acte même de le percevoir nous en faisons une entité plus consistante et plus définie, — difficulté qui relève d'un véritable problème épistémolo‑ gique, comme celui qu'implique notre incapacité à observer à la fois le mouvement et la position d'un électron. Le rayon qui nous est nécessaire pour l'observer, rejette l'électron hors de la course. Dans les deux cas, le moyen d'observa‑ tion interfère avec le phénomène à observer, si bien qu'on ne peut jamais le saisir dans son état originel. La structure cachée de l'art se crée à des niveaux d'attention plus pro‑ fonds, plus voisins des techniques indifférenciées du pro‑ cessus primaire. Mais une fois qu'elle est créée, elle ne peut s'observer qu'à un niveau d'attention plus élevé. Nous ne disposons, par exemple, pas d'autre moyen d'observer l'intégration de la substructure de l'art que son signal conscient : l'espace pictural. En ce sens, nous sommes contraints de recourir, pour observer la structure incons‑ ciente de l'art, aux techniques gestaltiques du processus secondaire (conscient ou préconscient) qui lui infusent automatiquement une structure plus consistante et compacte.

Ce processus secondaire prend aussi la forme de ce qu'on appelle l'élaboration secondaire d'un souvenir de rêve. La structure originelle d'un rêve offre l'incohérence et le chaos apparents du processus primaire. Lorsque, une fois réveillés, nous essayons de le retrouver, nous y projetons inévitablement une meilleure gestalt, aplanissant les détails apparemment superflus et comblant les incohérences et les brèches. Il nous est tout simplement impossible de nous rappeler le rêve dans sa structure originelle moins différenciée. On retrouve ici le même problème épistémologique. Freud réussissait à ressaisir un peu de la substance perdue du rêve en mettant à contribution les libres associations de ses malades, mais sans pouvoir par ce seul moyen rétablir le rêve dans sa structure originelle non élaborée. La structure s'était perdue dans la dérive de l'attention depuis un niveau dispersé, semblable au rêve, jusqu'au foyer plus étroit de la vision quotidienne.

Freud remarqua aussi que le surmoi gouvernait l'élaboration secondaire du rêve pour en raboter les détails symboliques les plus chargés de signification inconsciente, qui prennent volontiers le masque de détails anodins et superflus. On ne peut guère douter que l'élaboration secondaire de l'art ne soit gouvernée de la même façon. Elle a tendance à ignorer et à raboter les irrégularités et les éléments texturaux qui paraissent insignifiants mais contiennent le symbolisme le plus chargé d'importance pour l'inconscient. Comme je l'ai suggéré, on ne peut trouver meilleure explication au pouvoir émotionnel indubitable d'une graphie artistique nerveuse qu'un symbolisme perçu inconsciemment ; celui-ci échappe à la direction consciente à cause du caractère sommaire et de l'hypersimplification des techniques du processus secondaire auxquelles notre analyse consciente de l'art doit, bon gré mal gré, recourir.

L'art est un rêve, rêvé par l'artiste, que nous, spectateurs bien éveillés, ne pouvons jamais voir dans sa véritable structure ; nos facultés vigiles ne peuvent que nous donner une image trop précise produite par l'élaboration secondaire. L'œuvre d'art reste l'inconnaissable *Ding an sich*. Nos impressions ne sont finalement qu'illusions, peut-être même hallucinations de données non existantes. Nous avons vu que le refoulement de la substructure inconsciente de l'art profite à la censure du surmoi. Le surmoi peut aussi jouer pour empêcher notre perception de régresser au niveau précis de l'indifférenciation où s'était produite en premier lieu cette substructure, et rendre ainsi inévitable une élaboration secondaire. Mais fondamentalement, la dérive entre les modes de la perception différenciés et indifférenciés est inhérente au rythme du moi qui soustend tout travail créateur.

Le processus de l'élaboration secondaire appartient à la troisième et dernière phase de ce rythme. Je distinguerai une première phase de projection fragmentée, de caractère « schizoïde », suivie d'une phase « maniaque » de *scanning* inconscient et d'intégration, une fois formée la substructure inconsciente de l'art. L'élaboration secondaire survient au cours de l'ultime rétroaction « dépressive » et de la réintrojection de l'œuvre dans le moi de surface *. Cette introjection est souvent douloureuse et accompagnée de doutes. Comme le matériel introjecté a été façonné à un niveau inférieur (moins différencié), il apparaît nécessairement à l'artiste plus fragmenté et chaotique qu'il ne l'est en réalité. Le travail de l'élaboration secondaire n'est jamais complet. L'artiste lui-même se trouve alors dans la position du spectateur avec, devant les yeux, le chaos de l'art nouvellement créé. Il est souvent sujet au même doute, à d'éventuels contresens et à une impulsion aveugle de destruction. C'est pourquoi l'enseignement artistique doit se faire un devoir de venir en aide à l'étudiant au moment où il doute de lui-même et résiste à comprendre sa propre œuvre. Le processus secondaire de l'élaboration ne transformera qu'en partie la substructure de l'art en une gestalt plus intelligible, et facilement digeste. Aussi l'étudiant doit-il apprendre à s'en remettre à sa sensibilité profonde, qui seule peut surmonter l'impression superficielle de chaos et de fragmentation, ainsi que les angoisses dépressives qui l'accompagnent. Il faut, dans cette mesure, résister à l'élaboration secondaire.

J'ai montré comment l'espace pictural — qui est le signe le plus sûr de l'intégration inconsciente au-dessous d'une surface fragmentée — est susceptible de solidification et de verticalisation du fait de l'élaboration secondaire. Aussi la tâche la plus importante de l'enseignement artistique est-elle peut-être d'affaiblir chez l'étudiant le besoin de construire un espace précis et consistant, et de savoir accueillir un véritable espace pictural. Il devrait comprendre que l'espace pictural joue le rôle de signal pour les innombrables relations formelles qui relient tous les éléments de l'œuvre les uns avec les autres du point de vue de la structure. Même la construction géométrique la plus simple offre une complexité qui dépasse l'examen conscient et doit être balayée à un niveau inconscient. En récompense d'une intégration inconsciente réussie, la superstructure consciente s'anime d'une intense vie plastique. L'un des meilleurs tests pour apprécier la sensibilité profonde d'un étudiant est de lui demander s'il est sensible à ce frémissement qui parcourt le plan du tableau au premier coup de

---

* Voir appendice, p. 355-6.

pinceau sur une feuille de papier blanc. La capacité de voir ces rides prouve qu'il a pleinement perçu les tensions établies entre la marque noire et l'étendue blanche du plan pictural, tel que le limitent les quatre coins et les quatre côtés rigides qui en endiguent l'extension, et qu'il a perçu aussi bien d'autres réactions de ce type. L'étudiant doit accepter ce paradoxe : pratiquement aucune de ses traces ne restera fixée au plan du tableau à deux dimensions. Tout élément nouveau qu'il y inscrit imprime à l'espace pictural entier la secousse de nouvelles crêtes et de nouveaux sillons. Il existe, évidemment, des règles. Un petit carré qu'on insère dans l'un des coins du quadrilatère formé par le tableau est parallèle aux quatre côtés et sera donc fermement maintenu par eux. Il sera, dans cette mesure, relativement moins mobile que d'autres formes qui n'ont pas une relation aussi simple au quadrilatère du tableau. De façon générale, toutes les formes qui incorporent ou reflètent les côtés du plan du tableau ne pourront, de leur fait, prendre ni relief ni mobilité. Mais elles prendront part néanmoins aux soulèvements de l'espace pictural et leur stabilité relative ne fera qu'intensifier les autres plages de plus grande mobilité. Un phénomène semblable vaut aussi pour l'interaction des couleurs, qui est également imprévisible. Le moindre ajout d'une nouvelle tache de couleur désengrènera l'interaction des autres plages colorées. On verra aussi certaines plages de couleur résister jusqu'à un certain point à l'interaction : leur relative stabilité met finalement en valeur l'instabilité des autres plages de couleur.

En musique, également, le processus secondaire de verticalisation se heurte aussi à une expérience d'espace musical plus mobile. On peut estimer que la transparence plastique des cordes d'un quatuor est supérieure à la consistance sonore de l'orchestre au complet. Une fugue tardive de Bach est ce qui évoque le mieux l'expérience d'un pur « espace » musical. En maintenant notre attention dispersée sur la structure entière de la trame polyphonique, nous prenons conscience des modifications incessantes de la densité de son bâti, qui tantôt se resserre et tantôt se gonfle et s'ouvre. Il est inutile de chercher le sujet de la fugue dans ses réapparitions, qui sont confiées à des voix différentes. Le volume de l'espace musical sera suffisamment éloquent. Par moments, la tension verticale entre les voix se resserre et demande à être résolue par une nouvelle réapparition du sujet. L'intonation réelle du sujet, même dans les voix moyennes cachées, s'annonce par un changement brusque de la densité verticale. Le bâti des voix s'ouvre et s'étend à l'infini — expérience qui rappelle le sentiment océanique du mystique décrit par Freud. Le temps semble alors s'immobiliser et nous entrons dans une éternité de présent, sensibles désormais à l'infinité du véritable espace musical.

L'espace musical est tout à fait comparable à l'espace pictural. Comme l'espace pictural, il est constamment transformé en une sonorité verticale plus consistante. Nous avons observé un phénomène analogue avec la verticalisation secondaire qui a touché Haydn, Mozart, Brahms et Debussy. Un semblable processus secondaire de solidification a transformé l'espace pictural mobile de l'Impressionnisme et du Cubisme en illusions spatiales précises et presque mesurables. Même la peinture la plus transparente et la plus insubstantielle n'en est pas à l'abri. Un admirateur de l'œuvre de Rothko évoquait un jour le caractère fugitif de ses illusions spatiales : cette luminosité, cette transparence de voile qu'eurent jadis ses bandes colorées s'est prise aujourd'hui en bancs de nuages presque compacts qui semblent profonds de plusieurs miles. Aussi concluait-il que l'œuvre de Rothko ne pouvait plus l'aider à trouver un usage dynamique de la couleur.

J'ai déjà parlé des processus secondaires qui ont cicatrisé la fragmentation de la cohérence de surface à chacune de ses réapparitions dans l'histoire de l'art moderne. En la cicatrisant, ils provoquaient aussi sur l'espace pictural originel, plus fluide, une solidification semblable à celle des pellicules transparentes de Rothko.

La bataille du plan à deux dimensions du tableau n'a cessé d'être, dans l'histoire de l'art, une bataille perdue. La première tâche du peintre concerne en effet l'organisation de la toile à deux dimensions. Au fur et à mesure, la complexité croissante de son œuvre stimule le *scanning* inconscient : le véritable espace pictural émerge, pour signaler au niveau conscient une substructure inconsciente bien tissée. L'artiste peut alors se féliciter de cette plastique nouvelle de son œuvre où il voit la récompense du travail mené à bien. Mais bientôt un processus secondaire de solidification risque de prendre la relève. J'ai déjà décrit comment les Impressionnistes s'étaient détournés de la construction d'un espace illusionniste rigide pour rendre hommage au seul plan à deux dimensions du tableau. Mais les critiques d'art finirent évidemment par les convaincre qu'ils avaient inventé un espace illusionniste d'un nouveau type, un nouvel espace atmosphérique fait de couleur et de lumière. L'*action painting* et le Tachisme découvrirent à leur tour la signification primaire de la trace de pinceau sur la toile à deux dimensions. Mais — et c'est là un signe certain de décadence académique — on a encore trouvé moyen de dire aux peintres américains qu'ils avaient découvert un nouvel espace construit uniquement sur des éléments abstraits de formes, de ton et de couleur. Les peintres qui pratiquent le contour net, en construisant délibérément un espace ambigu, n'ont fait que payer leur tribut à la même passion de cristallisation, au besoin de mesurer les bonheurs de l'espace pictural. Les écoles artistiques américaines qui ont introduit dans leurs programmes la construction délibérée d'un espace abstrait précis, n'ont fait que dépouiller l'abstraction de sa vigueur et de son intérêt propres. Lorsque j'essayai de retrouver l'origine de ces idées bizarrement démodées, je fus renvoyé au nom illustre de Hans Hofmann, dont l'œuvre m'avait inspiré une grande admiration pour sa fraîcheur vigoureuse. Quand j'y regardai de plus près, en m'intéressant à son enseignement, j'appris qu'Hofmann avait toujours répété que la première tâche de l'artiste était d'organiser le plan à deux dimensions du tableau. L'aboutissement final à un espace pictural résonnant vient alors récompenser à propos une composition bien organisée*.

---

* Ces dernières années ont vu un nouveau maniérisme académique entrer pour une part dans l'étude intellectuelle de l'interaction de la couleur. Les étudiants cherchent à surmonter la tendance innée des couleurs à reculer ou à avancer, et à les maintenir à tout prix rivées au plan pictural à deux dimensions; par exemple, si l'on fait chevaucher un bleu qui recule par un rouge qui avance, le bleu est projeté en avant et le rouge repoussé en arrière. Je crois à la valeur d'un tel exercice, à condition d'y passer peu de temps. Ce qui importe, c'est que la composition linéaire (graphique) puisse créer des effets spatiaux capables de contredire l'illusion spatiale produite par la couleur. C'est là un conflit très fécond, car il exige une résolution qui nous laisse démunis de toute recette intellectuelle. Je soutiendrais pour ma part que le conflit entre des impressions spatiales incompatibles, par exemple l'impression d'une expansion infinie en contradiction avec le sentiment claustrophobique simultané d'être pris au piège, peut appartenir au sujet émotionnel de l'art abstrait, dans les développements que nous lui connaissons aujourd'hui. A titre de sujet, l'impression spatiale ne peut pas faire figure de sous-produit tardif d'un bon travail, mais elle fait partie de la conception qu'a l'artiste de son œuvre dès l'origine. Il n'en reste pas moins vrai — et cela relève du grand paradoxe des illusions artistiques — que l'intervention formelle de l'artiste doit aussi concerner l'organisation du plan pictural à deux dimensions.

Le conflit créateur 121

Un compositeur, s'il est trop préoccupé par la sonorité verticale de sa composition, peut ne pas reconnaître que sa première tâche devrait être d'assembler le bâti interne de la polyphonie et du contrepoint. Je me rappelle qu'un compositeur tourna en dérision ses critiques académiques en leur disant que peu lui importait l'effet sonore de sa composition. Il s'estimait satisfait s'il avait pu réaliser ses idées, purement formelles, de sérialisation. Ce traitement cavalier des résultats sonores finaux a beau risquer de choquer les professeurs académiques, il n'en est pas moins parfaitement justifié. Un véritable espace musical vient signaler l'intégration inconsciente et ne peut donc être recherché comme un effet conscient. Mais l'enseignement académique, dans toutes les sphères du savoir, ne peut pas tolérer qu'un effet aussi important échappe au contrôle conscient et donc à un enseignement direct.

Je ne voudrais pas, cependant, prêter à équivoque. Mon propos n'est pas de prôner un culte de la spontanéité aux dépens du contrôle intellectuel. Le culte de la spontanéité appartient à l'ère dépassée de l'expression-de-soi romantique et les jeunes artistes contemporains, plus réfléchis, ont raison de le rejeter. A tout prendre, je prônerais le plus grand contrôle intellectuel, à condition de reconnaître plus nettement, au même moment, les limites d'un tel contrôle. L'espace pictural et musical, tel que je l'ai décrit, échappe sans aucun doute au contrôle conscient direct.

La technique moderne qui se prête au contrôle intellectuel le plus poussé — l'op'art — montre clairement les limites du contrôle conscient et de l'espace pictural incontrôlable. Des artistes optiques prétendent que, pour la première fois dans l'histoire de l'art, on peut construire la structure de l'art à froid, par le seul calcul intellectuel. Sa composition ne demande aucune des facultés intuitives, non intellectuelles, qui entraient auparavant dans la fabrication de l'art. De telles affirmations relèvent d'une attitude estimable où l'on veut voir une saine réaction contre l'ancien culte de la spontanéité et de l'heureux accident. Elles reposent pourtant sur une illusion. Dans tout type de travail créateur, en effet, vient un moment où cesse notre pouvoir de libre choix. L'œuvre prend une vie propre, ne laissant à son créateur que l'alternative du rejet ou de l'acceptation. Se révèle alors une mystérieuse « présence » qui donne à l'œuvre sa propre personnalité vivante. J'ai déjà évoqué et j'évoquerai encore l'échange dialogué qui s'instaure entre le créateur et son œuvre, et le besoin que

ressent l'artiste de traiter son œuvre comme un être indépendant doué d'une vie autonome.

La fragmentation systématique de la gestalt de surface
qui caractérise l'histoire de l'art moderne depuis l'Impressionnisme français a fait la preuve qu'on ne peut jamais
prévoir l'impression que produira finalement l'espace. La
peinture optique a fait de cette fragmentation un des beaux-
arts. Tout comme la sérialisation en musique, c'est un des
cas où l'intellect détruit ses propres modes de fonctionnement. Dans une composition optique, en effet, la sérialisation des différents éléments observe une gradation si
continue que l'œil ne peut y repérer aucun pattern de
gestalt stable, et que toute tentative de focalisation est
punie par un vertige oculaire et un éblouissement souvent
désagréable. Notre vision, conditionnée, renonce alors
à focaliser et à saisir le plan entier du tableau comme une
totalité. Elle est immédiatement dirigée vers des patterns
d'espace pictural extrêmement mobiles et instables,
vers les battements de sa pulsation. Le contrôle intellectuel
total que la sérialisation optique permettait au départ
conduit ainsi directement, et sans transition, à l'impression
d'un espace pictural incontrôlable. La dissociation des
facultés intellectuelles et spontanées qui caractérise si
souvent l'art moderne ne saurait être plus totale. J'eus
l'occasion de discuter de sa méthode avec Bridget Riley [9],
qui a une conscience particulièrement aiguë de cette séparation entre les deux phases de son travail. Dans un premier temps, elle garde un certain contrôle sur l'émergence
de l'espace pictural (pl. 20). Il y a des plages de « stabilité »
où l'effet d'éblouissement est minimal, et qui offriraient
presque à l'œil — mais jamais complètement — un centre
stable d'attention. C'est là que les éléments apparaissent
le moins déformés et se détacheraient presque du conti-
nuum du pattern d'éblouissement. Dans les plages limi-
trophes, les éléments s'absorbent progressivement en
une série de variations imperceptibles. On atteint enfin
une plage « critique » où l'effet d'éblouissement maximal
submerge totalement l'élément. Cette plage critique, elle
aussi, court le risque de se couper du reste du plan pictural,
et menace d'en rompre la continuité. Bridget Riley n'intervient consciemment que sur la variation graduelle (sérialisation) de l'élément particulier qui représente son thème ;
mais cependant le plan pictural à deux dimensions en est
affecté dans sa continuité, et se trouve menacé de diruption
par cet isolement de certaines plages détachées — plages

de « stabilité » et de « crises » maximales — sans qu'on puisse mesurer ces effets autrement qu'en procédant par tâtonnements. Quand le plan pictural résiste sans se rompre sous l'effet des tensions opposées, alors intervient cette imprévisible transformation finale que Bridget Riley attend impatiemment. Une « présence » affleure, qu'elle compare volontiers à une hallucination : tout le plan pictural est parcouru d'une pulsation puissante qui soulève ses plages tour à tour pour former un pattern fugitif, prompt à s'effriter, et auquel la composition objective n'offre pas forcément de correspondance. L'essentiel est là, pour Bridget Riley, dans cette présence et non pas dans l'effet d'éblouissement optique. Il ne faut pas dès lors s'étonner que les artistes optiques soient irrités par l'étiquette d'art optique. Après tout, c'est un effet qu'ils partagent, ou plutôt qu'ils ont partagé à une époque, avec les *Meules de Foin* de Monet, ou avec le Cubisme et l'Expressionnisme américain, dans leur premier impact. Et on peut penser que les bons offices du processus secondaire viendront dissiper à leur tour l'effet d'éblouissement de la peinture optique. Les facultés de surface ne se laisseront pas attaquer et disrupter, et nous nous contenterons alors de traiter cet éclat aveuglant comme une texture décorative d'agrément, sans chercher à articuler les unités et les patterns particuliers.

La fusion et l'oblitération de l'élément particulier dans une texture globale n'est pas sans rappeler l'absorption d'un motif textile dans la texture globale d'une étoffe imprimée. Il n'est pas étonnant que le dessin textile ait été le premier des arts commerciaux à exploiter les effets optiques. Il connaît en effet les mêmes problèmes formels. Un motif textile particulier peut être agréable en lui-même, mais il ne doit jamais se détacher de l'effet textural d'ensemble pour devenir une unité isolée. Ainsi parfois, quand, malades et alités, nous fixons un motif du papier peint ou des rideaux, nous lui prêtons, sous la pression de la fantasmatique du ça, une signification plus forte que celle qu'il mérite ; par exemple, nous lisons des masques terrifiants de diable dans un motif floral semi-abstrait. Le masque alors commence à se détacher de la structure globale, où que nous tournions les yeux pour l'éviter. Il s'ensuit une tension et un « éblouissement » optiques proches des effets de l'art optique. Mais mon manuscrit réussira-t-il à se faire imprimer avant que ne disparaisse l'effet éblouissant de l'art optique en vogue ? L'expérience

personnelle du lecteur viendrait alors confirmer mes prévisions, et verrait cet art transformé en textures décoratives, à la suite de toutes les autres techniques de fragmentation de l'art moderne.

On demande à la science exacte des prédictions vérifia-
bles, ou, plus précisément, susceptibles de l'être par quiconque s'en donne la peine. Cependant, nous ne pouvons
vérifier des hypothèses comme celles que je propose qu'en
nous livrant à l'introspection dans nos impressions passées
et en essayant de fixer des souvenirs parfois excessivement
fuyants. Ce qui demande des dons exceptionnels d'introspection. Je sais bien, pour ma part, que mes recherches ont
pour seul appui mon obstination à fixer ces « premières
impressions » devant l'art moderne qu'on est souvent enclin
à oublier. On peut ainsi neutraliser les effets des processus
secondaires qui obscurcissent la structure originellement
indifférenciée de l'œuvre créatrice. Mais puis-je attendre
de mes lecteurs qu'ils fassent l'effort de remonter jusqu'aux
premières impressions fugitives qu'a fait naître l'art moderne,
quelle que soit son époque? Bien des gens n'aiment l'art
qu'une fois patiné et fait par l'action des processus secondaires, et rejettent de ce fait l'art moderne brut de leur
propre époque. Ceux-là sauront-ils accepter mes arguments?

On pourrait voir une autre raison importante à notre désir
d'oublier nos « premières impressions ». La perception, la
vision tout particulièrement, assure notre prise sur la réalité.
Ainsi s'explique probablement que nous soyons si peu désireux d'accepter que la perception soit instable, ses données
glissantes et sujettes aux effets combinés des forces incontrôlables intérieures à notre esprit. Les philosophes les
plus sceptiques ont accepté sans critique la théorie des
données sensibles, qui voit dans les données fournies par la
perception une base sûre, incontestée à notre compréhension de la réalité objective. La perception a cependant une
histoire; elle change au cours de notre vie, et même à l'intérieur d'un laps de temps très court; plus encore, sa structure
change selon les différents niveaux de la vie mentale, et
varie suivant le niveau qui est stimulé à un moment particulier. Seule notre expérience consciente lui accorde la
structure compacte et stable que postulent les psychologues
de la gestalt. Nous avons vu que notre perception gagne en
fluidité et en malléabilité à mesure que nous pénétrons dans
les couches plus profondes de l'attention : rêve, rêveries,
imagerie subliminale et visions rêveuses de l'état créateur.
Elle élargit alors son foyer pour embrasser les structures

les plus vastes. Ces différentes couches de différenciation dans notre perception sont en interaction constante, pas seulement lors de ces dérives massives qui se produisent entre le rêve et la veille, mais aussi dans la pulsation rapide de différenciation et de dédifférenciation qui ne cesse de scander à notre insu notre vie quotidienne. On a le plus grand mal à fixer les interludes d'ambiguïté rêveuse et de focalisation plus ouverte qui s'intercalent dans les images plus nettes des souvenirs conscients. Le souvenir, ou plutôt la reconstruction, des innombrables états crépusculaires, disséminés entre les structures de gestalt de notre souvenir plus nettement cristallisées, demande peut-être d'intros- pecter notre flot de conscience avec une singulière acuité. Freud pensait que la mémoire n'enregistre que les cristalli- sations périodiques *(Gestalt)* dans le flot de conscience et que les interludes indifférenciés sont entièrement perdus : étrange affirmation pour le fondateur de la psychanalyse qui proclamait la persistance des souvenirs perdus depuis longtemps et la pérennité de la pensée inconsciente. On peut exercer ses propres pouvoirs d'introspection à fixer les états de conscience moins articulés et les premières phases de l'histoire de la perception, quand ses structures de gestalt n'étaient pas encore cristallisées. Mais il est très difficile de retrouver une phase antérieure, moins structurée d'une perception, une fois qu'elle a mûri en gestalt précise. Cet oubli des états antérieurs de la conscience, moins articulés, constituait pour William James « l'illusion par excellence du psychologue ». L'appréciation de l'art est particulière- ment révélatrice à cet égard : notre impression devant la même œuvre d'art est régulièrement soumise à des change- ments considérables. C'est en m'obstinant à ne pas vouloir oublier mes premières expériences d'un art peu familier que j'en vins à ma théorie dynamique de la perception en général, et ces lois de différenciation et de dédifférenciation qui règlent ses changements dynamiques. Un exemple plus familier venait illustrer la difficulté à mémoriser les étapes périmées d'expériences perceptuelles : l'aspect repoussant d'un visage que l'amitié nous rend aujourd'hui attirant. Il nous semble que la première impression de répulsion n'était qu'une erreur trompeuse, et nous préférons l'oublier. Mais en fait, elle avait autant de réalité à l'époque que notre nouvelle impression plus favorable. Il nous est la plupart du temps extrêmement difficile, ou même impossible, de la reconstruire dans notre souvenir; plus difficile encore, de la retrouver dans le regard que nous portons aujourd'hui sur notre nouvel ami. Nous sommes incapables en effet d'imaginer que la réalité puisse avoir une apparence différente de celle que nous voyons ici et maintenant; d'où la crédulité naïve des philosophes des données sensibles. Notre prise ténue sur la réalité peut exiger que nous rejetions comme erronés, fictifs ou irréels tous les autres points de vue possibles sur elle.

Cependant l'artiste créateur, plus que tout autre, doit résister à la séduction des apparences finales, et rechercher, par un effort de volonté, dans le matériel brut, la substructure de l'art, à demi oblitérée. Nous avons déjà vu qu'il doit renoncer dans son œuvre au désir d'en visualiser avec précision l'apparence finale. Un tel désir démesuré ne fera que compromettre la réussite éventuelle. Bridget Riley confia un jour à quelques-uns de mes étudiants son impatience à visualiser l'impression totale quand elle façonnait la transformation des éléments particuliers. Il en résultait que ses yeux l'égaraient complètement; elle abandonnait alors, prenait un bain chaud et se remettait à l'œuvre, dûment assagie.

Ce que je voudrais dire ici n'est, en un sens, qu'une paraphrase de ma description antérieure du travail créateur : travail qui se fait en étapes provisoires qu'on ne peut encore rapporter à la solution finale. Nous commençons à soupçonner que le résultat final lui-même, l'œuvre d'art telle qu'elle sort des mains de l'artiste, est un résultat provisoire, un simple « bâti interne » qu'il faut encore habiller au-dehors d'effets plastiques, et animer d'une présence mystérieuse qui réside en partie dans l'œil du spectateur. L'artiste peut même être indifférent au résultat final. Un compositeur d'opéra me confiait, non sans rougir, mais avec la conviction d'avoir raison, qu'il commençait par écrire son contrepoint, connu pour sa complexité. Il en vérifiait ensuite au piano la qualité sonore, selon une procédure qui est un anathème pour les professeurs académiques. On sait qu'ils se plaisent à intimider leurs étudiants en brandissant la figure paralysante de Beethoven qui, en dépit de sa surdité, pouvait écrire de la musique révolutionnaire. Mais on a des raisons de penser que Beethoven, à la fin de sa vie, ne se souciait guère des qualités sonores de son œuvre. Il se mit à prendre des leçons de contrepoint et s'attacha de plus en plus au bâti polyphonique interne. Aussi la musique qu'il écrivit à cette époque manque-t-elle de sensualité sonore et de mélodie. Elle rend parfois un son grêle et métallique. Dans ses dernières sonates pour piano, on est souvent obligé de jouer

les mains très écartées, ce qui interdit la fusion du cliquetis
métallique de la main droite et du grondement de la basse,
impression bien désagréable pour l'amateur moyen qui veut
sa ration de richesse sonore. Notre exigence d'un son achevé
est si contraignante que même des chefs d'orchestre émi-
nents croient devoir réorchestrer les passages de la *Neuvième* qui manquent d'une texture harmonique équilibrée.
Ils ne font que flatter ainsi le désir commun d'une sonorité
pleine, et risquent bien d'être en retrait sur les intentions
de Beethoven. Polir des phrases mélodiques bien achevées
lui importait visiblement de moins en moins (il n'aimait pas
ses premiers adagios), et il préférait étendre longuement la
dispersion d'une polyphonie non focalisée. On peut donc
en privant l'auditeur de sa sonorité verticale accoutumée,
l'aider à écouter la musique comme Beethoven lui-même
l'écoutait. Il serait bien téméraire d'attribuer cette carence
sonore à la surdité de Beethoven. C'était un trop bon
pianiste pour ne pas se représenter, l'eût-il voulu, le son
précis d'un piano. Dans la *Neuvième*, il inventa de nouveaux
sons orchestraux, par exemple l'usage sans précédent des
doubles basses dans les mesures d'ouverture du mouvement
choral. Quand elles chantent *recitativo* leurs mélodies déchi-
rantes et répondent aux citations allusives des mouvements
précédents, elles sont aussi proches de la voix humaine qu'il
est possible à un instrument muet. Aussi l'intervention
finale du chant vocal, qui donne la parole à l'esprit orgiaque
de la joie, fait-elle figure de développement nécessaire. Il est
très surprenant que sa seule audition interne ait permis à
Beethoven, sourd, de façonner une telle transition entre la
tonalité orchestrale et la voix humaine. Il est certain qu'il
visualisait les qualités sonores précises avec une acuité
particulière. La prétention des professeurs de musique à
critiquer ce qu'ils appellent son orchestration « maladroite »
n'en est que plus absurde.

    Les compositeurs doivent parfois accepter qu'une
sonorité indésirable s'impose à eux. Chopin, par exemple,
s'irritait de voir sa musique louée à contre-sens. Il est
certain qu'il faisait chanter le piano comme personne ni
avant ni après lui, mais les pianistes qui en font trop ressortir la sonorité agréable risquent de masquer la complexité
de son bâti interne. A y regarder de plus près, on s'aperçoit que la sonorité spécifique de Chopin dépend de l'indépendance rythmique de l'accompagnement : l' « accompagnement » de la main gauche ne produit jamais de son
vertical riche, mais il a une structure rythmique indépen-

dante, souvent pourvue d'une signification thématique propre. L'incomparable qualité sonore de Chopin résulte de la fusion récalcitrante des deux rythmes superposés. Aussi le pianiste doit-il renoncer à la riche suavité du son pour accentuer au contraire la dureté d'un rythme heurté. Chopin n'ignorait pas son infortune. Son ami, le peintre Delacroix, rapporte dans son *Journal* que Chopin — qui était pourtant d'un naturel très doux — pouvait se fâcher quand on louait sa musique pour sa sonorité. Delacroix, un peu déconcerté, ajoute, pour le justifier, que Chopin parlait seulement en qualité de pianiste, et non de compositeur. Il est plus vraisemblable, à l'inverse, que Chopin ait souffert de voir la structure interne, complexe de sa musique, noyée par une sonorité massive.

Nous devons nous féliciter de ce que les œuvres tardives, rarement jouées, des grands maîtres échappent parfois à cette corruption qui sacrifie tout à la sonorité. Par exemple, comme je l'ai déjà dit, les dernières œuvres de Schubert rendent parfois un son grêle. L'inconsistance sonore des derniers quatuors de Beethoven en est un autre exemple. Ils permettent de percevoir ce bâti interne bien frêle de la grande musique, avant qu'un son massif ne vienne le recouvrir. On devrait le faire paraître dans toute son absolue nudité, sans essayer de l'habiller d'une fausse sonorité.

La solidification secondaire de l'espace musical dans les œuvres classiques peut égarer le compositeur, surtout si des professeurs académiques le poussent à accorder trop d'attention à la sonorité et à une qualité particulière de son vertical. Les remarques de Hofmann sur l'espace pictural en peinture valent aussi pour la composition musicale. Le premier devoir du compositeur concerne le bâti interne de la musique. S'il l'a travaillé avec assez de soin, le son peut bien se suffire à lui-même. Il lui est fatal, au contraire, de commencer par viser un son spécifique pour le garnir de rembourrages divers : *arpeggi, glissandi,* ou procédés du type de la basse Alberti. L'échec final de Delius vient peut-être de ce qu'il dépendait trop de certaines qualités sonores. Si le chef d'orchestre ne réussit pas à les produire, le sens de l'œuvre se volatilise. Le bon art devrait pouvoir résister aux pires traitements. Les œuvres de Puccini, en dépit d'apparences contraires, ne dépendent pas du seul son. Le bâti de sa musique répond à une logique interne qu'on commence tout juste à découvrir. Ses harmonies sont simples, mais celles de Janaček aussi, dont on a cru trop longtemps la musique simple à l'excès.

La complexité interne d'une œuvre semble parfois ne contribuer en rien au son final. Je me rappelle un chef d'orchestre qui raillait Wagner de vouloir donner à un instrument noyé dans le flot puissant de l'orchestre un petit *leitmotiv* à jouer en particulier. Ce leitmotiv semble n'être qu'une allusion pédante à une idée dramatique, que seule la lecture de la partition peut faire découvrir. Mais qui oserait accuser Wagner de rembourrage sonore? Ce petit motif est aussi signifiant que le sont les quintes et les octaves parallèles du grand orgue, — ce mouvement parallèle des voix qui passe pour très laid dans d'autres contextes. Quand Schoenberg fit remarquer la présence de quintes et d'octaves parallèles dans le son du grand orgue, il se fit répondre qu'elles servaient purement de remplissage et ne s'entendaient pas par elles-mêmes. Ce qui est, selon les termes de Schoenberg, une objection absurde *(köstlich)*. On ajouterait les parallèles interdites parce qu'on ne les entend pas. Mais alors, pourquoi diable les rajouter? Pourquoi pas des citations bibliques ou des coups de canon? Selon lui, peu importe d'ailleurs qu'elles aient pour seul effet de renforcer la sonorité. Comment, demande-t-il, un changement de qualité sonore peut-il passer à nos oreilles pour autre chose, justement, qu'un changement? Tout est là, bien évidemment : toutes les lois de l'harmonie qui touchent au bâti polyphonique caché — comme la loi qui régit la préparation et la résolution d'une dissonance — ne traitent les événements horizontaux *(Stimmführung* polyphonique, mélodique) qu'en termes de bon ou de mauvais son. Quand Wagner confie à un petit instrument noyé dans le grand orchestre un petit motif à jouer plutôt que des citations bibliques ou des coups de canon, il n'affecte certainement en dernier ressort que la qualité sonore finale. Ce que Schoenberg ne dit pas, cependant, c'est que ce travail de la qualité sonore plastique n'est ni la première ni la principale préoccupation des grands maîtres. Leur première tâche est de modeler le bâti horizontal interne. Seule une oreille obtuse, émoussée par la manie d'une sonorité massive restera sourde à la différence décisive qui en résulte pour la beauté finale du son et pour la qualité plastique d'un espace musical ouvert.

Le compositeur courrait inévitablement à l'échec si sa musique dépendait de l'obtention d'un effet sonore précisément visualisé. Je parlais de Delius, qui ne pouvait peut-être être sauvé que par son ami Sir Thomas Beecham. On sait que la notation musicale est ambiguë et ouverte à bien des interprétations. On regrette même souvent qu'elle soit trop fruste pour permettre au compositeur de noter précisément ses intentions. Elle autorise en effet une grande latitude de jeu, et laisse évidemment l'exécutant presque totalement libre d'inonder la structure nue de la musique de ces innombrables inflexions inarticulées qui entrent pour une si grande part dans sa vie et aussi dans sa sonorité finale. Mais une telle ambiguïté de la notation musicale est-elle vraiment un inconvénient? Ne donne-t-elle pas toute sa force au développement des facultés créatrices du compositeur, qui, quel que soit le médium, doit pouvoir manier avec la plus grande précision un matériel imprécis et d'issue indéterminée? L'ambiguïté de la notation musicale impose au compositeur la tâche salutaire de ménager à l'avance toutes sortes d'interprétations mutuellement incompatibles. Il doit s'arranger pour tenir compte de toutes les interprétations possibles, susceptibles de préserver la validité de son œuvre. Ou, en termes plus techniques, opérer un *scanning* des structures sérielles qui ne peuvent être limitées. Le compositeur laisse ainsi son œuvre inachevée, bâti interne à nu que bien des qualités sonores possibles peuvent venir habiller, résultat provisoire que l'exécutant doit sans cesse recompléter. On a beaucoup critiqué les compositeurs contemporains, tels que Stockhausen ou Cage, pour l' « indétermination » de leurs œuvres, c'est-à-dire leur décision explicite d'en laisser l'achèvement à l'exécutant : l'œuvre la plus connue de Stockhausen se contente ainsi de fournir à l'exécutant les fragments déconnectés qu'il pourra assembler *ad libitum.* Les critiques sont en général assez fermés aux pouvoirs du *scanning* créateur et du contrôle du nombre infini des permutations et des structures sérielles. L'indétermination de Cage, elle, est plus subtile. Il s'attaque aux effets sonores précis en refusant de distribuer exactement les regroupements des lignes mélodiques des instruments. Ce qui est peut-être un usage plus signifiant de l'indétermination, certainement précédé d'une longue tradition. Chez Chopin, par exemple, de grands passages mélodiques, d'une grande liberté rythmique, s'accordent aux autres voix avec une bonne part d'indétermination. On peut en dire autant, dans une certaine mesure, de toute polyphonie réellement puissante de mélodies expressives. Une mélodie, si elle a de la force, veut ses propres irrégularités rythmiques, qui l'arracheront aux accords précisément synchronisés. On joue parfois aujourd'hui l'œuvre de Bach avec cette liberté expressive. Il en résulte une texture cotonneuse, qui rappelle un peu le chuchotement des voix (qui représentent la voix de Dieu), au début du *Moïse et Aaron* de Schoenberg. L'indétermination verticale, vue sous cet angle, n'est pas une mode moderniste délibérée mais elle est profondément ancrée dans la sensibilité musicale. Dans tous ces cas, le compositeur a détourné son attention d'un son vertical précis (ce qu'il devrait faire de toute façon) pour se préoccuper exclusivement de créer des événements en partie indépendants. En se rejoignant, ceux-ci produisent chaque fois une grande variété de fusions possibles de qualité sonore très différente. Merce Cunningham a, lui aussi, introduit dans la chorégraphie une sorte d'indétermination polyphonique avec un véritable contrepoint de mouvements de danse. Les danseurs doivent exécuter un nombre limité de mouvements possibles, mais ils sont libres, à l'intérieur de ce répertoire, de choisir n'importe quelle séquence. Cela peut varier d'une représentation à l'autre. Le pattern global obtenu par la fusion de plusieurs événements simultanés variera selon un nombre immense de permutations possibles (structures sérielles) que le chorégraphe a anticipées d'une manière ou d'une autre. J'ai été aussi profondément impressionné, humainement, par l'interaction des danseurs. Chacun d'eux filait et tissait un cocon invisible, construisait un espace protecteur (utérin) autour de lui, un peu comme un animal prend possession d'un territoire en maître exclusif. Pour laisser chaque danseur libre de compléter ses séquences, les autres devaient se déplacer en longeant et en contournant des frontières invisibles. Celles-ci changeaient continuellement; elles se rétrécissaient, s'étendaient, se recouvraient pour des rencontres anodines ou dangereuses jusqu'à ce qu'enfin, en un moment privilégié, s'ouvrent et fusionnent en une union soudaine les espaces séparés. L'espace rituel pouvait ainsi exprimer toute la gamme des relations humaines : solitude, autodéfense, peur et agression, doute, reconnaissance, passion et perte. Ne reconnaît-on pas ici l' « espace » qui nous retenait en peinture et en musique? L'espace pictural et l'espace musical ont la même capacité de compression et d'extension simultanée, de stabilité à l'intérieur d'un changement constant, d'enveloppement et de répulsion. L'espace pictural de la grande peinture nous repousse et nous enveloppe. Nous pouvons nous sentir en même temps pris au piège et perdus dans l'infini. Ces impressions spatiales contradictoires et pourtant compatibles reflètent la substructure indifférenciée de l'art. Il s'y prépare un utérus pour recevoir, nourrir, et finalement renvoyer les projections de l'artiste, espace interne qui à la fois contient et repousse le spectateur. On soupçonne qu'il ne s'agit pas ici en fait d'aspects purement formels et techniques, mais du contenu le plus intime de l'art, qui revient dans toute expérience esthétique profonde. Pour une fois, forme et contenu ne font qu'un et ne peuvent être séparés par aucun artifice. J'analyserai dans un prochain chapitre l'imagerie « poémagogique » de l'art, qui nous permet de disséquer dans le plus grand détail ce contenu minimal de l'art. Celui-ci n'est pas étranger, en dernier ressort, à la créativité dans les relations humaines fondamentales et transcende ainsi le domaine de l'art.

Troisième partie

APPRENDRE A CRÉER

CHAPITRE VII

Les trois phases de la créativité

L'indétermination comporte un aspect social important, puisqu'elle demande une coopération. Elle est également partie prenante dans l'écriture d'un livret d'opéra. Aussi les grands poètes font-ils rarement de bons librettistes car leur désir de tout mettre dans les mots ne laisse pas les coudées assez franches au compositeur. Un bon livret doit rester assez rudimentaire et squelettique pour provoquer le compositeur à habiller ces os nus de chair vivante. Un livret bien fait est un résultat provisoire, qui doit laisser le champ libre à toutes sortes de réalisations musicales, parfois même contradictoires. La musique sera toujours plus puissante que le texte. Ainsi le *Cosi fan tutte* de Mozart cesse d'être cynique quand Fiordiligi, en s'abandonnant, éclate en une mélodie profondément douloureuse et déchirante. Le dernier acte du *Mariage de Figaro* a beau n'être que travestissements frivoles, mystifications et crudité agressive de sentiments, pourtant et Susanna dans son dernier aria et la Comtesse dans ses paroles finales de pardon atteignent à des hauteurs d'émotion d'une pureté incontestable. Les librettistes de Mozart, pour ses deux plus grandes œuvres, *Don Juan* et *La Flûte enchantée*, formaient une curieuse paire : Da Ponte était un homme littéraire qui ne manquait pas de distinction, et Schikaneder un imprésario excentrique, dans le genre des tâcherons modernes du music-hall qui subordonnent leur musique à la recherche de l'effet facile. Gœthe s'inspira pourtant de l'une et l'autre œuvre pour écrire son *Faust*. Comme il était très peu musicien, il réagissait surtout au contenu littéraire des opéras que transfigurait la musique de Mozart. (Je montrerai plus loin comment sa réaction émotionnelle à *La Flûte enchantée* nous fait mieux comprendre le sens inconscient de son *Faust.*) Le terme de « transfiguration » des mots par la musique n'est peut-être pas le meilleur; « transformation » serait plus juste. La musique a le pouvoir en effet de refondre et même de détruire complètement les mots qui en sont le support, — ce qui est souvent bien mal compris. Les mots sont à peine compréhensibles, quand ils sont chantés, l'intrigue est stupide et trop compliquée; aussi pourquoi s'en soucier? Ne vaut-il pas mieux écouter un opéra comme s'il s'agissait de musique orchestrale abstraite, ce qui passe pour une attitude raffinée, bien conforme à notre goût pour l'abstraction, alors qu'elle témoigne en fait d'une certaine naïveté, et ne tient aucun compte du compositeur? : elle ignore en effet son insatiable besoin d'intrigues et de mots doués du pouvoir de l'animer et de l'entraîner lui-même. Ces mots prétendument sans importance lui trottent souvent dans la tête bien avant que ne jaillisse la musique qui viendra les remplacer. Il nous faut connaître l'intrigue et les mots justement pour expérimenter à notre tour cette même transformation. Une fois que nous avons ressenti comment la musique a pris les mots dans sa chair et son sang, rien ne nous empêche de les oublier. La musique aujourd'hui peut tout exprimer. On a peine à croire qu'il ait pu y avoir une controverse dans la littérature anglaise — largement inspirée par feu E. J. Dent — pour savoir si *Don Juan* est une tragédie, ou une pure comédie. Comme Faust, Don Juan défie les pouvoirs du monde souterrain. Il est vrai que son coquin de serviteur, Leporello, est drôle, mais il ne l'est pas plus que le compagnon de Faust, Méphistophélès. Tous deux représentent le côté sombre, autodestructeur du héros, sa provocation du ciel et de l'enfer. Dans l'avant-dernière scène, le bavardage inquiet de Leporello n'enlève rien à l'immense force dramatique de la rencontre entre Don Juan et son hôte de pierre infernal (ou céleste?).

A mon avis, l'art moderne abstrait nous a trop incités à ignorer les intentions conscientes de l'artiste. Les artistes en sont d'ailleurs en partie coupables, tant ils ont fait marcher le public en lui refusant toute information sur leurs intentions. Selon eux, il n'y avait rien d'autre à voir que le tableau, — ce qui est resté vrai tant que l'ambiguïté de l'art abstrait gardait un pouvoir de perturbation. Le spectateur qui voulait se servir d'une raison nettement focalisée se trouvait face à une ambiguïté onirique qui avait réellement part au contenu de l'art abstrait. Mais ce contenu s'est aujourd'hui évaporé, après l'inévitable intervention du processus secondaire, et le public a accepté cette ambiguïté comme un jeu complaisant. Les spectateurs contemporains veulent être libres de projeter n'importe quel sens dans un tableau abstrait et se satisfont pleinement des patterns assez informes qui leur offrent une toile de fond neutre pour y projeter leurs rêves diurnes personnels. On ne peut évidemment pas s'en tenir là. Comme cela s'est produit bien des fois, déjà, dans l'histoire de l'art moderne, un revirement complet s'annonce aujourd'hui. Les livrets d'opéra, à la faveur de cette réorientation, verront peut-être à nouveau leurs mérites reconnus. L'artiste demandera peut-être au spectateur une intervention plus précise de sa raison en rapport avec le contenu de l'art. Déjà, l'artiste contemporain livre souvent au public le détail du travail logique qui a contribué à la fabrication de l'œuvre, comme Duchamp veut nous faire étudier la logique de sa *Boîte verte* (fig. 7 et 8). Nous ne demandons plus à l'art de s'expliquer totalement par lui-même. C'est au spectateur à faire son chemin à travers la logique propre de l'artiste, comme il a dû jadis lire les interminables préfaces de Bernard Shaw pour pouvoir apprécier ses pièces. Peut-être verra-t-on surgir entre l'artiste et son public un nouveau type de coopération, paradoxalement fondé sur une diminution de l'ambiguïté et de l' « indétermination » de l'art.

Le lien social inhérent à la communication créatrice peut prendre des formes très différentes et parfois contradictoires. Tous les artistes n'ont pas la même capacité à faire un usage créateur de la coopération autonome des autres. Merce Cunningham, John Cage ou Duke Ellington ont de toute évidence su tirer profit d'une telle coopération, où des artistes mineurs auraient vu une grave ingérence dans leur liberté artistique. Les réponses mutuelles sont parfois si étroitement imbriquées qu'il devient impossible de départager les contributions individuelles. Dans quelle mesure Duke Ellington a-t-il inspiré ses exécutants, ou inversement été inspiré par eux? La question n'a guère de sens. Il s'agit ici d'artistes capables de travailler à travers d'autres qui peuvent paraître agir en toute autonomie. Diaghilev, par exemple, qui avait peu de qualifications professionnelles, révolutionna pourtant le ballet en passant par une succession de chorégraphes qu'il formait et éduquait. Ils quittèrent sa compagnie, l'un après l'autre,

Progrès (amélioration)

~~Voyage~~ du gaz d'éclairage jusqu'aux plans d'écoulement (suite)

les 24 tubes capillaires

A

chaque forme mâlique s'achève à sa tête par

3 tubes capillaires, (les 24 donc) étaient supposés

couper le gaz en morceaux et l'auraient conduit

à se déguiser lui-même en 24 fines

aiguilles solides si bien qu'ils deviendront réunifiés

à nouveau, dans les 2 demi-siphons, un brouillard

fait d'un millier de paillettes de gaz gelé.

B

A la tête, (au sommet), de chaque moule mâlique

3 tubes capillaires, (24 en tout) : pour couper le gaz

en morceaux, pour couper le gaz en longues aiguilles

(déjà) solides, puisque avant de devenir un liquide explosif,

il prend la forme d'un brouillard de paillettes de gaz gelé, tout

cela par le phénomène d'extension de l'unité de longueur

(cf. la figure)

Une fois les 2 demi-siphons (lettre dans la figure) remplis

du brouillard des paillettes qui

sont plus légères que l'air, l'opération de

la liquéfaction du gaz à travers le tamis et le filtre horizontal :

chaque paillette de gaz solide rivalise (en une sorte de

derby de paillettes) pour (franchir) les trous du tamis

avec élan, réagissant déjà à la succion de la pompe.

FIGURE 7. *Page de la reconstruction typographique de la* Boîte verte *de Duchamp par Richard Hamilton. Cette reconstruction fut publiée originellement en 1934 sous la forme de fac-similé de notes manuscrites. Richard Hamilton voulait rendre les notes plus largement accessibles au public, car elles font partie intégrante du* Grand Verre; *Duchamp avait d'abord prévu d'incorporer des textes écrits au* Grand Verre *lui-même. C'était un peintre conceptuel; qui vivait longtemps avec ses concepts, étudiait leurs fonctions et leurs interactions. Si intangibles et abstraits qu'ils aient été à l'origine, ils devenaient pour lui des objets complètement réalisés, peu pourvus de qualités surréalistes et irrationnelles. Le spectateur devrait entrer à son tour dans ce monde imaginaire en étudiant le contenu de la* Boîte verte.

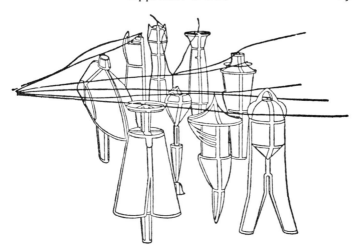

FIGURE 8. *Dessin de travail pour les « Neuf Moules Mâliques » tiré de la reconstruction qu'a faite Richard Hamilton du* Grand Verre *de Duchamp (titre complet:* La Mariée mise à nu par ses célibataires, même*). Il faut avoir bien présent à l'esprit que les termes de Duchamp représentent des concepts intellectuels très précis. On comprend en général le mot « mâlique » comme une référence au caractère mâle de l' « appareil célibataire »; le terme « moule » est à prendre littéralement; ils moulent le « gaz d'éclairage » et lui donnent ses propriétés spécifiques individuelles avant qu'il soit emporté par les « tubes capillaires ».*

sans entraver la suite de ses progrès et de ses innovations. Il devint clair alors que l'essentiel de l'impulsion créatrice venait de l'imprésario, c'est-à-dire de Diaghilev. Il en est de même pour le bon professeur d'art : sa production passe par ses élèves. Il leur fait jouer, en quelque sorte, le rôle de « pinceaux ». L'essentiel est qu'il sache, comme Diaghilev et Ellington, assez éduquer le pouvoir créateur de ses exécutants pour qu'ils semblent travailler en toute autonomie. Il est normal qu'un professeur revendique le travail de ses étudiants, alors qu'en fait son rôle s'est borné à développer leur libre imagination créatrice. Il semble incontestable, en effet, que de bons professeurs perdent beaucoup de leur énergie à travailler indépendamment. Hans Hofmann, qui forma des générations d'artistes américains, renonça très tard à l'enseignement à plein temps. Il faut probablement voir là l'explication de l'injustice qui lui est faite, puisqu'on lui refuse encore une place au premier rang des pionniers, de ceux qui ont fait dans la peinture américaine la grande percée, à la fin des années 1940. Un autre grand professeur, Josef Albers, ne put trouver sa pleine efficace artistique qu'après avoir quitté l'enseignement qu'il dispensait à Yale. C'était peut-être une situation plus juste qui permettait au maître, il y a des siècles, de revendiquer le travail de ses élèves sans autre forme de procès. La ligne de partage est de toute façon difficile à tracer, comme le montrent les exemples de Diaghilev et d'Ellington, qui travaillent mieux avec des « instruments vivants » qui ont leurs vues propres et apportent leurs contributions tout à fait autonomes en apparence. De telles personnalités artistiques ont une capacité exceptionnelle à réserver l'issue de leur projet pour qu'il puisse absorber à leur profit les interférences extérieures; d'autres artistes, plus rigides, y verraient un accident ou une disruption indiscrète. J'ai eu l'occasion de jouer le rôle de typographe en tissus pour Eduardo Paolozzi à ses débuts, avant qu'il devienne le plus grand sculpteur contemporain après Henri Moore. Paolozzi faisait des panneaux de soie, qu'on pouvait surimprimer en les superposant dans presque toutes les positions. On obtenait toujours des résultats signifiants. Je surimprimai librement les panneaux, et il s'en montra satisfait. Un jour, Paolozzi imprima des rouleaux de papier à plafond en surimpressions systématiquement irrégulières (pl. 4). Il laissa aux ouvriers qui tapissaient le plafond le soin d'assembler au hasard les rouleaux de papier imprimé. Là encore, n'importe quelle combinaison faisait sens. Paolozzi reprenait les moindres irrégularités des joints. Il est certain qu'il trouvait son compte à utiliser des instruments vivants pourvus de leur propre jugement esthétique; et aussi à utiliser des média qui attirent l'accident et échappent à un contrôle total. Ses premières sculptures, fortement texturées, subirent de nombreuses transformations : impressions de cire, moulages en plâtre, à nouveau formes de cire coulées dans du bronze, etc. Mais par la suite il préféra les instruments vivants. Pour ses premières sculptures en aluminium de la série *Mars* (exposées pour la première fois à la Waddington Gallery à Londres), il n'avait pas encore trouvé ou formé des techniciens qui lui permettent une vraie collaboration, puisqu'ils travaillaient en suivant précisément ses esquisses. On arrivait à des espèces de machines, presque hostiles, qui cadraient bien avec des aspects de la personnalité de Paolozzi, mais manquaient un peu de vie organique, et semblaient exclure de nouveaux développements. Avec le temps, Paolozzi trouva un technicien capable de préfabriquer des éléments sans consulter de près ses esquisses. Celui-ci soudait les pièces préfabriquées sous la direction personnelle de Paolozzi (pl. 5 et 6). Ce qui exigeait assez de flottement dans les idées de Paolozzi pour qu'elles se prêtent aux avis techniques du technicien. On a vu plus haut que les créateurs peuvent manipuler avec précision une matière imprécise. Mais il est des artistes, comme Paolozzi, qui ajoutent à cette capacité le besoin, pour réaliser leur véritable vision, du stimulus qu'offrent des résultats incontrôlables et imprévisibles.

Quand j'ai dû récemment, au Goldsmith's College de l'Université de Londres [7], mettre sur pied un cours expérimental pour former les futurs professeurs d'enseignement artistique, je n'étais pas encore en mesure de généraliser ce que j'avais appris des artistes que j'avais connus. Je savais qu'il était important de détendre la rigidité du moi des étudiants, pour leur permettre de répondre librement au travail de leurs propres élèves. J'avais alors la conviction qu'à faire leur propre travail avec moins de rigidité et d'angoisse, les futurs professeurs pouvaient devenir plus conscients des problèmes complexes qu'entraînent le blocage et la libération de l'imagination en général. Mais je vis bientôt apparaître une corrélation signifiante. Les professeurs, qui étaient incapables de supporter leur propre spontanéité et le relâchement de leur programmation rigide, ne pouvaient pas davantage supporter la réaction spontanée et indocile de leurs jeunes élèves à leur propre pratique d'enseignement. Loin de s'en féliciter, ils se désolaient de voir les enfants enfreindre leurs instructions trop étroites et restrictives et « ne pas faire ce qu'on voulait leur faire faire ». Je sais bien que toute bonne formation pédagogique a toujours essayé de décourager chez les futurs enseignants un excès de discipline. On les invitait à faire bon accueil aux idées spontanées des enfants, même si elles allaient à l'encontre des leurs propres. Mais ce qu'on n'a peut-être pas assez compris, c'est qu'il existe une corrélation étroite entre les deux types de rigidité du moi : le futur professeur est également incapable de supporter la vie autonome de sa propre œuvre d'art et les contributions autonomes de ses élèves à son programme d'enseignement. C'est, dans l'un et l'autre cas, la même peur inconsciente de perdre le contrôle. Toute œuvre d'art fonctionne en effet comme une personne douée d'une vie autonome propre. A trop vouloir la contrôler, on empêche de se développer cette vigilance passive vis-à-vis de l'œuvre en cours qui est nécessaire au *scanning* à demi conscient de sa structure encore éparpillée et fragmentée. Comme nous l'avons vu, les « accidents » qui surgissent au cours du travail expriment parfois des parties de la personnalité de l'artiste qu'un clivage et une dissociation ont coupées du reste du soi. La fragmentation qui est, pendant un certain temps, un premier stade inévitable de la formation de l'œuvre, reflète la propre personnalité inévitablement fragmentée de l'artiste. L'artiste doit pouvoir supporter cet état fragmenté sans trop d'angoisse de persécution, et mettre en œuvre ses pouvoirs de *scanning* inconscient, qui peuvent seuls en effet intégrer la structure globale grâce aux innombrables transversales inconscientes qui lient dans une œuvre chacun des éléments à tous les autres. Cette structure finale intégrée est alors reprise (réintrojectée) dans le moi de l'artiste et contribue à une meilleure intégration des parties auparavant coupées du soi. Le processus créateur peut alors se diviser en trois stades : un stade initial (« schizoïde ») où se projettent dans l'œuvre des parties fragmentées du soi; les éléments coupés par clivage sont alors facilement ressentis, faute d'être reconnus, comme accidentels, fragmentés, indésirables et persécutoires; la seconde phase (« maniaque ») inaugure le *scanning* inconscient qui intègre la substructure de l'art, sans pour autant cicatriser nécessairement la fragmentation de la gestalt de surface. Par exemple, la disruption systématique des facultés de surface, qui est fréquente dans l'art moderne, ne trouve pas toujours sa résolution dans le résultat final. Mais les transversales inconscientes continuent à relier ensemble les éléments particuliers, et l'apparition d'un espace pictural non brisé vient signaler à la conscience l'intégration inconsciente. Dans le troisième stade de réintrojection, une partie de la substructure cachée de l'œuvre est reprise dans le moi de l'artiste à un niveau mental plus élevé. Comme cette substructure indifférenciée ne peut apparaître que chaotique à l'analyse consciente, le troisième stade ne va pas, lui non plus, sans une angoisse souvent grave. Mais si tout va bien, cette angoisse n'a plus le caractère persécutoire (paranoïde-schizoïde) qu'elle avait dans le premier stade de la projection fragmentée. Elle tend à être

dépressive, et s'accompagne d'une acceptation résignée
de l'imperfection et de l'espoir d'une intégration future.
Or, cet espoir correspond à la réalité psychique puisque la
substructure apparemment chaotique, qui est alors à
découvert, sera peu à peu recouverte par les processus
secondaires.) Je montrerai qu'on peut concevoir ce rythme
binaire de projection et d'introjection comme une alternance entre les positions paranoïde-schizoïde et dépressive,
telles que les a décrites Melanie Klein *. Mais qu'en est-il
du (second) stade intermédiaire de *scanning* inconscient,
où se forme la substructure indifférenciée de l'art? La
dédifférenciation créatrice tend alors vers une limite
océanique « maniaque » où cesse toute différenciation. Le
monde intérieur et le monde extérieur commencent à fusionner et la différenciation entre le moi et le surmoi en vient
même à s'atténuer. A ce stade « maniaque », tous les accidents semblent bien tomber; toute fragmentation est
résolue. La qualité maniaque du second stade rend le stade
« dépressif » qui suit d'autant plus difficile à supporter.
Qui ne connaît la grisaille du « lendemain », quand il faut
affronter le travail accompli de la veille? Tout à coup les
brèches, la fragmentation inaperçues, et le chaos apparent
de l'indifférenciation forcent à la conscience. La capacité
créatrice tient pour une part à la force de résister à un
dégoût presque anal qui vous ferait jeter le tout dans la
corbeille à papier.

C'est un spectacle étonnant de voir les artistes, une fois
leur travail fini, commencer parfois à l'examiner dans tous
ses détails, comme s'il ne venait pas d'eux. On dirait un
homme qui, au sortir d'un rêve, cherche à le retrouver avec
ses facultés de gestalt pleinement restaurées. Il est inévitable qu'intervienne alors une part d'élaboration secondaire
et la projection d'une meilleure gestalt. L'artiste qui exa-
mine son œuvre en falsifie certainement la structure objective, comme le fait notre regard de spectateur. Nous ne
pouvons nous empêcher d'en solidifier (ou verticaliser) la
structure objectivement plus lâche, plus ouverte. Mais
quel autre moyen d'intégrer les différents niveaux du fonctionnement du moi? L'artiste, lui, a la part plus belle. Il
peut retourner à son rêve créateur et à ces états de conscience moins différenciés, presque océaniques, où se fait le
plus gros de l'œuvre créatrice. Il déclenchera une fois encore

* Cf. Appendice, p. 355-356.

le rythme ternaire de projection, de dédifférenciation et de réintrojection.

C'est dans la troisième phase de réintrojection que l'existence autonome de l'œuvre d'art est le plus fortement ressentie. L'œuvre d'art se comporte en effet comme un interlocuteur vivant. La théorie de l'identification projective, telle que l'ont développée Melanie Klein et ses adeptes, suggère que toute relation humaine implique qu'on projette des parties éparses de son soi en une autre personne. Dans une bonne relation humaine, l'autre est désireux d'accueillir ces projections et les intègre à son propre soi. La bonne mère nourricière (selon W. R. Bion [3]), est capable, dans un état de rêverie (stade de conscience indifférencié, apparenté au rêve diurne), de se voir « nourrissant » littéralement les projections de son enfant. L'enfant éprouve ce matériel coupé de lui comme dangereux et persécutant. Sa mère, elle, est plus apte à l'assimiler, à cause de sa personnalité plus mûre. L'enfant peut alors le réintrojecter sous une forme enrichie, plus intégrée et supportable pour lui. Loin de l'appauvrir, la projection fait croître le moi et le renforce. Cette bonne relation de personnes correspond parfaitement à la relation de l'artiste avec son œuvre. Dans la première phase (schizoïde) de la créativité, les projections inconscientes de l'artiste sont encore ressenties comme fragmentées, accidentelles, étrangères et persécutantes. Dans la seconde phase, l'œuvre joue le rôle d'un « utérus » accueillant. Elle contient et — grâce au *scanning* inconscient de l'œuvre par l'artiste — intègre les fragments en un tout cohérent (la substructure inconsciente ou matrice de l'œuvre d'art). Dans la troisième phase, l'artiste peut réintrojecter son œuvre à un niveau plus haut, proche de la conscience. Il enrichit ainsi et renforce son moi de surface. En même temps, les processus secondaires d'élaboration articulent les composantes de l'œuvre qui étaient auparavant inconscientes, et qui font désormais partie de la superstructure consciente de l'art. Il se produit ainsi un échange total entre les composantes conscientes et inconscientes de l'œuvre, aussi bien qu'entre les niveaux conscients et inconscients de la perception chez l'artiste. Son propre inconscient joue aussi le rôle d'un « utérus » qui recueille les parties coupées et refoulées de son soi conscient. Les processus externes et internes d'intégration sont donc des aspects différents du même processus indivisible de la créativité.

On peut également dire que toute bonne relation humaine

comporte une part de créativité. Il en résulte plus de généro-sité, d'humilité et moins d'envie. Il nous faut non seule-ment savoir abandonner des parties de notre soi à une personne aimée, mais aussi vouloir les reprendre en soi-même avec les accrétions que la personnalité autonome de l'autre y a développées. Cette reprise demande, en un sens, plus de générosité et moins d'envie encore que la libre pro-jection initiale. Si sa névrose oblige quelqu'un à dominer et contrôler quelqu'un d'autre pour pouvoir l'aimer, il ne peut lui reprendre que ce qu'il y a lui-même mis délibéré-ment. C'est un amour stérile et stérilisant de ce type que portent à leur enfant les parents possessifs. L'artiste immature, qui veut à tout prix contrôler absolument son œuvre, est incapable d'accepter qu'elle contienne plus que ce qu'il y a mis (consciemment). Il faut, pour accepter la vie autonome de l'œuvre, une humilité qui est une part essentielle de la créativité; il faut aussi que s'atténue la peur — persécutoire — de reprendre en soi les parties coupées de sa personnalité. Un psychanalyste m'expliquait un jour qu'il lui était difficile de faire comprendre aux artis-tes qui venaient le consulter, la mauvaise qualité de leur œuvre; ils tendaient en effet à l'idéaliser pour échapper à leur angoisse de persécution. Qu'il fût plus difficile encore, quand on enseigne les beaux-arts, de faire comprendre à des étudiants névrosés la bonne qualité de leur œuvre, ne fut pas sans le surprendre. Alan Davie disait n'avoir aucune peine à tirer d'adolescents totalement inexpéri-mentés et incultes (il eut un moment pour élèves de futurs orfèvres très frustes) une production proche du chef-d'œu-vre, alors qu'il avait le plus grand mal (quand ça n'était pas tout à fait impossible) à leur en faire saisir la qualité. Comme tout bon professeur, Alan Davie pouvait tirer d'étudiants frustes une œuvre étonnamment forte et ori-ginale en les plaçant dans une situation déroutante qui interdisait tout recours à une solution toute faite. Les étu-diants devaient se rabattre sur leur spontanéité et mobi-lisaient ainsi une sensibilité (profonde) qu'ils n'avaient pas d'habitude à leur disposition. La qualité de leurs tra-vaux marqua profondément Alan Davie et laissa une empreinte permanente dans son œuvre propre. L'une de ses méthodes était presque littéralement polyphonique. Il demandait à ses élèves de travailler sur huit projets à la fois; ils devaient y insérer successivement des éléments simples : un carré, deux cercles, des patterns à chevrons, etc., avec la seule prescription d'avoir à en varier chaque fois la taille et la position. Sur chacun de ces projets, ils devaient travailler de façon morcelée, sans pouvoir faire de plans élaborés pour les développements à venir, comme un joueur d'échecs obligé de jouer plusieurs parties simultanément. Le *scanning* inconscient, capable de faire tenir en un foyer unique des structures sérielles qui s'excluent mutuellement, peut sans aucun doute embrasser tous les projets en un acte unique de compréhension. En dispersant ainsi le foyer étroit de la concentration ordinaire, on stimulait la sensibilité profonde, ce qui était le but de l'exercice. Mais les élèves l'ignoraient et ne considéraient pas le résultat comme obtenu de leur fait. Ils ne savaient pas bien ce qui leur était arrivé et n'en pouvaient tirer aucun profit.

On peut voir, partout en Angleterre, dans les expositions de fin de semestre, des œuvres impressionnantes exécutées par des étudiants dont les professeurs ont fait leurs instruments aveugles. Mais l'efficacité de l'enseignement n'en est pas prouvée pour autant. Les étudiants n'ont pas réellement assimilé leur œuvre. Les apprentis d'Alan Davie voyaient au mieux dans tout cela une gigantesque plaisanterie qui les concernait fort peu. Et ils avaient raison. Susciter chez ses élèves le processus d'assimilation ou de réintégration est la tâche la plus difficile du professeur, et il s'y attaque rarement en connaissance de cause. Il n'est évidemment pas inutile d'exposer l'œuvre de l'étudiant : c'est l'inviter implicitement à mesurer l'effet que peut produire son œuvre sur l'atmosphère d'une pièce. On le contraint, en lui faisant choisir l'œuvre à exposer, à regarder en face ce qu'il a fait. Mais ce n'est pas suffisant, il s'en faut de beaucoup.

La rigidité du moi et l'insistance sur la nécessité de contrôler totalement l'œuvre empêchent l'étudiant de voir ce qu'il a fait. Il ne peut voir que ce qu'il a délibérément mis dans l'œuvre. Lui montrer que son œuvre comporte d'autres caractères plus importants qu'il n'avait pas prémédités revient à lui faire affronter la fragmentation de sa propre personnalité. Quand on lui désigne dans son œuvre les effets non intentionnels — qui constituent la part la plus grande de la structure artistique — il les ressent comme étrangers et hostiles : l'œuvre lui apparaît alors fragmentée et en pleine désagrégation. On a du mal à le convaincre qu'au contraire il y a toute une complexité de liens transversaux et d'harmonies enfouies qu'il avait spontanément façonnés à un niveau inconscient et dont il était pleinement

responsable. La plupart des formes d'art réellement nouvelles présentent ce contraste entre leur fragmentation de
surface et leur cohérence profonde, tant qu'elles n'ont pas
été soumises aux processus secondaires. Il revient au professeur d'enseigner par son exemple à l'étudiant à ouvrir
ses yeux pour ce regard vide qui est nécessaire au *scanning*
de l'intégration profonde cachée sous la surface fragmentée.
Il l'aidera peut-être ainsi à surmonter son angoisse. Il peut
prévenir l'étudiant de la propension fatale qui fait se reproduire dans l'œuvre ultérieure ce même type d' « accident »,
et, en général, tout autre raté du dessein conscient. Une
telle accumulation d'accidents est contraire aux lois du
hasard. Il faut plutôt y voir la protestation des parties
inconscientes et non reconnues de sa personnalité et leur
accorder à ce titre sens et signification. Ce qui ne signifie
pas pour le professeur fournir une interprétation psychanalytique de leur symbolisme, mais faire preuve de cette
empathie et de ce jugement esthétique au plus haut niveau,
qu'on n'accorde qu'aux plus grands chefs-d'œuvre du
passé, à ceux qu'un conflit superficiel n'a pas empêchés
d'atteindre à la plénitude. Tout étudiant mérite en effet
d'être traité comme un génie virtuel par ses professeurs, qui
ne doivent en attendre aucune gratitude. L'étudiant est
parfois irrité de voir son professeur lire dans son œuvre,
dont il ignore tant lui-même, tandis que l'enseignement
artistique traditionnel, qui s'attache exclusivement à
corriger les détails selon les règles du bon goût, est infiniment plus rassurant, parce qu'il flatte chez les étudiants
leur besoin conscient d'une bonne gestalt. Peu importe,
au fond, que le professeur dise vrai ; ce qui importe, c'est
ce niveau de l'expérience, plus profond, où devrait se dérou-
ler le dialogue de l'élève et du professeur. Une réaction
erronée du professeur — pourvu qu'elle soit sincère — peut
aussi bien atteindre son but, si elle suscite en l'étudiant
une réaction de sa sensibilité profonde, lui permettant
ainsi de résoudre lui-même le conflit entre la fragmentation
de surface et la cohérence enfouie dans les profondeurs.
L'affrontement de sa propre œuvre risquera toujours de
susciter des angoisses intenses et, assez souvent, une destructivité irréparable. Le professeur doit savoir répondre à
ces angoisses et au dégoût profond qui les accompagne
parfois. On peut au moins attendre de lui qu'il amène
l'étudiant à différer son jugement sur certains caractères
de l'œuvre que celui-ci refuse de reconnaître et qu'il veut
radicalement éliminer. Savoir différer son jugement est

en effet une aptitude essentielle, indispensable à tout
artiste (et certainement à tout professeur):

Des étudiants accusaient mon enseignement d'être en
fait une psychothérapie déguisée. Il me fallut leur expliquer
à plusieurs reprises que seul leur travail me concernait, en
termes purement formels, et sur un mode qui contredisait
les buts de la psychothérapie. J'encourageais, par exemple,
un étudiant à poursuivre une image de façon presque compulsive, obsessionnelle. C'était en effet assurer son honnêteté aussi bien que son implication profonde et son zèle.
Les images obsessionnelles sont souvent coupées du reste
de la personnalité. Un psychothérapeute pourrait vouloir
les maintenir dans ce statut, en raison de leur effet patho-
gène possible. Mon but est au contraire de disperser l'image
compulsive à travers la personnalité entière de l'étudiant,
et de la rendre assez malléable pour qu'elle puisse se combiner librement à toutes les formes de sensibilité esthétique
et émotionnelle dont peut disposer l'étudiant. On sait qu'un
comportement compulsif est en général une parade contre
l'angoisse et qu'il se répète, immuable, avec une rigidité
rituelle : on court donc le risque, à tenter de disperser plus
largement l'image, de provoquer une angoisse écrasante.
Dans ce cas, le professeur doit passer la main au thérapeute.
La qualité d'un enseignement artistique (et la créativité
elle-même) dépend d'une aptitude, plus grande qu'à l'ordinaire, à supporter l'angoisse, puisqu'il s'agit de travailler
à travers la totalité d'une personnalité. Il y faut une force
du moi supérieure à la moyenne. On s'imagine à tort que le
génie créateur s'accommode bien de la névrose. Il n'en est
rien. Le philistin peut ignorer sa névrose en vivant simplement sur une partie de sa personnalité, et l'empêcher
ainsi de paraître au-dehors. Le créateur, lui, l'affronte avec
l'angoisse qui l'accompagne; aussi domine-t-elle ostensi-
blement son comportement. Mais il n'en est pas plus névrosé
pour autant; ce serait plutôt l'inverse. Si, comme on l'admet
généralement, des relations humaines satisfaisantes sont
une preuve de santé mentale, alors l'esprit créateur est
sain puisqu'il établit au moins une bonne relation objectale :
celle qu'il entretient avec sa propre œuvre qui se comporte
comme un être autonome. Il est capable d'accepter ce
qu'Adrian Stokes appelait l' « altérité » de l'œuvre d'art [3o].
Une telle acceptation implique l'appareil entier de la projection, de l'intégration et de l'introjection, qui fait partie
de toute bonne relation. Ce lien entre la créativité et de
bonnes relations objectales joue aussi en sens inverse. Un

lien humain a sans cesse besoin, pour poursuivre sa croissance et se nourrir, d'une part de cette imagination créatrice et de cette vigilance accueillante qu'exige l'œuvre
créatrice. Un bon mariage ne va pas sans recréation constante de la relation, à mesure que le mûrissement, l'âge
ou la maladie change le partenaire. Une personnalité névro-
tique est incapable de supporter cette nécessité de recréer
les relations humaines. Il lui faut de l'imagination pour
prendre plaisir au travail créateur que suppose le
renouvellement d'une relation bien établie. On peut dire,
en ce sens, que l'attitude créatrice de l'artiste à l'égard de
son œuvre n'est qu'une forme particulière d'une adaptation
sociale plus générale. Il se pourrait que faire bien son travail
d'artiste ait également une influence sur sa propre adaptation sociale, en général.

On dit parfois, d'un point de vue erroné, que l'aspect
social de l'art réside dans sa possibilité de communication.
Une telle demande vise l'artiste narcissique enfermé dans sa
tour d'ivoire et qui refuse de communiquer en un langage
conventionnel. Est-on bien sûr qu'il le refuse ? S'il est capable, avec sa propre œuvre, d'un commerce qui échange librement des concessions mutuelles, il apprend à communiquer
avec les parties enfouies de sa propre personnalité. S'il
permet à son œuvre de lui donner la réplique comme un
être autonome, elle saura tout aussi bien parler aux autres
avec la même éloquence. Mais la communication entre
l'artiste et son œuvre est première.

L'observation des artistes et des étudiants des beaux-arts,
en travaux pratiques, nous offre surtout l'occasion d'étudier
la troisième phase de la créativité, c'est-à-dire la rétroaction
et l'introjection de la substructure de l'art. La fragmentation de l'art moderne et sa résolution à un niveau océanique-
maniaque (qui fera l'objet dans le chapitre suivant d'une
discussion plus détaillée) rendent possibles des aperçus plus
profonds sur les phases schizoïdes et maniaco-dépressives
de la créativité. Nous ne pouvons voir la stratification et
l'interaction totale des trois phases qu'en nous fondant sur
le témoignage de l'immense imagerie poémagogique qui
entoure le motif du dieu mourant et traverse les grands
mythes et les grandes œuvres d'art. Là nous pouvons discerner clairement les trois niveaux séparés et leurs fonctions
différentes dans le processus créateur. La discussion plus
théorique que la seconde moitié de ce livre instaurera sur
l'imagerie poémagogique pourra ainsi éclairer notre discours
présent, de caractère plus pratique.

CHAPITRE VIII

L'enveloppement de l'espace pictural

A moins, donc, de motifs politiques — la demande d'un réalisme social par exemple —, nous n'avons guère de raisons de reprocher à un artiste son refus de communiquer un message intellectuellement compréhensible. On sait que l'anti-intellectualisme du surréalisme et des mouvements qui lui sont apparentés perd aujourd'hui du terrain, et qu'on redemande de plus en plus à l'art un plaisir intellectuel. Mais prendre un plaisir plus intellectuel à l'art n'est pas forcément en attendre un sens littéraire précis. Comme je l'ai proposé, l'essentiel de la communication artistique se place à un niveau psychique plus profond, au lieu même de la conversation de l'artiste avec son œuvre, au lieu du *scanning* inconscient et de l'intégration, qu'un examen purement intellectuel trouverait facilement chaotique et dépourvu de sens.

Il faut reconnaître cependant que l'absence de contenu intellectuel dans l'art moderne est une anomalie. La disruption périodique de sa surface rationnelle a empêché l'émergence de « schèmes » (Gombrich) traditionnels susceptibles d'extension et de raffinement progressifs. Le caractère révolutionnaire de l'art moderne tient aussi à cette destruction de ses propres enfants qu'ont opérée ses bouleversements périodiques. Les styles naissants et les idées autofécondantes se virent abandonnés dès leur apparition. Ces attaques périodiques de l'art contre sa propre imagerie ont un caractère presque pathologique et schizoïde. Mais sa cohérence profonde, enfouie, compense la lacération de la surface rationnelle et le protège d'une affection vraiment pathologique.

Le réalisme traditionnel était plus sain. Dans *L'Art et*

l'illusion [12], Gombrich a montré comment le développement du réalisme traditionnel avait préservé une continuité ininterrompue pendant des siècles. Celui-ci reposait en effet sur la création de « schèmes » conventionnels qu'une puissante illusion artistique (j'ai parlé ailleurs [5] de l'illusion d' « extériorité » qu'offrait le réalisme) faisait accepter comme des descriptions précises de la réalité. C'est le grand mérite de Gombrich que d'avoir finalement rompu cette illusion d' « extériorité » qui avait investi d'une validité objective les schèmes conventionnels du réalisme occidental. (On peut se demander si Wittgenstein aurait cherché à donner une validité objective à la structure logique du langage, s'il n'avait pas admis — non sans naïveté — que les éléments d'un tableau ont la structure objective désirée, qu'ils n'ont évidemment pas.) Selon Gombrich, la cohérence d'un tableau repose sur des schèmes entièrement conventionnels que l'artiste a appris à lire comme s'ils étaient aussi objectifs et réels (réalistes) que la réalité elle-même. Composer un tableau réaliste revenait donc à jouer un jeu en observant des conventions qui se modifiaient constamment comme le font les règles d'un jeu. Si Wittgenstein avait connu les idées de Gombrich, il aurait pu faire la synthèse de sa première « théorie picturale » du langage logique avec sa dernière théorie du langage, la « théorie du jeu ». Il n'y a rien d'autre dans l'objectivité des images, qu'il s'agisse des arts visuels ou du langage, que l'assimilation de règles modifiables et l'apprentissage du jeu qui s'y conforme.

L'histoire de l'art réaliste occidental nous offre un tableau particulièrement net des modifications successives de ces règles du jeu. Gombrich évoque la guerre que mena Constable contre un schème vénérable qui représentait la proximité et la distance dans un paysage par de chaudes couleurs dorées au premier plan, et des bleus atmosphériques froids en arrière-plan. Dans un tel schème, la végétation qui occupait le premier plan virait forcément au brun doré d'un violon. Une anecdote raconte que Constable plaça un violon sur une tache d'herbe verte pour faire la preuve de la différence de couleur. Le rejet du vieux schème permit à Constable d'introduire la couleur locale du vert aussi bien au premier plan de ses paysages, et d'accomplir ainsi une innovation très audacieuse. On courait alors le risque d'une uniformité fastidieuse de la couleur locale verte et à une perte de la profondeur. Les peintures vert « salade » qu'ont produites depuis les innombrables paysagistes amateurs sont venues le prouver *ad nauseam*, et Constable en porte une grande responsabilité. Cette anecdote permet à Gombrich de montrer la difficulté que rencontra Constable pour réconcilier la couleur locale avec les gradations conventionnelles de ton et de couleur qu'exigeait la représentation de la profondeur. La « correspondance » de l'art avec la réalité exige souvent une grande part de compromis arbitraire entre plusieurs conventions conflictuelles. Des deux formes de correspondance, le vieux schème qui représentait la profondeur par une gradation allant des bruns chauds aux bleus froids est peut-être la plus profonde. Il demande au spectateur de balayer le champ total de la couleur tandis que la correspondance de la couleur locale peut facilement devenir, comme le suggère son nom, une comparaison isolée purement locale.

Selon les expériences récentes de Land, la correspondance de la couleur dépend de la structure du champ total de vision. Il projeta, par exemple, sur un écran deux diapositives de la même photographie, prises avec des filtres de couleur différente. En les surimposant, il mélangeait ces deux couleurs selon des proportions différentes à plusieurs endroits de l'image. Si limité qu'il fût, ce registre de lumière colorée pouvait cependant produire un registre spectral de couleurs complet. Selon toute évidence, la distribution de la couleur dans le champ de vision est presque aussi importante pour la correspondance qu'une imitation laborieuse de la couleur, qui procéderait tache après tache. Il suffit d'en prendre pour preuve les Impressionnistes et la réussite incroyable de leur révolution de la couleur. Celle-ci est syncrétique d'esprit, car aucune correspondance analytique — tache après tache et coup de pinceau après coup de pinceau — ne pourrait faire « correspondre » ses couleurs aux perceptions spécifiques. Seule une vision syncrétique globale, fondée sur le *scanning* inconscient d'interrelations de couleurs complexes, produit la correspondance désirée. Ce maniement totalement libre et spontané de la couleur se cristallise à l'occasion en une nouvelle « palette » impressionniste, nouveau schème conventionnel de couleur qui passa pour aussi réaliste et fidèle à la nature que les autres schèmes réalistes qui l'avaient précédé. J'ai rapporté ailleurs que le physicien allemand W. Ostwald avait offert à des artistes avertis des problèmes de la couleur des instruments qui devaient leur permettre une correspondance précise des couleurs locales. Son offre indiscrète rencontra un silence gêné, révélant ainsi le désintérêt de l'artiste pour une analyse réellement scientifique de la couleur locale. D'un point de vue psychologique, ce qui importe ici est qu'une tradition réaliste moribonde ait pu tout aussi bien absorber l'assaut disrupteur féroce du syncrétisme impressionniste dans le domaine de la couleur. Cette assimilation connut pourtant, dans l'histoire de l'art moderne, un point de rupture irrévocable : la reprise par les Fauves de l'attaque originelle contre un usage analytique de la couleur, qui tirèrent des résultats probants des combinaisons de couleur les plus arbitraires. Mais leur liberté dégénéra bientôt en un jeu décoratif de couleurs éclatantes. Sir Herbert Read a prouvé, contre les propres propos de Matisse, que ses libres distorsions du trait et de la couleur représentaient véritablement la réalité, telle qu'on la voit en un acte instantané non analytique de compréhension totale. R. Arnheim demandait de même qu'on reconnaisse aux distorsions de Picasso le pouvoir de rendre la réalité à un autre niveau de perception. Mais la vision syncrétique totale avait rompu toutes les règles conventionnelles. Il n'était plus question de l'intégrer dans la vieille tradition intacte des schèmes. Une analyse rationnelle est ici impossible. Comme je l'ai moi-même écrit ailleurs [5], nous devons croire Cézanne lorsqu'il affirme qu'il avait le sentiment de s'inscrire dans la vieille tradition réaliste, et qu'il avait la nature pour seul guide. J'ai essayé de montrer que ses distorsions sont signifiantes, si elles donnent l'impression de faire partie du champ visuel total (indifférencié) plutôt que d'être un point errant de vision focale précise. La vision périphérique qui remplit de très loin la plus grande partie du champ de vision peut facilement distordre les gestalt stables de notre perception ordinaire : c'est ainsi que Cézanne renflait ses pommes, chavirait ses plateaux de tables, et en brisait les bords. Vue sous cet angle, la peinture de Cézanne était réaliste. Mais l'art moderne était déjà dans l'air. Le climat artistique avait changé: il était mûr pour les cycle antitraditionnels de gauchissements et de disruptions constantes qui en ont toujours marqué depuis la progression discontinue.

La grande différence entre le réalisme traditionnel et l'art moderne, c'est que les schèmes traditionnels étaient malléables et « ouverts ». Ils permettaient l'analyse rationnelle et satisfaisaient ainsi les exigences du processus secondaire, sans être pour autant rigides et défensifs. Ils étaient susceptibles de distension et de modifications quand la fantasmatique du processus primaire exigeait une croissance spontanée et une invention nouvelles. Le besoin ne se faisait pas sentir d'une disruption. En d'autres termes, on ne connaissait pas encore cette dissociation fatale de la sensibilité qui anéantit les traditions du réalisme de la Renaissance et mena à ce conflit de l'intellect et de l'intuition (processus secondaire et processus primaire) qui caractérise l'art moderne. Les schèmes malléables et l'innovation progressive firent place à des maniérismes défensifs et rigides que seule la catastrophe d'une disruption périodique pouvait faire céder.

La destruction de la tonalité dans la musique occidentale a suivi le même chemin. Le riche système harmonique de la tonalité a connu la même croissance régulière que les schèmes réalistes dans les arts visuels. Le système des accords harmoniques tel qu'il avait cours à un moment donné n'était jamais entièrement rigide et fermé sur lui-même. Schoenberg a montré que les nouveaux accords ont toujours fait leur apparition travestis en « accidents » mélodiques, pour être ensuite relevés au fur et à mesure comme des dissonances nouvelles, dont il fallait encore rendre compte au titre d'accidents mélodiques ; il fallait les accommoder et les résoudre horizontalement. Ce travestissement partiel atténua la dureté des dissonances, qui auraient sinon disrupté l'intégrité de l'espace musical. Peu à peu, elles gagnèrent en douceur, purent finalement se libérer de leur contexte mélodique et se faire reconnaître comme consonances à part entière. Un processus secondaire a donc converti progressivement des éléments texturaux qui furent initialement « accidentels » en composantes parfaitement articulées du système harmonique en vigueur. Les différents systèmes de la pensée musicale ne se sont jamais refermés pour interdire des accrétions ultérieures. Ainsi put s'établir une tradition continue, ininterrompue de la tonalité. Les accords s'intégraient de plus en plus au système harmonique existant sans disrupter la sensibilité tonale.

Des clichés rigides peuvent aussi bien être utiles dans l'invention d'une nouvelle harmonie. Schoenberg prend l'exemple d'une valse viennoise où un accompagnement rigide répète — apparemment sans aucune sensibilité — les mêmes accords primitifs. La danse libre de la mélodie se montre parfaitement indifférente au cliché harmonique, pourtant voyant, qui la sous-tend, et forme ainsi souvent avec lui — comme par hasard — de nouvelles combinaisons sonores passionnantes. L'accompagnement le plus rigide de tous fut peut-être la basse Alberti, qui fut inventée au xviiie siècle, pour soutenir la sonorité un peu courte des instruments à clavier de l'époque. Elle consiste à décomposer en une alternance rapide de quatre notes un accord constitué de trois notes. Le procédé, qui eut

FIGURE 9. *La basse Alberti dans le mouvement lent de la sonate pour piano en do majeur de Mozart (K. 545). Pour obtenir des effets mélodiques et harmoniques originaux, Mozart utilise ici ce procédé harmonique conventionnel de rembourrage. La rigidité de ce procédé permet à la mélodie et à l'accompagnement de progresser par septièmes parallèles à la première mesure du mouvement (a); mais dans les trois dernières mesures, la structure de la basse Alberti pénètre la mélodie dominante elle-même (b). On doit donc accorder ici à la basse Alberti une signification mélodique à part entière. On retrouve la même chose dans la fameuse ouverture de la* Sonate au clair de lune *de Beethoven où la ligne mélodique des accords discontinus succède à la mélodie dominante; les accords discontinus doivent se jouer, dès le début, comme une véritable mélodie.*

la vie très dure, est aujourd'hui — à juste titre — méprisé par les musicologues, qui ont été jusqu'à condamner Mozart pour avoir dérogé à sa grâce habituelle en y recourant dans sa sonate pour piano K. 545. (On lui trouve parfois l'excuse d'avoir écrit cette sonate un peu mince pour exercer les débutants.) Mais, chez un génie comme Mozart, le recours au carcan des clichés vient couvrir à propos des expériences audacieuses. Dès la première mesure du second mouvement, le martèlement de l'accompagnement jure violemment avec la mélodie en la suivant en trois septièmes parallèles, qui auraient été inacceptables dans un accompagnement plus souple (fig. 9). La discordance se transforme en une douceur sonore extrême. L'exécutant doit ressentir le conflit qui oppose la progression rigide des figures de la basse, et le cours plus libre de la mélodie. Ailleurs, la mélodie prend le caractère rythmique de la basse Alberti : elle succombe totalement à son rythme dans la surprenante conclusion, presque abrupte, du mouvement. Ou alors, la basse se libère tout à coup et s'épanouit en une véritable mélodie, comme c'est le cas dans la sixième mesure du mouvement.

Si le climat esthétique est favorable, la répétition la moins imaginative, l'imitation et les clichés rigides eux-mêmes ne viennent pas forcément entraver, comme des carcans, le jeu de l'imagination. Les traditions artistiques qui contraignent l'artiste à la fois pour le contenu et pour la forme peuvent lui donner plus de liberté que l'hyper-originalité forcée de notre époque. Les icônes byzantines, par exemple, sont fixes et de forme et de contenu. On peut voir au Musée byzantin d'Athènes la même icône répétée à de nombreux exemplaires, qui ont tous l'air d'être une copie exacte du précédent. Et pourtant, quelles différences en puissance ! Comme nous en découvrons bientôt le schéma commun de composition, la plus légère déviation n'en devient que plus parlante et expressive. Les icônes provinciales de Macédoine et de Crète, par exemple, manquent de la sérénité classique, et distendent parfois la convention presque jusqu'au point de rupture ; la tension interne s'y love en elle-même comme un ressort. Le schéma, cependant, ne connaît jamais de disruption véritable. J'ai appris, non sans surprise, des moines cultivés du mont Athos, qu'ils considéraient le style contorsionné et étiré du Greco comme un prolongement fidèle de cette tradition byzantine, — ce qui éclaire d'un nouveau jour les efforts des historiens de l'art occidentaux pour expliquer ces distorsions exclusivement en termes de maniérisme italien. Nous savons que les peintres hollandais du xvie siècle ont été, eux aussi, absorbés par les influences maniéristes italiennes. Mais, dans leur maturité et dans leur vieillesse, ils se firent « naïfs » et jetèrent aux orties leurs plumes d'emprunt. Le Greco, qui était grec, a certainement commencé par se plier à l'élégance italienne, mais en vieillissant il revint à la spiritualité des icônes crétoises qu'il avait peintes dans sa jeunesse. Les clichés byzantins avaient donc, à leur tour, percé à travers la surface maniériste — nouvel exemple d'un schème ou d'un cliché qui se heurte à un autre cliché tout aussi intraitable — avec un effet créateur.

L'acceptation générale de schèmes et de clichés contribue sans aucun doute à une communication plus effective. Ceux qui critiquent l'art moderne se réfèrent à la théorie de la communication pour prouver que l'art moderne, faute de tradition et de convention, ne peut pas communiquer. C'est peut-être vrai. Mais je pense que le mal de l'art moderne est plus profond. J'ai parlé des cercles vicieux qui jouent dans l'œuvre d'art. L'innovation chasse tous les schèmes existants pour permettre un départ radicalement nouveau; lequel est immédiatement solidifié par un processus secondaire tout aussi vicieux, qui en fait une fois de plus un cliché rigide. Il étouffe à ce titre toute spontanéité ultérieure, rendant inévitable une nouvelle éruption surgie des profondeurs.

Par où a commencé ce cercle vicieux? Fut-ce par le refus du public de lire dans les distorsions syncrétiques de la forme chez Cézanne, ou celles de la couleur chez Matisse, un nouveau schème réaliste qui prolongerait la tradition de la Renaissance? Il aurait pu le faire, s'il l'avait voulu. Il nous semble étrange aujourd'hui que les contemporains espagnols du Greco aient pu accepter ses distorsions bien plus extrêmes, en les trouvant assez réalistes, et fidèles à l'esprit de la tradition byzantine qui leur était bien plus étrangère. Il n'y eut pas alors de tollé public comparable à celui qui accueillit l'œuvre prétendument réaliste de Cézanne. J'imagine que si Cézanne avait remporté la victoire de son vivant, on aurait accepté son maniement syncrétique de la forme libre comme une extension logique des expériences que les Impressionnistes avaient faites auparavant avec la couleur libre. On aurait très bien pu éviter toute disruption catastrophique de la sensibilité consciente. Les temps étaient

pourtant mûrs pour une irrationalité ouverte, autodestructrice. Ainsi les attaques de Picasso, qui est le plus grand
peintre moderne, contre la sensibilité consciente sont parfaitement délibérées. La fragmentation systématique de
l'espace pictural à laquelle il s'est livré au plus fort de ses
expériences cubistes, s'approche dangereusement de la
fragmentation schizophrène, et de ses attaques autodestructrices sur le moi. Le schizophrène en effet attaque littéralement sa propre fonction du langage et sa capacité
à fabriquer des images. Il imprime aux mots les mêmes
déviations et gauchissements bizarres qu'à ses dessins, ou
aux images qu'il peint. Il attaque presque physiquement
ses propres fonctions du moi, et projette les parties de son
soi fragmenté dans le monde extérieur, qui devient à son
tour fragmenté et persécuteur. C'est en vain que, dans le
poème de Goethe, l'apprenti sorcier met en pièces le balai
magique. Chacun des fragments reconstitue à son tour un
nouveau balai qui continue l'œuvre de dévastation. Son
aspiration au contrôle magique reste vaine. Nous commençons à comprendre que l'impression initiale de fragmentation qui caractérise toute œuvre d'art en gestation
puisse susciter chez l'artiste de telles angoisses, allant
jusqu'à la destructivité, surtout s'il s'accroche à l'illusion d'un plein contrôle conscient de son processus de
travail. Une telle magie est au-delà de son pouvoir. Quelle
raison pousse Picasso (qui incarne le mieux, à mes yeux,
l'esprit de l'art moderne) à attaquer sauvagement sa
peinture, à démembrer littéralement son imagerie et à en
disperser les fragments dans le plan du tableau et l'espace
pictural? L'expérience consciente de son œuvre reste très
marquée des thèmes de l'attaque, de la destruction et de la
mort. Ce qui le sépare, évidemment, de l'agressivité schizoïde,
c'est la cohérence d'un espace pictural solide, car il reste,
chez Picasso, une intégration profonde, à un niveau indifférencié, inconscient. Bion affirmait que l'éclatement schizoïde
de la fonction du langage n'empêche pas qu'on en fasse
un usage créateur, si les liaisons inconscientes sont pré-
servées. Le langage éclaté de James Joyce est de ce type.
Avec ses conglomérats fantastiques de mots, il ne se
borne pas à comprimer brutalement des éclats de
langage, mais il établit des contrepoints de fantasmes
oniriques qui courent sous la surface et relient les constellations de mots en un courant hypnotique ininterrompu *.

---

* Il semble vraisemblable que l'état hypnotique dédifférencie aussi le
moi, et peut-être aussi le surmoi.

C'est une pulsion dynamique semblable qui maintient et anime le plan fragmenté, brutalement condensé d'un tableau cubiste accompli. Les fragments y sont rassemblés en un cocon lâche mais résistant qui happe le spectateur. Cette impression spatiale se révèle, ici encore, douée d'une qualité hypnotique, presque mystique (pl. 25).

Tous ces éclats, dans la nouvelle peinture américaine, sont broyés en débris tachistes et en fragments texturaux. On assiste ici, comme je l'ai mentionné, au sommet de ce long mouvement d'éclatement qu'inaugura probablement l'Impressionnisme français. Mais une fois de plus, le plan du tableau résiste à l'attaque. Sa continuité, renforcée, forme des rides qu'une pulsion unitaire communique à la surface entière. On attribuait le choc initial de la peinture de Jackson Pollock au sentiment qu'éprouvait le spectateur d'être aspiré et enveloppé dans le plan du tableau, — ce qui est un nouvel exemple de cette qualité hypnotique de l'art fragmenté. Les esthéticiens parlent de l'ambiguïté de la « distance esthétique » entre le spectateur et l'œuvre d'art. On la trouve dans presque tous les types d'art. Il existe des cas extrêmes où l'art moderne « enveloppe » au point d'annihiler finalement cette distance. Adrian Stokes, artiste distingué, et auteur d'ouvrages sur la psychologie des profondeurs appliquée à l'art, insiste à juste titre sur la qualité quasi mystique d'une bonne partie de l'art moderne, qui nous donne souvent l'impression d'être « enveloppé » [32]. L'artiste a le sentiment de ne faire qu'un avec son œuvre, dans une union océanique mystique, comme le nourrisson sur la poitrine de sa mère a le sentiment de ne faire qu'un avec elle. Stokes oppose à cette expérience enveloppante (maniaque) de l' « unicité » l'expérience plus adulte de l' « altérité » [30]. L'artiste y éprouve l'œuvre comme un organisme autonome qui échappe à son contrôle et reste à une distance déterminée de lui. Stokes estime à juste titre que l'expérience de l'unicité et celle de l'altérité sont présentes dans toute expérience créatrice à des degrés différents : seuls les exemples extrêmes de l'art moderne donnent un tel sentiment d'enveloppement qu'ils ont pratiquement évincé le sentiment plus adulte d'altérité. Ce qui revient à dire que l'art moderne présente une troisième phase de créativité à l'état rudimentaire. L'enveloppement maniaque dû à l' « unicité » et le détachement dépressif dû à l' « altérité » caractérisent deux stades différents de l'œuvre créatrice.

J'ai distingué trois phases : projection schizoïde, intégration inconsciente à un niveau maniaque indifférencié et introjection dépressive finale. C'est à ce stade final dépressif que l'œuvre d'art assume une existence autonome et une « altérité ». Au stade maniaque précédent, qui est celui de l'intégration inconsciente, l'artiste ne s'est pas encore détaché de son œuvre. C'est à cet aspect de l'œuvre créatrice qu'appartient le sentiment maniaque d'unicité, d'enveloppement et d'union mystique. Comme dans l'art moderne la troisième phase d'introjection dépressive s'est atténuée, l'expérience maniaque de l'unicité mystique persiste dans le produit fini. Il n'y a là, cependant, qu'une différence quantitative entre l'art traditionnel et l'art moderne.

Nous avons commencé notre analyse de l'imagerie indifférenciée par une discussion extrêmement technique sur l'attention non focalisée et l'ambiguïté des figures réversibles. Mais déjà le concept, forgé par Paul Klee, d'une attention multidimensionnelle, qui fusionnait les aires extérieure et intérieure, avait une résonance mystique. Dès que nous atteignons les niveaux océaniques les plus profonds de la dédifférenciation, nous voyons se dissiper les frontières qui séparent le monde intérieur du monde extérieur, et nous nous sentons happés et pris au piège dans l'œuvre d'art. On pourrait encore appeler préconscients les stades initiaux de la dédifférenciation (qui sont encore proches du niveau superficiel de l'attention), bien que le halo et le vague qui s'y glissent indiquent la défaillance des fonctions de surface. L'expérience océanique la plus profonde, cependant, dissout l'espace et le temps lui-même, qui sont les modes mêmes de fonctionnement de notre raison. On ne pourrait pas l'appeler préconsciente, même dans l'extension la plus grande de ce terme.

Une progression semblable, avec une dissolution graduelle de toute expérience spatiale définie, se présente dans ce qu'on appelle l'écran du rêve, tel que l'a décrit B. Lewin [18]. Tendu derrière les images plus précises *(Gestalt)* du rêve, se trouve un écran indistinct, nuageux, impossible à localiser précisément dans l'espace. Dans certains rêves (qui appartiennent évidemment à un niveau plus profond de différenciation), les silhouettes du premier plan se dissipent, et laissent apparaître devant l'œil ouvert le mystérieux écran du rêve. Quand l'écran du rêve vient à perdre sa substance, on approche d'un rêve « blanc » parfaitement vide qui, malgré son vide apparent, laisse derrière lui le souvenir d'une expérience émotionnelle intense. L'écran du rêve est fuyant. Il s'enroule parfois sur lui-même pour disparaître dans l'infini (c'est ce qui se produit, j'imagine, lors de toute vaine tentative de focalisation plus précise), ou au contraire s'avance vers le rêveur, l'envahit ou l'enveloppe. Lewin rapporte aussi le cas d'un rêve où le rêveur faisait face à un mur qui s'étendait jusqu'à l'infini. Tout en lui faisant face, il se sentait aussi pris dedans. Il s'agit là d'un enveloppement océanique véritablement indifférencié, assez proche de l'espace multidimensionnel de Paul Klee. Cette impression d'un engloutissement physique manifeste déjà à mes yeux l'intervention de l'élaboration secondaire qui tente de solidifier l'espace abstrait immatériel. Parallèlement aux investigations de Lewin sur l'écran du rêve, Géza Róheim [26] faisait des recherches sur un des conflits fondamentaux que présente le rêve, et qu'on peut décrire en termes d'espace différencié et d'espace indifférencié. Il parle explicitement d'un « utérus onirique », spatialement indifférencié. Le rêveur entre dans son propre utérus onirique mais, en même temps, il laisse cet espace intérieur derrière les « portes » du rêve — il s'agit là d'un langage véritablement indifférencié ; et, en laissant cet espace intérieur, il reconstruit à l'extérieur un espace plus tangible qui constitue la scène où viennent se jouer les événements conscients du rêve. Róheim pense que toute œuvre créatrice repose sur ce conflit fondamental du rêve entre l'espace différencié et l'espace indifférencié. Il se rapproche considérablement par là de ma conception d'un rythme créateur du moi qui oscille entre la gestalt focalisée et l'indifférenciation océanique.

Les psychanalystes londoniens D. W. Winnicott [34] et Marion Milner [22] ont montré combien un moi créateur a besoin de pouvoir suspendre les frontières entre le soi et le non-soi pour se sentir plus à l'aise dans le monde de la réalité qui maintient une séparation nette entre les objets et le soi. Le rythme du moi de la différenciation et de la dédifférenciation oscille constamment entre ces deux pôles, et entre les mondes de l'intérieur et de l'extérieur. Il en est de même pour le spectateur, qui tantôt focalise sur des patterns de gestalt particuliers, et tantôt efface toute attention consciente pour englober le tout indivis.

Dans l'art moderne, le rythme du moi est un peu asymétrique. La gestalt de surface en ruines, en éclats, interdit

la focalisation; la matrice indifférenciée de l'art est à
découvert, et contraint le spectateur à en rester à cet
état océanique du regard vide où toute différenciation
est suspendue. L'espace pictural avance et l'engloutit dans
une unité multidimensionnelle où se fondent intérieur et
extérieur. Nous percevons désormais plus clairement
l'erreur qu'on ferait en attribuant une quelconque qualité
pathologique à cette expérience quasi mystique de l'art
moderne; l'anomalie tient à la disruption du rythme du
moi dans son retour à un stade plus différencié. L'espace
pictural insaisissable est le signal conscient d'une cohérence et d'une intégration inconscientes qui compensent
la fragmentation de la gestalt de surface. Sous cet angle,
l'expérience océanique de fusion, d'un « retour à l'utérus »,
représente le contenu minimum de tout art; Freud n'y
voyait que l'expérience religieuse de base. Mais il semble
aujourd'hui qu'elle appartienne à toute forme de créativité. Elle a, dans l'art moderne, la fonction plus spécifique de faire contrepoids à la violence et à la destruction
provoquées par les attaques autodestructrices dont le moi
est périodiquement l'objet : gauchissement de sa sensibilité de surface, destruction des points stables de focalisation et de toute mélodie ou de toute ligne cohérentes.
Cette attaque autodestructrice du moi trouve son reflet
dans les thèmes conscients d'une bonne part de l'art
moderne : l'amour n'y figure presque jamais, la pitié rarement, au profit de la mort, de la dévastation, de la haine
de la vie et de la condition humaine. Aussi nous faut-il
une force suffisante pour supporter l'expérience d'une
autodestruction schizoïde. A mesure que le moi sombre
dans l'indifférenciation océanique, un nouveau domaine de
l'esprit nous enveloppe; nous ne nous engloutissons pas
dans la mort, mais nous nous trouvons déchargés de notre
existence individuelle séparée. Nous entrons dans l'utérus
maniaque de la renaissance, existence océanique extérieure
au temps et à l'espace.

A défaut de cette cohérence en profondeur que nous
garantit l'enveloppement océanique, la fragmentation de
surface prend effectivement un caractère pathologique.
L'art schizophrène véritable présente uniquement cette
expérience superficielle de fragmentation et de mort, à l'exclusion d'une cohérence profonde qui pourrait la compenser.
La peinture cubiste lui ressemble presque trop. On y trouve
les mêmes éclats vitreux, par trop rigides, réfractaires à un
regroupement en entités plus importantes, la même proxi-

mité de la peur et de la douceur, du rire et de la tragédie. Mais là s'arrête la similitude. Dans l'art schizophrène, aucun enveloppement océanique ne vient cicatriser la fragmentation de surface. La dédifférenciation océanique y est ressentie et redoutée comme la mort elle-même. J'eus un jour l'occasion de visiter le studio d'un peintre schizophrène de talent, sur l'invitation d'un ami commun qui était au courant de sa maladie, mais ne m'en avait pas averti. Comme je le fais d'habitude, je regardai les tableaux avec le minimum de préjugé et d'idées préalables, désireux de laisser l'œuvre parler d'elle-même. Je ne sus pas repérer les symptômes très apparents de la maladie. De grandes peintures étaient couvertes de formes éclatées géométriques, vitreuses, de couleurs violentes. Des silhouettes minuscules, sortes de fourmis, étaient disposées sur des plans brisés, à différents niveaux, ce qui leur donnait une échelle gigantesque. J'avançai la remarque qu'on aurait dit des bandes dessinées, destinées à de gigantesques peintures murales, de contenu apocalyptique. L'artiste n'y vit pas d'objection.

La visite se poursuivit jusqu'au moment où je découvris tout à coup, appuyées contre le mur, des peintures d'un type naturaliste très différent. On y voyait d'énormes silhouettes grimaçantes aux traits hideusement distordus. Quand j'interrogeai l'artiste à leur sujet, il me répondit négligemment : « Oh, ce ne sont que mes esquisses! » J'entrevis tout à coup la vérité. Le pauvre homme commençait par peindre ces silhouettes persécutantes grandeur nature pour les découper ensuite, dans un geste d'auto-défense, en un millier d'éclats et les laisser alors reparaître, fourmis perdues dans la brisure des énormes fragments. Les couleurs précieuses contredisaient le supplice de l'œuvre. Les peintres schizophrènes aiment en effet associer à l'horreur une décoration précieuse. Ce qui est probablement une autre façon de pallier leurs terreurs. Et cette incongruité ajoute à l'impression générale de fragmentation.

Le peintre schizophrène s'accroche en effet à ses facultés de surface, si acharné qu'il soit à les attaquer et à les mutiler; il ne les laisse pas se fondre en un vide indifférencié. La suspension des facultés de surface représente à ses yeux l'annihilation totale et la mort; ce qui rappelle l'appréhension de certains névrosés à l'approche du sommeil : pour eux aussi, laisser aller les facultés de veille signifie la mort. Si fragmentée que soit une peinture schizophrène, les éclats en restent étrangement seuls et rigidement isolés, invitant encore en un sens le foyer de l'attention consciente à s'attarder sur eux. Ils ne contraignent pas l'œil à une recherche errante de l'unité comme le font les grandes peintures cubistes. Le processus de la gestalt, blessé et presque paralysé, fonctionne encore et permet au malade de s'accrocher aux quelques éléments éparpillés qui restent encore de la réalité normale. La dérive vers des niveaux plus profonds de la fabrication des images, si essentielle au travail créateur, ne se produit jamais.

Il semble que l'incapacité schizophrène soit encore plus cruciale. La dédifférenciation est une partie et un morceau du processus par lequel le moi donne une valeur inconsciente à certaines images. En d'autres termes, la dédifférenciation peut être l'aspect structural (moi) du refoulement (ailleurs, le refoulement est guidé par la censure du surmoi). Le psychotique, par son inaptitude à dédifférencier son imagerie, a aussi perdu la capacité de refouler, et donc de développer et de nourrir une vie fantasmatique inconsciente qui soit riche. C'est à peu près ce que W. R. Bion [3] semble avoir en tête quand il dit que le psychotique manque de la véritable « barrière de contact » entre sa vie consciente et sa fantasmatique inconsciente. Normalement, cette barrière se franchit aisément et permet le contact aussi bien que la séparation. Le matériel inarticulé la traverse en montant à la conscience, tandis que le reste du matériel la traverse pour sombrer dans l'inconscient. A mon avis, le fonctionnement de cette barrière implique les changements structuraux que j'ai décrits. Bion ne se sert pas du concept de dédifférenciation; mais les conséquences qu'il décrit en cas de rupture de cette barrière de contact témoignent avec éloquence de la lutte que livre le psychotique pour se débrouiller sans la dédifférenciation. Il ne peut pas dépasser la première phase de la pensée créatrice : la fragmentation schizoïde. Mais comme il ne peut fondre les fragments en un matériel indifférencié et plus malléable, il se borne à les comprimer et à les télescoper en ce que Bion appelle des images « bizarres ». Il ne faut pas confondre de telles compressions avec les condensations inoffensives du travail du rêve. Les condensations du rêve sont des produits secondaires glanés dans la dédifférenciation inconsciente. Au niveau véritablement inconscient, les images de rêve indifférenciées peuvent s'interpénétrer librement sans se faire ni mal ni violence. Mais lorsqu'elles remontent à la surface, leur structure sérielle repousse le foyer étroit de l'attention consciente. Une élaboration secondaire vient alors démêler dans l'écheveau des images

incompatibles quelques indices ou traits isolés, et les condenser en un mélange unique dépourvu de sens. Ces condensations du rêve ne sont pas bizarres. Elles portent encore la
marque de la vision indifférenciée qui les créa en tout
premier lieu. Les formes bizarres, elles, viennent tout droit
de la fragmentation et de la compression; elles sont dures et
fragiles, promptes à se fragmenter davantage et en
même temps sans relief, mortes — ce qui n'est pas le cas
pour les condensations du rêve. Il se peut qu'on doive expliquer par une absence de dédifférenciation inconsciente toutes
les caractéristiques de l'imagerie psychotique.

L'esprit créateur sain a su créer dans son inconscient un
« utérus » où les images refoulées et dédifférenciées sont
enfermées en sécurité, fondues et refaçonnées pour pénétrer
à nouveau dans la conscience. Le psychotique, qui n'a pas
cet utérus, sent à l'intérieur de lui-même un néant hostile.
Pour lui, être happé dans son vide intérieur signifie l'annihilation et la mort. Chercher à traiter ces peurs écrasantes s'est
jusqu'ici révélé inutile, car ce vide dans l'inconscient correspond visiblement à la réalité psychique. Le fantasme
schizophrène d'être enseveli vivant, ou d'être happé par
un monde intérieur mort, est une image fidèle d'un moi
vide qui n'a pas préparé de réceptacle interne, sous la
barrière de la conscience, pour sa propre régénération et sa
propre renaissance. Aussi ne sert-il peut-être pas à grand-
chose d'esquiver ce fait brut, et de chercher, comme on l'a
fait, à voir dans cette peur d'être happé, une défense contre
une autre angoisse plus profonde, comme par exemple la
peur orale de dépendre du sein de la mère. L'artiste sain
affronte ouvertement cette peur d'un vide interne. Il
accepte de perdre provisoirement le contrôle du moi, ce
qui est souvent inconsciemment ressenti comme sa destruction. La psychose et la créativité sont peut-être les deux
faces d'une même médaille. Elles sont l'une et l'autre, en
un sens, autodestructrices. Mais, tandis que l'homme créateur peut absorber la décomposition temporaire du moi dans
le rythme de la créativité et réussir une autorégénération,
le psychotique en reste à la première phase schizoïde de la
créativité. Il n'a pas appris à dédifférencier les fragments
épars de son moi de surface.

Jung avait remarqué la fréquence des ressemblances entre
les mythes de la création et la fantasmatique schizophrène.
Ainsi en est-il des innombrables variations du thème du
« dieu mourant », qu'a rassemblées Frazer dans son ouvrage
monumental *Le Rameau d'or*, ainsi que des nombreux rites

de passage. Frazer n'a jamais réussi entièrement à rendre compte de l'ubiquité de ce motif. Et la psychanalyse pas davantage. Je suggérerai, pour ma part, qu'il peut prendre un sens comme ce qui rend compte du processus créateur. Il désigne en effet la reddition de soi héroïque de l'esprit créateur. La mort doit être affrontée absolument sans aucune anticipation subreptice d'une possible résurrection. C'est pourquoi la dissociation de son moi inflige effectivement au schizophrène la destruction finale, sitôt qu'il relâche sa prise fragile sur la réalité concrète. Avec l'aggravation de sa maladie, se produit non pas une dissolution progressive, mais une désintégration catastrophique de ses images surconcrètes et rigides pour aboutir à ce chaos véritable auquel on a bien trop longtemps associé le concept de processus primaire. La tendance du schizophrène à la confusion, ses doutes sur son identité, sur la distinction réelle des sexes, donnent une réalité psychique à sa peur d'une équivalence nécessaire entre l'indifférenciation et la destruction finale de sa raison.

J'ai connu, aux Beaux-Arts, beaucoup de cas à la limite de la schizophrénie. L'un d'entre eux au moins est devenu un artiste reconnu. Son œuvre figure aujourd'hui dans les collections publiques. Quand il arriva entre mes mains, son œuvre offrait des traits schizoïdes parfaitement caractérisés. Une partie de ce qu'il avait fait dans son adolescence était impossible à distinguer d'un art schizophrène outrancier : travail extrêmement fiévreux, cherchant à exprimer un mouvement violent, glaçant pourtant cette tourmente en une rigidité de mort. Plus encore, il présentait l'habituel mélange intolérable de préciosité et d'horreur. Il eut, heureusement, la chance de recevoir l'enseignement de deux artistes de premier plan. Ceux-ci menaient leur travail avec une désinvolture et une indifférence apparentes qui déconcertèrent profondément le jeune homme au premier abord. Il lui fallait apprendre à affronter l'angoisse profonde qui accompagne une perte partielle du contrôle conscient. Il attaquait par moments son œuvre avec une férocité qui donnait la mesure de ses peurs. Le collage d'*objets trouvés*, de morceaux déchirés de papier, de tissu, de bouts de ficelle, etc., était ce qui lui réussissait le mieux, et il assemblait ces fragments avec la plus grande délicatesse. Mais son travail dégénérait facilement en un décoratisme maniéré. Il dut à plusieurs reprises changer sa méthode de travail et chaque fois s'exposer à de nouvelles poussées d'angoisse. Mais il était courageux et persévéra.

En déchirant son matériel (cette partie de son travail perdit de son agressivité avec le temps), il anticipait déjà les liens possibles qui les rejoindraient dans le réassemblage et le collage ultérieurs. Pour le schizophrène, les fragments demeurent encore des morceaux individuels isolés, trop concrets pour exercer une attraction mutuelle et pour permettre leur fusion ultime. Son besoin de les scinder sans cesse davantage a pour fonction de surmonter la séparation concrète des morceaux. Au lieu de les fusionner, il ne peut que les déchirer en fragments plus petits encore. En revanche, l'artiste peut en un sens balayer à l'avance les structures sérielles indifférenciées où pourraient dans le futur se combiner les morceaux. Sa vue est « compréhensive » (l'*übersehbar* de Wittgenstein) et syncrétique plutôt qu'analytique dans chaque détail. Aucune constellation spécifique des fragments du collage ne s'impose à son esprit.

Cette comparaison entre l'imagerie psychotique et la vision créatrice est d'une importance inestimable pour la psychologie psychanalytique du moi. Quand nous observons chez le schizophrène la peur rigide d'une imagerie indifférenciée et son intolérance à l'ambiguïté que suscite l'indifférenciation, quand nous observons le chaos que provoque l'impact disrupteur de l'imagerie profonde sur l'art schizophrène, nous ne pouvons plus guère douter que nous sommes en présence du surgissement du chaos, normalement inconscient, qu'on associe d'habitude au processus primaire. Il nous est encore difficile de reconnaître le même processus primaire dans l'imagerie indifférenciée et pourtant ordonnée de l'œuvre créatrice. Dès que nous découvrons que l'esprit créateur peut ajuster les morceaux indifférenciés en structures sérielles contrôlées, au service d'un dessein hautement rationnel, nous nous sentons enclins à dénier à l'indifférenciation un statut réellement inconscient, et une participation au processus primaire. Mais il faut choisir. La continuité entre les deux aspects de l'indifférenciation se manifeste dans les cas limites que j'ai mentionnés, et dans la peur schizoïde-paranoïde souvent grave que doit supporter l'artiste sain durant la première phase de la créativité, avant que la fragmentation chaotique de son matériel brut ait été fondue dans l'indifférenciation profonde. Les peurs apocalyptiques du psychotique sont de la même étoffe que le malaise des sujets de Mme Frenkel-Brunswick, quand on les mettait devant des patterns ambigus qui brouillaient leurs tendances normales de focalisation. La force de supporter ses angoisses paranoïdes-schizoïdes initiales fait partie du bagage créateur. Même un psychotique peut devenir un artiste s'il peut supporter le chaos apparent du processus primaire. On pourrait presque définir la créativité comme la capacité à transformer l'aspect chaotique de l'indifférenciation en un ordre caché qu'on puisse embrasser par une vision compréhensive (syncrétique). L'angoisse schizoïde fait alors place à l'exaltation maniaque de l'état océanique indifférencié.

CHAPITRE IX

L'abstraction

Il existe une connexion étroite entre le pouvoir d'abstraction et la capacité créatrice à dédifférencier le caractère concret de la pensée de surface. L'art et la science modernes ont atteint tous deux un très haut niveau d'abstraction. Voilà qui suffirait, s'il en était besoin, à prouver la santé mentale supérieure de la civilisation hautement créatrice qui est la nôtre.

Bien qu'aujourd'hui l'art abstrait dégénère déjà en maniérisme, il est hors de doute qu'il prend son origine dans les couches profondément inconscientes de l'esprit. E. H. Gombrich [13] a tenté de dégonfler le prestige de l'abstraction revendiqué par l'art moderne en faisant remarquer qu'il entretient une ressemblance fatale avec l'insuffisance de l'enfant à différencier la réalité. Quand Picasso rogne la forme naturaliste d'un taureau jusqu'au zéro parfait, il se comporte en gros comme un enfant dont la vision syncrétique fait l'équivalence entre un bout de bois et un dada. Ce n'est pas davantage, comme Gombrich fut prompt à le remarquer, un redoublement de son pouvoir d'abstraction qui fait s'incliner poliment l'ivrogne devant le lampadaire rencontré en chemin. La boisson a affaibli à ce point ses pouvoirs de discrimination qu'il ne peut plus faire la distinction qui s'impose. D'un point de vue psychanalytique, Gombrich ne dégonfle pas à proprement parler l'art abstrait, mais lui accorde des racines profondes dans l'inconscient. C'est ainsi que le concept psychanalytique de sublimation créatrice implique que la plus haute réussite humaine soit reliée très directement à ce qui en nous-mêmes est le plus bas et le plus primitif. Le plaisir que nous prenons, par exemple, à la musique, si l'on en croit Freud, se nourrit de la jouissance infantile qu'on éprouve à l'émission de vents. Que la psychanalyse établisse de tels liens ne signifie pas qu'elle traîne le sublime dans la boue. Au contraire, une fois que nous avons accepté le modèle dynamique de la sublimation créatrice introduit par la psychanalyse, nous ne pouvons plus avoir d'autre attente que de voir le sublime lié en court-circuit à ce que la nature humaine comporte de plus dégradé. Il faut en passer par là et les lecteurs effarouchés, incapables de supporter de telles juxtapositions, feraient mieux de s'abstenir de toute psychologie des profondeurs. Ma propre double conception du processus primaire s'harmonise avec ce modèle dynamique de la sublimation. L'indifférenciation primitive devient alors un instrument d'une grande efficacité. La tension dynamique qui relie les pôles extrêmes de la sublimation se franchit souvent sur un arc d'une fragilité ténue, et l'on n'est jamais loin d'une dissociation schizoïde du moi quand on accouple, pour entreprendre une tâche créatrice, ses fonctions extrêmes. De telles dissociations du moi ne doivent pas forcément toujours passer pour un symptôme pathologique; elles peuvent être provoquées par un claquage provisoire des liens extrêmement tendus du mécanisme créateur. Nous avons déjà vu que l'imagerie créatrice ne cesse de se couper de sa matrice — dans l'inconscient profond — et de se transformer en maniérisme conscient et en cliché. On pourrait bien alors interpréter cette dissociation de la sensibilité qu'offre souvent l'art moderne, et son besoin périodique d'en disrupter les maniérismes et les clichés, non pas comme un caractère pathologique, mais comme le prix qu'il lui faut payer pour l'énorme tension que crée sa conjonction des fonctions extrêmes du moi. La coopération étroite qui se fait aujourd'hui entre un raisonnement précisément focalisé et une intuition presque totalement indifférenciée explique, à mes yeux, la profusion créatrice de notre époque, qu'il s'agisse de l'art ou de la science.

Notre art abstrait présente un court-circuit dramatique entre son haut degré d'élaboration et son amour de la géométrie d'un côté, et l'absence de différenciation presque océanique qui règne dans sa matrice, au niveau inconscient de l'esprit. Le vide « plein » du grand art abstrait dépend peut-être de sa liaison étroite avec la constellation d'images incompatibles (structures sérielles) qui se pressent autour de lui au niveau de la vision inconsciente. Ces images conflictuelles s'annulent réciproquement en montant à la conscience, produisant ainsi l'impression superficielle de vide et d'abstraction qui induit en erreur. L'abstraction devient vide à proprement parler lorsqu'elle est dissociée de sa matrice inconsciente. Elle prend alors la forme d'une « généralisation » vide. Si l'on peut si facilement manier ces généralisations vides, c'est qu'elles ont coupé leurs amarres et ne s'ancrent plus dans les profondeurs.

L'humanité trouva son premier art abstrait avec l'art néolithique, qui coïncide avec les deux plus grandes acquisitions de la civilisation humaine : l'invention de l'agriculture et la sédentarité. La géométrie stricte de sa poterie reste toujours très proche d'une vision indifférenciée qui projetait la forme humaine dans le matériel abstrait le moins suggestif. Un vase lisse pouvait, par exemple, faire pointer tout à coup deux petits seins, révélant ainsi qu'il prenait son origine dans une vision qui mêlait sans discernement un vase avec le corps d'une femme (pl. 2). Si on en faisait un usage funéraire, il devait alors accueillir dans son « utérus » les corps des morts en attendant leur renaissance. L'homme du néolithique projetait ainsi la forme et les opérations humaines dans presque tous les événements naturels. Ses religions de la nature nous font l'effet d'une fantasmatique ininterrompue de métaphores poétiques. Elles ne relèvent ni d'une conception animiste de la réalité qui soit particulière, ni d'un soudain jaillissement poétique — ce qui serait une explication trop spécifique —, mais plutôt de cette vision indifférenciée qui brouille les frontières des mondes du dehors et du dedans. Ainsi une montagne triangulaire, une pyramide ou une dalle de pierre pouvaient donner une représentation parfaitement réaliste de la grande déesse (pl. 1). La terre elle-même accueillait dans son grand utérus les morts et la semence éparpillée du blé.

Le professeur Gilbert Murray a spéculé sur les pouvoirs d'une forme triangulaire abstraite à symboliser la grande déesse Mère et son utérus. Il suggérait que sa forme pyramidale évoque une femme accroupie sur ses hanches corpulentes. Nous ne pouvons nous en tenir là, tout en étant bien obligés de reconnaître qu'une idée aussi peu séduisante pouvait bien être l'une des nombreuses images indifférenciées que n'importe quelle forme géométrique stricte peut suggérer, si tel est le désir de la fantasmatique inconsciente. Or cette fantasmatique néolithique de la nature eut un pouvoir tenace. Quand les moines grecs cherchèrent pieusement au Moyen Age un sanctuaire à consacrer à la

Mère de Dieu, ils furent séduits par l'énorme pyramide
blanche du mont Athos, dont la falaise de marbre triangulaire se dresse à pic au bout d'une longue péninsule étroite.
La montagne sainte représentait déjà par elle-même un
autel pour la Grande Mère. J'ai aussi visité l'autre sanctuaire grec de la Madone, l'île de Tinos, qui ne le cède en
importance qu'au mont Athos : quelle ne fut pas ma surprise
quand je vis, au sommet de l'île, une autre petite falaise
grossièrement triangulaire. Bien entendu, un triangle peut
aussi bien évoquer le phallus avec ses deux testicules, et
bien d'autres choses encore. Cette multiplicité même de
symbolismes appartient à l'essence de la Grande Mère
dont l'utérus renferme le monde entier des choses en une
fusion océanique. Elle-même bisexuée, elle peut avoir une
progéniture sans l'aide d'un époux. Les représentations
naturalistes, très crues, de la déesse lui attribuent des seins
et des fesses énormes, mais se contentent en général d'une
petite tête dépourvue de traits, sur un cou allongé. On a
reconnu depuis longtemps déjà qu'elle représente ainsi la
mère phallique; sa petite tête sur ce long cou pousse de
sa poitrine comme un pénis. Tous ces amalgames d'images
renvoient à un comble d'indifférenciation que seul un art
semi-abstrait peut présenter. Les images de la Grande
Mère et de son fils-amant mourant touchent au travail le
plus intime de l'esprit créateur, là où cesse de faire sens la
différenciation des sexes, de la mort et de la naissance, de
l'amour et de l'agression. Les religions néolithiques de la
nature, vouées au culte de la terre mère, expriment cette
fusion entre le monde du dedans et le monde du dehors.

Dans une conférence récente, Adrian Stokes fit remarquer que la contemplation de la nature favorise un retrait
libidinal par rapport à la réalité concrète. A mes yeux, la
déshumanisation de l'art occidental commença le jour où
la contemplation du paysage remplaça la représentation
du corps humain. L'arrière-plan indifférencié effaça alors
les acteurs humains et prit à leur place le rôle dominant. Il
ne restait plus dès lors, jusqu'à l'abstraction totale de l'art
moderne, qu'un pas relativement négligeable à franchir.

Si l'abstraction de la pensée scientifique moderne évoque
l'abstraction de l'art moderne, ce n'est pas une pure association psychologique : elle est due au même phénomène de dédifférenciation. Il faut répéter ici que sa « blancheur » et son
absence d'imagerie précise apparentes viennent uniquement
de la grossièreté de la focalisation consciente, incapable
de rendre justice à la richesse des images qui fourmillent

1. Art cycladique. Déesse
Mère Idole (*ca.* 3 000 ans av. J.-C.).
Sans tête ni membres, sa forme
de violon n'était certainement
pas abstraite pour ses adorateurs.
Collection R. Sainsbury.

2. Un pot de l'âge de bronze
(*ca.* xiiᵉ s. av. J.-C.) pouvait
soudainement pointer deux seins,
manifestant ainsi que le « ventre »
du pot représente en fait
un corps de femme. *British Museum.*

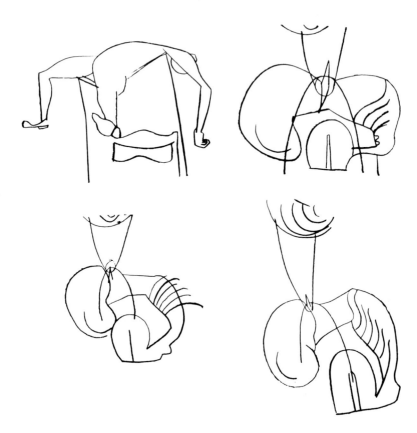

3. David Barton : variations sur le thème du « dieu mourant » (cours expérimental pour la formation à l'enseignement artistique au Goldsmith College, 1965). Fusion spontanée d'exercices constructivistes et de dessins de modèles en images d'autosacrifice (« le Suppliant vulnérable »).

4. *(Ci-contre.)* Eduardo Paolozzi : papier de plafond, sérigraphie pour les bureaux de Ove Arup et Associés, Londres (architectes : Alison et Peter Smithson). Paolozzi imprimait le papier en superposant des images semi-réalistes, un double profil, un insecte-avion et une grille architecturale. Il laissa les ouvriers coller les rouleaux de papier au hasard pour créer des assemblages « accidentels ». Paolozzi ne retoucha que quelques bavures.

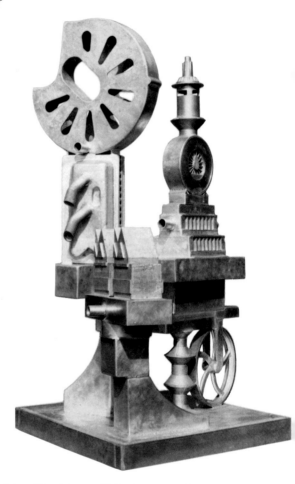

5. Eduardo Paolozzi : sculpture d'aluminium soudé. Vers un nouveau Laocoon.
Paolozzi tirait parti des accidents créateurs imposés par le moyen d'expression,
les instruments et les collaborateurs. Il commença par limiter de tels accidents.
Dans sa première série de sculptures d'aluminium, il préparait souvent des
diagrammes de travail précis qui devaient être exécutés avec la même précision
par des ingénieurs.

6. *(Ci-contre.)* Eduardo Paolozzi : sculpture d'aluminium soudé (série Médée).
Certains éléments étaient préfabriqués et assemblés spontanément sans l'aide d'esquisses
de travail précises. Les « jambes » de cette sculpture étaient faites à partir
d'anneaux tubulaires préfabriqués de diamètres différents, qui étaient ensuite
découpés et soudés pour donner ces jambes tentaculaires.

Distorsion réaliste

7. Détail d'un vase grec datant de la période de transition
entre la géométrie préclassique et le réalisme
classique. La distorsion est le résultat d'un rythme
linéaire libre prédominant sur un volume précis.
British Museum.

8. Détail d'un bas-relief égyptien qui représente
le pharaon hérétique Akhenaton en train de caresser
son enfant. Les distorsions linéaires sont extrêmes :
elles s'étirent en élongation chez le père et en écrase-
ment chez l'enfant. Il est évident qu'il n'y a là aucune
intention de caricature. *Staatliche Museen, Berlin.*

9. William Pitt le Jeune d'après les dessins satiriques de 1805 de James Gillray *(à gauche)*, d'un artiste français anonyme *(en haut à droite)* et de George Cruikshank *(en bas à droite)*. Il est remarquable que nous puissions reconnaître sans aucun effort le même visage, que ses traits soient oblongs ou écrasés. *British Museum.*

10. Paul Klee : *Ein Neues Gesicht* (Un Nouveau Visage). Les images que donne Klee de l'humanité semblent souvent proches de la caricature ou de la plaisanterie enjouée. Mais, dans cette aquarelle, le coulé unique d'une ligne unique donne l'image d'un « nouveau » visage bien réel. *Collection Karl Ströher.*
© *S.P.A.D.E.M., Paris, 1982.*

11. *(Ci-contre.)* Alberto Giacometti :
Homme assis. Du point de vue
de l'apparence abstraite, les peintures
de Giacometti ne ressemblent en rien à ses
sculptures filiformes. Elles reproduisent
cependant, les unes comme les autres,
le même type de gens. On ne parvient
donc pas au réalisme en s'alignant
sur des patterns abstraits. *Tate Gallery.*
© *A.D.A.G.P., Paris, 1982.*

12. Alberto Giacometti : *Femme debout.*
Giacometti a tenté d'atteindre la
vérité absolue. Ses sculptures très
allongées se vérifient si on accepte
que le *scanning* vertical peut se faire
rapidement tandis qu'il faut du temps
pour traverser l'épaisseur
de la silhouette. *Tate Gallery.*
© *A.D.A.G.P., Paris, 1982.*

13. *(Ci-contre.)* Détail d'un autoportrait de Rembrandt à Kenwood
House, où l'on voit une main qui
tient des pinceaux et une palette.
Ainsi isolées, les traces du pinceau
ne sont pas sans ressembler
à l'écriture fiévreuse du Tachisme.
Kenwood House.
Greater London Council.

14. *(En haut à gauche.)* Autoportrait
de Rembrandt (tableau entier).
Les mêmes traces de pinceau,
quand elles font partie d'un objet
total « syncrétique », semblent
cette fois représenter une silhouette
de façon très disciplinée. Mais il est
probable qu'elles ont perdu
de leur signification émotionnelle.
Kenwood House.
Greater London Council.

15. *(En haut à droite.)* Dürer, portrait
de Vilana Windisch. Comparée
à l'écriture de Rembrandt,
sa technique de dessin semble
maîtrisée et délibérée.
British Museum.

16. *(A droite.)* Isolées, les microformes
de la technique de Dürer révèlent
l'indépendance de leur signification
formelle et émotionnelle.
British Museum.

Congolese soldiers & officers

Feliks Topolski

17. Feliks Topolski : *Soldats et officiers congolais. L'art moderne* (Kandinski, Pollock) développe parfois les microformes abstraites de l'écriture pour en faire la composition principale. L'écriture généreuse de Topolski en vient presque à rompre le réalisme du dessin. Si nous n'y regardons pas de trop près, nous croyons discerner les doigts, les mains, les bras et l'équipement des soldats.

18. Jackson Pollock : *Dessin.* Si nous ne focalisons pas trop précisément et si nous saisissons le rythme total, les traces du pinceau prendront une vie plastique intense par elle-même, supérieure au réalisme de Topolski.
Collection de M. et Mme Brans, U.S.A., Marlborough Gallery, Inc. New York.

19. Braque : *Verre et Cruche*. L'œuvre a la simplicité propre à l'artiste ; elle représente uniquement une cruche et un verre. Si nous nous laissons aller, l'anse peut tout à coup se transformer en un profil classique, le fond derrière le profil devient une autre tête ou même deux têtes au-dessus l'une de l'autre, entourées par une forme blanche saillante qui déborde le rebord de la cruche. Il pourrait s'agir d'un personnage tenant une palette et un pinceau. Est-ce un autoportrait ? Braque avait-il conscience de ces complexités ?
Collection privée. © A.D.A.G.P., Paris, 1982.

20. *(Ci-contre.)* Bridget Riley : *Courbe Rectiligne* (détail d'une partie supérieure). Le détail fournit un exemple simplifié du maniement de l'espace pictural mobile chez Bridget Riley. Les triangles au bord du dessin sont relativement stables et plats ; l'aire centrale (éblouissante) s'anime d'une tension perceptuelle, résiste à la focalisation et produit des oscillations plastiques.

21-23. Maurice Agis et Peter Jones :
Clôture et ouverture de l'espace.
Sélection de diagrammes tirée d'un cahier
sur le développement d'un langage spatial
à « trois dimensions » (limité aux lignes,
aux rectangles et aux mouvements
rectangulaires) pour la construction
d'aires spatiales actives en rapport
avec l'échelle humaine. Le langage formel
illustré ici émane d'expériences pratiques
faites avec des panneaux et des tiges
de couleurs à l'intérieur d'un espace
architectural donné. L'effet dynamique
de la couleur sur l'espace actif
est le principal sujet des expériences
mais malheureusement il ne se prête pas
à la reproduction photographique.

1. *Trois directions* de l'espace délimitées par trois carrés de même taille avec un seul axe commun. Les diagrammes 2 à 6 sont des développements de cette position de base (bien des développements intermédiaires sont omis).
2. Un carré quitte l'axe dans une direction (latéralement).
3. Un carré quitte l'axe dans deux directions (latéralement et vers le haut).
4. Deux carrés se séparent (latéralement) à partir d'un seul axe; le troisième demeure statique.
5. Un carré se déplace vers le haut, un autre latéralement, le troisième demeure statique.
6. Tous les carrés se déplacent également à partir du même axe commun dans trois directions produisant ainsi deux mouvements rectangulaires à l'intérieur de leur propre plan.
7. *Trois directions* de l'espace délimitées par trois rectangles de taille égale rattachés à deux axes.
8. Deux rectangles se déplacent latéralement, rompant leur axe par un déplacement supplémentaire vers l'intérieur.
9. *Trois directions* de l'espace délimitées par trois rectangles de même taille ayant un seul axe commun, comme dans la position 1. Les diagrammes 10 à 15 se développent à partir de cette position de base.
10. Comme précédemment : mais deux des rectangles changent de direction, tandis que le troisième demeure statique.
11. Un rectangle se déplace en arrière, un autre latéralement; le troisième demeure statique.
12. Comme précédemment, mais le rectangle de gauche change de direction.
13. Comme la position 9, un rectangle se déplace latéralement à partir de l'axe (correspond à la position 2).
14. Correspond à la position 5.
15. Correspond à la position 6.
16. *Trois directions* de l'espace développées à partir d'une silhouette humaine comme axe.
17. Délimité par trois lignes (espace clos); une ligne doit se regarder verticalement.
18. Délimité par trois lignes (espace ouvert).
19. Deux carrés ayant un rapport symétrique à angles droits avec deux lignes qui les pénètrent symétriquement à angles droits.
20. La même chose mais avec des lignes qui les pénètrent *asymétriquement.*
21. Deux carrés ayant un rapport *asymétrique* avec deux lignes qui les pénètrent symétriquement.
22. La même chose mais avec des lignes qui les pénètrent *asymétriquement.*
23. Deux carrés ayant un rapport *asymétrique* avec deux lignes parallèles libres dans un espace ouvert.
24. Comme la position 22, avec une troisième ligne pour compléter les *trois directions ;* on a l'impression que maintenant la pénétration des carrés constitue un espace clôturant.
25. Deux rectangles qui ont un rapport asymétrique à angle droit avec deux lignes qui les pénètrent asymétriquement; ici on a l'impression que la pénétration constitue un espace ouvrant.
26. Comme précédemment mais les rectangles changent de direction, clôturant ainsi l'espace (vue d'un angle différent).
27. Espace clos comme précédemment, mais l'un des rectangles est tourné latéralement (vue d'un angle différent).
28. *Trois directions* délimitées par trois rectangles avec trois lignes qui les pénètrent et clôturent l'espace.
29. *Trois directions* délimitées par trois rectangles avec des lignes pénétrantes comme précédemment, mais ouvrant l'espace.
30. *Trois directions* délimitées comme précédemment mais avec une silhouette humaine comme axe.

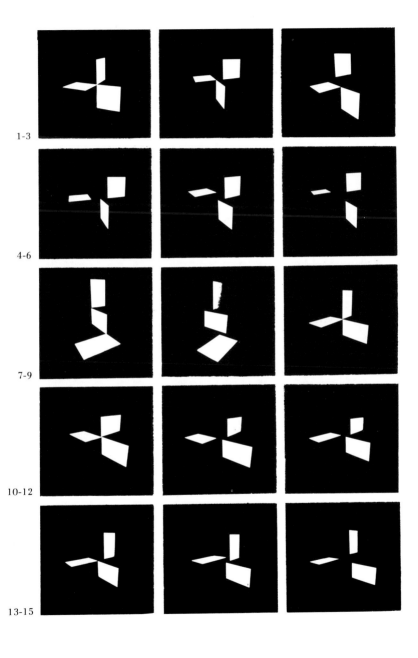

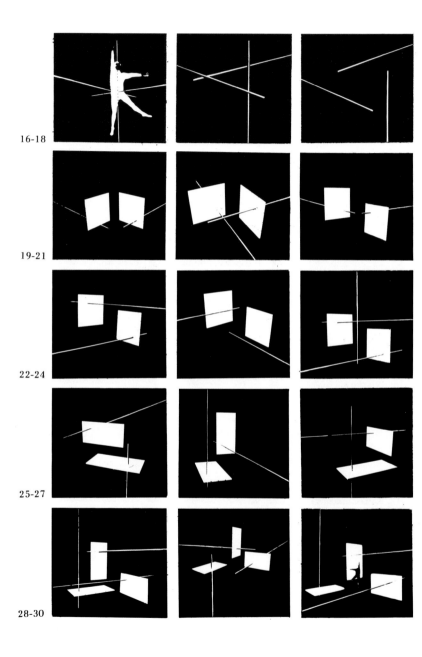

16-18

19-21

22-24

25-27

28-30

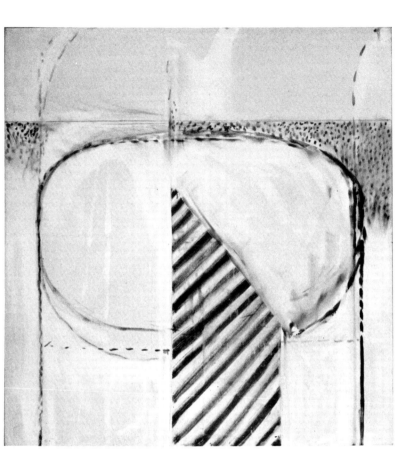

24. Peter Hobbs : *Espace Formel pour Diogène n° 4*. (Environ 1,80 m de haut.)
Cette peinture diagrammatique s'attaque à un conflit structurel entre l'espace
interne et l'espace externe. Une boîte *cylindrique* contient un espace intérieur
qui peut avoir, pour Hobbs, une qualité métaphysique; elle est reliée à l'extérieur
par une aire rayée de localisation incertaine. Les rayures sont plates
et accentuent le plan du tableau. Mais elles mènent aussi à l'intérieur de la boîte
tout en s'en échappant. De tels conflits spatiaux sont un des thèmes majeurs
de l'art moderne contemporain.

26. Fritz Wotruba : *Figure de femme étendue.*
Malgré son utilisation d'éléments cubistes, Wotruba a toujours travaillé dans
une tradition classique méditerranéenne. Les membres de la femme sont disséminés
mais elle exprime aussi l'intégralité et peut-être également l'idée de la renaissance.
(Wotruba fit cette sculpture après la mort de sa première femme.)
Collection M. Mautner Markhof.

25. *(Ci-contre.)* Picasso : *Portrait de Vollard.* Paradoxalement, le calme du visage
n'est pas altéré mais au contraire renforcé par l'espace cubiste brisé qui l'entoure.
La fragmentation cubiste se rapproche dangereusement de l'art psychotique.
Mais tandis que les brisures de l'art psychotique demeurent isolées, la fragmentation
cubiste est résolue par une « cohérence de la profondeur » qui appartient
à un niveau plus profond d'expérience. *Musée d'Art moderne, Moscou.*
Photo Editions Cercle d'Art. © *S.P.A.D.E.M., Paris, 1982.*

27. *(A gauche.) Dormition de la Vierge*, détail d'une icône byzantine.
C'est la plus sacrée de toutes les icônes : le fils redonne naissance à sa mère morte ;
le Christ se tient en majesté devant le lit funèbre de sa mère et berce son âme
qui a pris la forme d'un enfant. L'icône inverse l'image occidentale
de la *Pietà*, où la mère berce son fils mort. *Byzantine Institute, Inc.*

28. *(A droite.)* Michel-Ange : *Pietà Rondanini*. Michel-Ange en vient presque
à inverser l'image traditionnelle. Le Christ mort semble porter sa mère ;
elle aussi erre à la limite de la vie et de la mort. *Photo Alinari.*

29. Henry Moore : *Tête de casque n° 5*. En creusant ses formes de mère, Moore
a créé un espace intérieur qui paraît plus grand et plus fort que la pierre dans
sa masse. Ses dernières œuvres dérivent vers la forme ou la tête viriles, tout
en gardant le même symbolisme utérin. La cavité creusée dans le casque
phallique est plus puissante que sa carapace extérieure.
Marlborough Fine Art Ltd.

30. Détail du plafond de la Sixtine par Michel-Ange. Le thème en est incertain. Nous l'intitulons « Dieu partage la lumière et les ténèbres » ; les contemporains de Michel-Ange lui donnaient la signification hérétique du dieu s'autocréant comme s'il se délivrait lui-même de son propre utérus. La même fusion des pouvoirs mâle et femelle se répète dans les *ignudi* qui entourent le panneau. *Photo Alinari.*

autour d'un concept scientifique abstrait. Ici encore, leurs contradictions mutuelles s'annuleront réciproquement et deviendront « blanches » dès que nous dirigerons sur elles le foyer d'une attention consciente. C'est un phénomène semblable qu'on peut aussi observer dans l'élaboration secondaire d'un rêve « blanc ». Nous nous rappelons le rêve originel comme net et bien délimité. Mais, pour peu qu'en passant du sommeil à la veille nous cherchions à nous accrocher à cette vision, nous voyons apparaître, avec un sentiment de gêne, certaines contradictions et percevons que son cadre trop vaste renfermait plusieurs éléments incompatibles entre eux, qui se refusent maintenant à se laisser saisir dans un foyer étroit. A mesure que nous accommodons le foyer d'une attention pleinement éveillée sur l'image vague, celle-ci recule pour disparaître éventuellement dans un brouillard blanc. Si, cependant, après des essais avortés de mémorisation précise, nous relâchons notre attention, en ne laissant qu'une petite ouverture à son foyer étroit, alors, comme venu de nulle part, le rêve narquois, un peu mieux délimité dans ses contours, nous offre parfois une brève apparition pour s'évanouir à nouveau dans la « blancheur », au moment même où, repris par l'espoir, nous accommodons sur lui notre œil intérieur.

Un concept abstrait, s'il est doué d'une puissance réelle, présente la même vacuité pleine. Henri Bergson a décrit l'intuition comme la faculté de visualiser plusieurs images incompatibles occupant le même point dans l'espace. Dans la véritable intuition, la différenciation normale du temps et de l'espace est suspendue, permettant une interpénétration libre des événements et des objets. Une telle intuition est nécessaire pour surmonter toutes les contradictions et les inconséquences que présentent encore nos images fragmentées du monde. Ainsi pour créer l'ordre dans le chaos, le savant extrait des choses ou des concepts fragmentés, éventuellement incompatibles, une propriété ou un dénominateur communs et les transforme en un concept abstrait unifiant. Tandis que se poursuit cette recherche d'une unification de l'incompatible, le penseur doit maintenir en une unique vue compréhensive les entités incompatibles. Cette « vision d'ensemble » d'une constellation d'images et de concepts fragmentés implique un haut degré de dédifférenciation presque océanique, de la même manière que l'abstraction dans l'art exige une matrice indifférenciée. Un nouveau concept abstrait semble à première vue vide de toute imagerie mentale, mais vide uniquement, comme peut apparaître vide un rêve « blanc », d'être fait d'une image subliminale, alors qu'il est en fait tout plein d'une fantasmatique inconscience. Je ne veux ici parler, bien sûr, que de cette abstraction véritablement créatrice qui a encore assez de puissance pour engendrer de nouvelles idées et de nouvelles recherches. L'abstraction scientifique diffère d'une généralisation vide comme l'art abstrait puissant diffère de l'ornement vide. Un concept abstrait fécond repose, à un niveau inconscient, sur une multitude d'images incompatibles qui lui ont donné naissance en premier lieu et se sont effacées réciproquement en remontant à la conscience au moment où s'y appliquait son foyer plus étroit.

La « blancheur » d'un concept abstrait est, dès lors, l'œuvre du processus secondaire. Sa richesse cachée dépend de la souplesse du moi créateur. La conscience doit laisser le concept abstrait sombrer dans sa matrice inconsciente pour chercher de nouvelles connexions dans une unité nouvelle avec d'autres concepts et d'autres idées qui sont indifférenciés comme lui.

Les périodes de transition permettent plus facilement de discerner ce besoin de voir « ensemble » les incompatibles : la science y est encore à la recherche de nouveaux modèles pour concilier les contradictions et les inconséquences qui existent encore. Un physicien de mes amis, Ernest Hutten, me donna un jour un exemple hypothétique d'une vision « abstraite » capable de réconcilier des images inconséquentes. Deux modèles contradictoires visualisent aujourd'hui la lumière : on la conçoit ou bien comme un mouvement ondulatoire, ou bien comme un courant de corpuscules solides. Selon Hutten, un physicien de l'avenir doué de pouvoirs supérieurs d'abstraction pourrait n'éprouver aucune difficulté à individualiser la lumière dans les termes d'un nouveau modèle qui ne serait ni ondulatoire ni corpusculaire, mais les deux à la fois. Pour une vision inconsciente avec son pouvoir illimité de dédifférenciation, une telle image ne présenterait aucune difficulté. Mais le processus secondaire ne peut pas encore transformer cette structure sérielle fuyante en une abstraction fondée sur un *scanning* discipliné de ses transversales complémentaires, qui transcendent les distinctions actuelles. Tant que nous n'avons pas atteint ce haut degré d'abstraction, une image qui est à la fois ondulation et corpuscule nous semble aussi abstruse que le monde indifférencié de l'enfant.

Chez l'enfant, l'éveil des pouvoirs d'abstraction coïncide avec le plein assaut de la latence autour de la huitième année. A partir de là, la poussée sexuelle et le développement physique des organes restent en sommeil jusqu'à l'assaut de la puberté. Freud fut le premier à attirer l'attention sur le sort particulier qui est fait à l'homme de devoir s'y prendre à deux fois pour atteindre la maturité sexuelle : une tentative avortée durant la petite enfance, et une seconde, réussie, à la puberté. Aussi fit-il l'hypothèse d'une éventuelle crise sexuelle préhistorique qui aurait forcé l'humanité à repousser sa maturité primitive à la fin de l'enfance, ce qui correspond à l'âge où les animaux proches de l'homme deviennent adultes.

Il a fallu attendre une date récente pour qu'on mesure pleinement les pouvoirs de la pensée abstraite que l'assaut de la latence libère pour l'enfant. On pensait auparavant — à tort — qu'un jeune enfant était incapable de manier des concepts et des symboles abstraits et que, par exemple, l'emploi des symboles abstraits en mathématiques n'était praticable qu'après la puberté. Il n'en est rien. L'enfant peut traiter des symboles abstraits en leur accordant la même réalité qu'aux choses concrètes. C'est un fait établi que dans l'enfance, son syncrétisme est encore entièrement concret. Il est différencié certes, mais non pas abstrait, ce qui semble abstrait dans l'art de l'enfant est, pour lui, tout à fait concret. Ce gribouillage circulaire, par exemple, c'est toute sa mère. Seule l'apparition de la vision analytique autour de sept ou huit ans apporte le pouvoir d'abstraction et aussi, du même coup — ce qui a la plus grande importance théorique —, une diminution d'intérêt pour les objets concrets. On pourrait dire que la latence de la poussée sexuelle diminue aussi les intérêts libidinaux que l'enfant prend aux objets en général et permet ainsi l'éveil de l'abstraction. M. et Mme K. Mines, deux jeunes professeurs londoniens de beaux-arts, surent faire de ces possibilités nouvelles une exploitation très riche et passionnante. Ils furent assez bien inspirés pour pousser à leur limite les possibilités de la vision analytique nouvelle. Ils initièrent les enfants directement aux techniques du réalisme de la Renaissance, et suggérèrent à leurs élèves de huit ans de se servir d'un viseur pour cadrer des patterns semi-abstraits découpés de leur contexte par le cadre du viseur. Les objets ainsi découpés devenaient souvent méconnaissables en eux-mêmes et se fondaient avec des parties de l'arrière-plan en mélanges fantastiques. La diminution de l'intérêt libidinal de l'enfant pour la réalité concrète devient ici un avantage. Ce type d'enseignement a au moins le mérite de convertir le manque en profit. Si l'enseignement dispensé en maternelle avait su encourager l'ancienne vision syncrétique de la réalité avant l'assaut de la latence, les jeunes enfants auraient appris à faire correspondre leur intérêt libidinal pour les objets concrets, encore intense à ce moment-là, avec ces belles formes puissantes et ces couleurs saturées, qui avaient de toute façon leur préférence. S'ils avaient alors reçu une formation esthétique, le début de la latence serait impuissant à ternir chez l'enfant la fraîcheur de son sens des couleurs, ou à scléroser l'audace de ses formes. M. et Mme Mines, en tirant le meilleur parti des pouvoirs abstraits de l'enfant pendant la latence, pouvaient au moins le fortifier contre la seconde crise, éventuellement plus nuisible, de la puberté, qui vient souvent interrompre tout travail artistique. On fait peu pour soutenir, pendant la prépuberté de l'enfant, sa spontanéité affaiblie quand on s'obstine sans réfléchir à encourager la libre expression-de-soi ; et on ne fait rien pour le préparer au choc imminent de la puberté. L'expression-de-soi, si l'enfant la pratique encore, doit se tarir quand elle en vient à exprimer les fantasmes sexuels confus de l'adolescent. Les objets sont ici à nouveau, comme dans l'enfance, investis d'une libido pressante qui recherche l'objet concret plutôt que le pattern abstrait. Nous savons pourtant que l'adolescent ne peut pas trouver de forme assez puissante pour organiser les poussées qui le pressent. Ses poèmes d'amour sont — on le sait bien — laborieux et sans originalité. Ce dont l'enfant a besoin — et c'est ce que faisaient M. et Mme Mines —, c'est d'apprendre, dans sa prépuberté, à exercer un contrôle intellectuel qu'il puisse alors opposer à la ruée nouvelle de la libido sexuelle. Dans l'état actuel des choses, l'éducation artistique n'est qu'une suite de faux pas. L'enseignement secondaire, dans les premières années, ménage encore à l'enfant l'occasion de s'entraîner à un dessin stimulant (par exemple, par l'usage du viseur d'encadrement). Armées d'un contrôle intellectuel de ce type, les adolescentes confiées à Mme Mines introduisirent peu à peu dans leurs patterns abstraits une coloration érotique croissante. La préoccupation nouvelle de leur coquetterie physique rejoignait l'intérêt qu'elles commençaient à trouver à faire des dessins plus séduisants. Des garçons feraient spontanément, j'imagine, dans leur propre dessin, une part à leur mythologie adolescente de puissance de vitesse et d'exploration de l'espace. La puberté, loin d'être pour l'imagination de l'enfant un nouvel éteignoir, pourrait ainsi leur assurer un intérêt renouvelé pour la réalité concrète et redonner du tranchant aux dessins usés de la prépuberté.

Nous avons tendance à sous-estimer constamment les capacités intellectuelles des enfants, comme nous le faisons pour l'intellect des animaux. L'éducation artistique ne cesse de gaspiller toutes les occasions offertes par les dérives périodiques entre le syncrétisme libidinal et l'abstraction formelle, faute de pouvoir cerner les progrès alternés de ces formes de sensibilité. La même faute se répète à tous les stades : on échoue à exercer l'attention et le contrôle intellectuels, tout particulièrement dans les premières années quand le syncrétisme est à son maximum ; mais on ne réussit guère mieux quand s'éveillent les pouvoirs d'abstraction autour de huit ans. L'enseignement mathématique a longtemps refusé de créditer les enfants de cet âge de la capacité à user des symboles mathématiques abstraits. Il devient pourtant évident aujourd'hui que les enfants se mettent avec le plus grand naturel à l'usage des symboles abstraits, et les dotent d'autant de réalité que les objets concrets. De la même manière, le parcours suivi par l'éducation artistique contemporaine est une voie royale semée d'occasions manquées.

On peut distinguer deux aspects dans l'abstraction : son côté *ça*, qui est représenté par le retrait libidinal à l'écart des objets concrets, son côté *moi*, représenté par la dédifférenciation inconsciente ; les objets concrets sont dépouillés de leur individualité et fusionnent — à un niveau inconscient — avec d'autres images également indifférenciées. Le syncrétisme travaille en sens inverse. Il va droit aux indices « physionomiques » qui évoquent les objets concrets et il ignore les patterns abstraits non caractéristiques qui sont communs aux autres objets. C'est pourquoi le jeune enfant ne se soucie pas de la ressemblance et de la différence de l'apparence abstraite — sans que pour autant son indifférence exclue l'appréciation esthétique. Or, entre différentes représentations syncrétiques existent des différences profondes de qualité, auxquelles on pourrait facilement sensibiliser le jeune enfant. Ses derniers dessins, ceux qu'il exécute autour de ses huit ans, sont plus généralisés et — dans cette mesure — abstraits. Le principe de la gestalt tend à effacer les petites différences individuelles. Quand on dessine un portrait, on perd beaucoup à ne dessiner les traits du visage qu'en termes de formes abstraites, et à risquer ainsi de laisser passer les indices individuels. J'ai déjà expliqué que les portraitistes ont leurs propres astuces pour corriger l'effet régularisant du principe conscient de la gestalt : il leur arrive, par exemple, de projeter des formes animales dans un visage humain et même des paysages entiers qui ont une « physionomie » définie. C'est une façon d'avoir recours à la vision syncrétique jusque-là négligée, et à sa plus grande sensibilité à l'unique et à l'individuel. Dessiner des patterns de gestalt abstraite va à l'encontre de notre intérêt libidinal, qui se porte habituellement sur la forme individuelle des objets réels et tend vers une généralisation non caractéristique.

Il y a des siècles, en fait, que l'art a commencé à fuir la réalité concrète, par cet extrême retrait libidinal qu'entraîne l'art abstrait, et qui ne se déclare ouvertement qu'aujourd'hui. Dans mon livre, *The Psycho-analysis of Artistic Vision and Hearing* [5], j'ai suggéré que le réalisme de la Renaissance ne portait pas un intérêt réel aux propriétés objectives des objets individuels. L'ancienne peinture égyptienne, elle, représentait les objets avec leurs propriétés exactes, par exemple des bras et des jambes d'une égale longueur, ou leurs couleurs locales naturelles, etc. Mais les peintres de la Renaissance se retirèrent de la réalité objective pour se réfugier dans une introspection narcissique (regard intérieur) de leurs sensations subjectives. L'objet individuel ne les intéressait plus guère pour ses propriétés, mais pour ses effets de perspective, quand on le regardait d'un point particulier; ou encore pour les distorsions de sa couleur locale, provoquées par des accidents d'éclairage, qui en plongeaient à l'occasion la plus grande partie dans une ombre profonde et impénétrable. Au siècle dernier, l'Impressionnisme s'attaqua enfin à la constance de la couleur locale au profit d'un libre jeu de la couleur qui dissolvait toute frontière précise entre les objets.

Si l'on veut étudier ses propres sensations subjectives, on doit oublier son intérêt pour la forme, le ton et la couleur réels, et regarder la scène extérieure comme s'il s'agissait déjà d'une toile à deux dimensions. Faute de quoi, ce qu'on appelle les constances perceptives normales viendra contrebalancer les distorsions accidentelles de la perspective, du clair-obscur et de l'éclairage de plein jour, pour nous donner une conscience immédiate des dimensions, du ton et de la couleur vrais. Par exemple, nous savons immédiatement que toutes les assiettes à soupe qui figurent sur la table sont en réalité circulaires, même si leur projection les réduit à des ellipses de toutes sortes. Nous ne doutons pas davantage que les deux bras d'une silhouette aient la même longueur, dût la perspective faire paraître plus court l'un des deux. Seul un détachement émotionnel, ce qui revient pratiquement à une dépersonnalisation, nous permettra de surmonter cette constance des objets et d'y voir des patterns à deux dimensions en perpétuel changement. En ce sens, on peut dire que la Renaissance avait déjà inauguré cette tendance à l'abstraction.

Il y avait, d'ailleurs, d'autres symptômes inquiétants. L'objet qui présente pour nous la plus grande importance libidinale est en réalité, bien sûr, un autre être humain et l'humanisme, dans l'art, ne cesse d'exalter l'importance de l'apparence humaine. Or, la récession progressive de cette importance au travers des siècles préfigurait l'anti-humanisme de l'art moderne, et en particulier de l'art abstrait. La montée du « paysage » avait déjà remplacé l'humanisme comme sujet principal de l'art.

C'est une de mes amies, Mme O. M. Bell, qui m'a suggéré que Wordsworth, qui était contemporain de Constable, avait besoin de la contemplation de la nature pour échapper à l'attachement qu'il éprouvait pour sa sœur Dorothée. Il arrive dans ses poèmes — c'est le cas dans « On Nature's invitation do I come » — que la beauté de la nature et celle de sa sœur deviennent indiscernables. Avec son mariage, il trouva une autre échappatoire à son attachement; son génie poétique commença dès lors à se flétrir pour aboutir au prosaïsme de ses vieux jours. Sa tragédie personnelle se trouva coïncider avec une phase particulière du long processus de retrait libidinal qui a affecté l'objet. Arnheim écrivit un jour qu'un peintre du XIXe siècle qui pouvait choisir pour sujet, sans préférence particulière, une Madone ou un chou — pourvu qu'il y trouvât matière à exercer ses dons picturaux — était déjà, en fait, un artiste abstrait. Pour ma part, je déteste le terme impersonnel de « modèle » pour décrire un corps humain; modèle de quoi? de dessin? Dans les écoles, il est proscrit d'associer la nudité du modèle à une personne individuelle. L'étudiant doit s'élever au-dessus de toute implication émotionnelle dans la femme nue en tant que personne; on l'encourage à en étudier la forme abstraite avec le détachement dépersonnalisé d'un artiste véritable. Quelle dégradation pour un être humain vivant! Voilà pourquoi il faut aujourd'hui supprimer le nu de nos écoles des beaux-arts. C'est devenu un exercice sans âme où la séduction du modèle n'intervient guère. On supposait jusqu'ici qu'il améliorait la technique de l'étudiant.

La raison en est bien difficile à percevoir. On prétend, bien sûr, que l'intérêt émotionnel que porte un être humain à l'un de ses semblables aiguisera sa sensibilité formelle. Ce qui a dû être vrai dans des temps très anciens. Mais aujourd'hui, notre détachement émotionnel vis-à-vis de la réalité est allé trop loin et tous les modèles vivants du monde auront bien du mal à ressusciter une implication véritable dans la réalité. L'attaque sans merci qu'a menée l'art contre notre implication libidinale dans la réalité a fini par aboutir à l'attaque autodestructrice de nos propres fonctions de surface, celles qui assurent notre lien avec la réalité extérieure. S'il veut fuir cette impasse, l'art doit trouver d'une manière ou d'une autre une reconnexion avec l'intellect dissocié, et aussi une implication dans les objets réels qui peuvent susciter en nous l'amour ou la haine.

On peut penser que seul le désir naïf de saisir la ressemblance permanente d'un objet cher et de le préserver pour l'éternité serait assez fort pour venir à bout de ce dessin désert qui s'inspire de modèles et de natures mortes; il n'y faudrait rien de moins que l'indifférence du jeune enfant pour le détail esthétique, et sa précipitation impulsive vers la totalité syncrétique. Nous devrions en être capables sans avoir à passer par une disruption des patterns, et en faire plutôt la recherche positive, constructive, d'un équivalent syncrétique fidèle. L'histoire de l'art moderne compte ainsi un certain nombre de tentatives syncrétiques diverses. Picasso, par exemple, pouvait détruire toute ressemblance analytique du détail formel abstrait, tout en obtenant par l'imbroglio de ses portraits une bonne ressemblance syncrétique. Matisse, dans sa première période fauve, distordait librement la couleur locale sans rien perdre d'une couleur naturaliste, dans un tout global syncrétique. Mais — et c'en est le point faible — nous continuons à ressentir douloureusement le gauchissement imprimé à notre forme abstraite et analytique de sensibilité. La distorsion de la forme abstraite blesse encore et, comme une caricature, attaque l'objet, au lieu de le préserver. Il est regrettable que Dubuffet ait lui-même donné le nom d' « art brut » à son premier art syncrétique, terme qui évoque la signification du mot « Fauves » — bêtes. Être bestial et brut, attaquer et fragmenter la beauté de la forme et de la couleur, voilà donc qui coïncide encore avec l'esprit authentique de cette autodestruction que déchaîne l'art moderne

On ne peut plus trouver ce besoin naïf d'équivalents libres que dans l'art populaire, les graffiti et les dessins des urinoirs. Ceux-ci trouvent leur inspiration dans la pulsion humaine la plus forte qui puisse nous pousser vers un objet, c'est-à-dire l'amour sexuel. La faim est aussi un instinct très puissant. On dit que la calligraphie merveilleuse des dessins des cavernes préhistoriques s'inspire du rituel magique des chasseurs de l'âge de pierre qui s'efforçaient ainsi d'accroître la fécondité de leur gibier dans les périodes de disette. La liberté de ces dessins ne fait pas la moindre place à une quelconque distorsion délibérée ou maniériste, sans être pour autant, en aucune façon, une copie analytique précise. Les considérations purement esthétiques n'ont pu jouer que très peu dans la décoration de certains des renfoncements cachés de ces cavernes. On la trouve souvent éparse, superposée sur toute la surface des parois, sans égard apparent au résultat esthétique, tout en étant très attentive aux saillies et aux creux à trois dimensions des parois. Sir Herbert Read [25] oppose le principe de leur vitalité sauvage (syncrétique) à la beauté canonique (analytique) de l'art abstrait que caractérisera plus tard le néolithique. La vision analytique semble alors l'avoir enfin emporté sur l'ancien syncrétisme indifférent, tandis que le syncrétisme enfoui de l'art des cavernes, ou du moins son ombre, émerge chaque fois que cède l'empire de l'abstraction analytique. Sir Herbert retrouve une réminiscence de la liberté des animaliers paléolithiques dans cette brève transition qui a suivi, dans la peinture du vase grec, la géométrie sévère de la période archaïque. Des formes animales étrangement étirées dessinent des boucles et des volutes entre les vestiges d'ornements abstraits (pl. 7). Personne, à ma connaissance, n'a jamais cherché à expliquer la fluidité de leurs formes par des influences de style, par exemple par les sculptures animalières sibériennes. Leur liberté ne donne aucunement le sentiment d'une recherche maniériste. Elle a cette innocence inconsciente de la distorsion libre au service de l'objet, que nous avons nous-même perdue.

Un intermède de syncrétisme parallèle à celui-ci — peut-être même encore plus passager — est venu interrompre en Égypte la tradition fermement établie d'un art formalisé. On assista à l'irruption d'une vitalité caricaturale à travers la barrière millénaire d'un canonisme scrupuleux. Je me réfère ici aux réformes du roi hérétique Akhnaton, qui encourageait les artistes de sa cour à représenter son visage névrosé avec une distorsion presque cruelle. Les scènes peintes étaient destinées à communiquer la sérénité et le contentement; elles représentent, par exemple, le pharaon avec sa famille réunie au foyer (pl. 8). On ne peut imaginer que les artistes aient osé ainsi distordre les traits de leur roi divin intentionnellement — dans un but agressif —, mais on peut supposer qu'un art populaire informel (dont aucun exemple ne nous resterait) a eu la liberté de s'immiscer dans l'art officiel de la cour. Seule, en effet, une approche naïve de ce type aurait pu inspirer aux artistes l'audace d'une distorsion inconsciente. Mais nous, qui venons plus tard, ne pouvons plus malheureusement lire leur œuvre que comme une caricature. Voilà bien notre infortune. Une telle spontanéité syncrétique se perd facilement, et ne peut donner lieu à une tradition qui puisse s'enseigner. La Grèce classique semble bien avoir hérité un peu de cette liberté de trait. A juger d'après l'incomparable légèreté de touche dont faisaient montre ses sculpteurs en découpant dans le marbre le tombant des draperies, nous pouvons prêter à sa peinture, qui n'a pas survécu, une aussi grande légèreté du trait. On trouve encore, dans certaines peintures murales hellénistiques, par exemple celles de Doura Europos, ou dans les plus anciennes fresques romanes et byzantines, des traces de cette ancienne liberté de trait qui persista jusqu'à ce qu'enfin — dans l'Occident du moins — la rigueur analytique de la Renaissance vienne étouffer la tradition classique. Il peut paraître paradoxal que les artistes de la Renaissance, avec tout leur désir de ressusciter l'esprit classique, aient en fait rompu le fil qui reliait encore le monde occidental à l'art libidinal de l'antiquité. Mais l'imitation consciente détruit souvent le sens de l'original.

Et il n'y aucun espoir que nous, qui venons après, puissions renouer ce fil en comptant simplement sur notre désir de renouveler une tradition perdue. Il serait temps d'abandonner toute tentative délibérée de regagner notre innocence en copiant l'art enfantin, primitif ou préhistorique. Je croirais volontiers que notre désir de l'objet devra croître encore pendant un certain temps jusqu'à ce qu'arrive enfin un grand artiste pour le satisfaire et nous montrer la voie. L'aspiration métaphysique à un espace pictural qui serait réellement donneur et valorisateur de vie (et qui tiendrait inconsciemment lieu d'utérus fécond) se révélera peut-être un stimulus aussi efficace qu'un érotisme libidinal plus direct. Peut-être un alliage, qui mêlerait le sublime au

sexuel le plus cru, se révélera-t-il assez puissant pour
ébranler notre sensibilité syncrétique endormie. Qui est
aujourd'hui assez bien placé pour parler de l'avenir? Sir
Karl Popper a fustigé toutes ces tentatives d'un mépris
sans mesure. Mais il est bien légitime de chercher à analyser
les courants qui peuvent aujourd'hui indiquer un futur
inconnaissable. C'est par leurs objectifs statiques dans le
futur qu'on peut le mieux décrire les développements
dynamiques. Notre langage quotidien manque du vocabulaire nécessaire pour décrire des processus dynamiques
comme les besoins, les poussées et les courants inhérents
à une situation historique donnée. Karl Marx a donné une
description très précise des facteurs économiques et sociaux
déterminants à son époque, en prédisant une situation
future qui verrait les travailleurs paupérisés exproprier
les derniers survivants du capitalisme des monopoles. Il
est désormais très improbable que les choses en viennent
là. Il n'en reste pas moins que l'utopie de Karl Marx vaut
encore aujourd'hui comme analyse très juste des principaux courants qui régnaient à son époque. En suivant cette
voie, je me hasarderai à suggérer que nous venons de voir
s'achever un mouvement cyclique qui tendait à l'abstraction, à la dédifférenciation, et à l'affaiblissement de l'intérêt
libidinal, et qu'un nouveau courant en sens contraire,
menant à un nouveau syncrétisme et à un nouvel amour de
l'objet, semble bien aujourd'hui se dessiner. Je ne voudrais
ici qu'exprimer la frustration et la déroute ambiantes,
la fatigue de répondre à ces gauchissements autodestructeurs, toujours plus poussés, qu'on inflige à notre sensibilité consciente, l'usure des thèmes d'agression et de mort
exploités jusqu'à l'abus, l'échec de l'art abstrait à produire
autre chose que des ornements à deux dimensions, et la
déperdition constante d'un espace pictural dynamique.
Mon unique ambition est de donner ici la parole à cette
soif qui gagne d'une forme d'art encore à naître, à ce désir
ardent, qui n'en devient que plus douloureux d'être tourné
en dérision par l'affectation stérile d'un art abstrait académique.

CHAPITRE X

L'exercice de la spontanéité
par la médiation de l'intellect

Le vieux culte de la libre expression-de-soi traîne encore dans les écoles des beaux-arts; mais il a largement épuisé ses capacités à stimuler l'imagination de l'étudiant. Il fut un temps en effet où le slogan de la libre expression-de-soi eut un rôle libérateur, sur la lancée des aspirations romantiques et plus tard dadaïstes, qui piaffaient contre les conventions et les restrictions imposées de l'extérieur. L'individu se mesurait alors contre la société. En disruptant et choquant les réactions conventionnelles, il libérait en lui-même une sensibilité fortement individualisée et prometteuse. Mais par l'effet d'un de ces revirements ironiques (dus au processus secondaire) dont l'art moderne est coutumier, l'expression-de-soi est devenue aujourd'hui un devoir social, imposé de force à l'étudiant par le professeur, les parents ou même, aussi bien, par le public. Par une ironie plus grande encore, il est des étudiants pour ressentir, par conséquent, un profond soulagement si on leur dit qu'ils n'ont pas besoin d'exprimer leur personnalité, et que toute tentative laborieuse en ce sens est vouée à l'échec. Voilà une situation qui aurait ravi les Dadaïstes, eux qui ont toujours refusé de se laisser enfermer dans un énoncé ou un style définitifs, sachant bien que leurs maximes perdraient tout leur sens à être formalisées. C'est exactement ce qui s'est produit. L'expression-de-soi individuelle est devenue une nouvelle convention sociale, et si nous devions aujourd'hui formuler une nouvelle maxime pour remplacer la platitude de la libre expression-de-soi, ce serait la demande opposée. Au lieu de s'épuiser à vouloir découvrir son soi intérieur, l'étudiant devrait se consacrer à l'étude objective du monde extérieur. Les facteurs objectifs, parce qu'ils sont les plus distanciés du soi intérieur, sont plus aptes à jouer le rôle d' « accidents » étrangers et à entraver ainsi les clichés préconçus et défensifs. Ils pourront par là ouvrir l'accès des parties cachées de la personnalité, qui sont devenues étrangères à la personnalité inconsciente. La « distanciation » froide doit dès lors remplir la fonction qui était jadis réservée à l'expression-de-soi à chaud [6]. Le temps est d'ailleurs venu confirmer ce changement fondamental depuis que j'en fis la première mention, avec le nouveau roman français et les films distanciés d'Antonioni : la description psychologique et l'expression des états intérieurs qui régnaient autrefois ont fait place à une description apparemment détachée et objective de l'environnement extérieur. En un sens — et c'est là le paradoxe — notre implication dans les événements extérieurs est bien plus apte à exprimer nos préoccupations réelles qu'une tentative directe pour observer ce qui se passe en nous-mêmes ou dans l'esprit d'autrui.

L'artiste s'implique aujourd'hui dans la réalité objective pour pouvoir atteindre son propre soi. L'Expressionnisme abstrait, en dépit de son nom romantique, a commencé par être une implication impersonnelle dans les effets objectifs de la peinture, qu'elle tombe en gouttes, se répande, éclabousse, s'étale en taches, coule, s'étende, opaque ou transparente. Il ne cherchait à rien exprimer au-delà. Le terme d'*action painting* a introduit un mouvement nouveau de détachement, un désir d'agir au lieu de contempler un sens intérieur. Le Constructivisme, quoiqu'il lui soit diamétralement opposé dans l'art, peut contribuer à la même distanciation. L'artiste se soumet aux règles apparemment distanciées du nombre et de la géométrie. La sérialisation en musique semble, elle aussi, explorer la discipline extérieure des nombres. Dans tous ces cas, l'absence apparente de relation entre les facteurs objectifs — mathématiques ou physiques — et toute forme préconçue mettra en branle le *scanning* inconscient qui est plus efficace pour traiter des facteurs aussi complexes et imprévisibles. Ainsi s'explique le paradoxe de Boulez, qui a pu écrire sa musique la plus émouvante alors même qu'il semblait se préoccuper exclusivement d'opérer des sérialisations mécaniques, suivant une charte mathématique complexe. Aussi, quand il revint sur son acceptation rigoureuse de la distanciation, son œuvre perdit-elle de sa forme émotionnelle.

Si mes prophéties sont justes, la tendance irrésistible qui se dessine aujourd'hui vers l'objectivité et la distanciation, n'est qu'une partie d'une réorientation plus générale de l'art : quittant l'introspection pour la réalité, il ne s'occuperait plus désormais d'étudier les sensations subjectives internes, mais s'inspirerait d'un intérêt libidinal toùt nouveau pour l'objectivité du monde extérieur, pour les choses et les concepts qui nous concernent réellement et non plus seulement pour le pittoresque de leur apparence subjective et de leurs patterns. Nos facultés syncrétiques, qui vont droit à l'objet sans égard à son pattern abstrait, trouveraient enfin à s'employer dans cette réorientation générale. J'ai expliqué plus haut qu'une conscience excessive du pattern abstrait lors de l'observation d'une chose concrète prouve notre détachement émotionnel. Le regard que nous fixons sur son pattern à deux dimensions suppose de sacrifier ses propriétés objectives réelles, sa forme et son sens. Inversement, notre intérêt croissant pour son sens et son contenu objectifs peuvent l'emporter sur la conscience du pattern abstrait de gestalt. Toute distorsion formelle est virtuellement « réaliste » si notre intérêt syncrétique pour l'objet concret est assez puissant.

Je crois, pour ma part, qu'il est possible de développer nos facultés syncrétiques étiolées par un effort intellectuel délibéré. Nous pouvons donner à l'étudiant des travaux qui n'ont rien à voir avec le pattern, mais tout à voir au contraire avec le contenu et le sens. Il se présente heureusement des situations conventionnelles qui requièrent davantage d'attention au sens et au contenu que d'attention au pattern. Tout passage d'un médium à un autre, tout changement de dimensions, exigent ainsi de nous l'invention d'un pattern nouveau pour pouvoir garder identique l'ancien contenu. Pour exécuter, par exemple, en sculpture à trois dimensions un dessin qui était conçu à deux dimensions, il faut en changer radicalement le pattern pour préserver l'idée qui l'inspire. On ne peut s'en tirer en interprétant en projection photographique un dessin réellement conçu pour les deux dimensions. Ainsi, à l'état de patterns abstraits, les sculptures et les peintures de Giacometti ont un aspect très différent (pl. 11 et 12). Ses sculptures sont filiformes, comme si l'espace environnant les comprimait étroitement; ses peintures et ses dessins, en revanche, ont bien plus de volume. Ils sont pourtant également limités, mais cette fois par un réseau de lignes villeuses.

Il se peut que l'artiste ait ressenti de la même manière ces deux processus de travail, et que, pour lui, façonner le plâtre en sculptures insectiformes produise le même effet que d'aplanir l'espace autour des visages et des corps, comme il le fait dans ses dessins. De toute façon, le spectateur peut, s'il a une sensibilité syncrétique, sentir l'identité du contenu derrière la diversité du pattern formel.

Quand on enseigne, on doit faire appel à l'intérêt de l'étudiant pour les idées qui sont au-delà du pattern, et mobiliser ainsi ses facultés syncrétiques, qui veillent sur l'intégrité d'une idée à travers ses réalisations dans des média différents. Il est important qu'il puisse oublier la sculpture et l'espace à trois dimensions quand il s'occupe d'une œuvre à deux dimensions. Le puissant espace pictural des bonnes figures réversibles n'a rien à voir, par exemple, avec l'illusion tridimensionnelle, puisqu'il repose carrément sur le conflit inconscient entre plusieurs lectures possibles. Le renversement d'un espace pictural aussi fort en espace sculptural exige de repenser complètement le pattern formel, puisque, de toute évidence, l'illusion spatiale de la sculpture obéit à des déterminations très différentes. Le sculpteur anglais, Dalwood, pendant un stage qu'il fit auprès de Harry Thubron, demanda à ses étudiants d'oublier leur sculpture et de parcourir des magazines illustrés à la recherche de tout motif qui pût les séduire. Il leur fit exécuter à partir de ce motif une série de dessins et travailler l'aspect qui était signifiant pour eux. Cette transformation purement bidimensionnelle fut déjà l'occasion de changements formels considérables. Quand il eut mené cet exercice à un point satisfaisant, il mit ses étudiants au défi de transformer en sculpture l'essence du dessin; et en insistant assez brutalement sur la nécessité pour un véritable sculpteur de métier de pouvoir transformer en sculpture tout ce qui le touchait réellement, quelle que fût la distance entre son apparence et les exigences formelles de la sculpture. Ce qui ne fut pas sans déconcerter bien des étudiants, comme on peut s'y attendre quand on sait le climat qui règne aujourd'hui dans l'enseignement académique des beaux-arts.

Le défi de Dalwood allait contre un des tabous les plus profondément ancrés dans l'enseignement académique. On inculque souvent au jeune sculpteur qu'il lui faut apprendre à penser d'abord en trois dimensions et renoncer à exécuter des idées à plat. Nous retrouvons ici une vieille connaissance : la demande académique d'une visualisation précise, et l'interdiction des stades et des décisions provisoires qui n'ont encore aucun lien avec le produit final. Mais y a-t-il une séparation réelle entre des idées sculpturales et des idées picturales? L'exécution d'une idée tridimensionnelle en dessins à deux dimensions offre de grands avantages, ne serait-ce qu'en raison de l'ambiguïté spatiale de la majorité des dessins. Cette ambiguïté évite à une idée préconçue de se fixer trop tôt. Maintenir grande ouverte sa réalisation finale permet à l'artiste de mettre en jeu toute la gamme de sa sensibilité et de sa personnalité entière dans le combat qu'il livre à une vision malléable et encore non formée. Reste cependant pour les étudiants la difficulté d'avoir à réinventer de nouvelles formes tout au long de leur travail pour affiner et finalement garder l'essence de leurs idées. Ils doivent faire appel à leurs facultés syncrétiques, bien étiolées, pour contrôler chacune des transformations nouvelles et vérifier que l'idée ne se soit pas perdue en chemin, dans les modifications de l'apparence formelle. C'est un processus lent et pénible que le développement de facultés syncrétiques, dont on ne peut venir à bout en quelques cours de perfectionnement. Il n'y a pas en effet de recette transmissible du contrôle de ces transformations, pas plus qu'il n'y a de recette pour transformer une ressemblance photographique en une caricature. Nous devons ici nous rabattre sur un syncrétisme contrôlé spontanément. Il faut apprendre aux étudiants — par la coercition, au besoin — à ne pas compter sur les inspirations et sur les éclairs de spontanéité, mais à chercher par un travail opiniâtre la spontanéité en choisissant des tâches impossibles à contrôler par les seuls moyens de la vision analytique et de l'exercice de la raison. Cet apprentissage peut prendre des mois, des années, une vie même. C'est là qu'est la différence importante qui sépare l'enseignement actuel de la spontanéité par l'expression-de-soi et la disruption, d'un enseignement possible de la spontanéité qui serait constructeur. Il ne s'agirait plus de disrupter la raison, mais de faire appel à l'intellect et à la raison pour aiguillonner les possibilités des profondeurs.

L'enseignement artistique reproduit le destin de l' « art moderne ». L'intellect et la spontanéité y ont été maintenus séparés trop longtemps, le gauchissement et la disruption de la sensibilité de surface ont perdu leur effet libérateur. Mais l'enseignement artistique est malheureusement incapable de suivre le rythme général de l'art et prend en général un retard de dix ou vingt ans sur son évolution.

Dans la sensibilité fatiguée de l'art abstrait, le dessin fondamental est devenu aujourd'hui un exercice académique. L'art abstrait, en effet, a jadis fait figure de libérateur. Libéré du besoin de copier les objets extérieurs, l'artiste pouvait librement inventer des formes nouvelles qui pourraient exprimer des idées en termes purement esthétiques. Mais aujourd'hui, la sensibilité abstraite est devenue beaucoup plus restrictive que le réalisme académique d'autrefois. Par exemple, ce ne serait pas une bonne forme de mélanger les styles constructiviste et tachiste. Une fois que le peintre a choisi un type de texture, il ne lui reste plus qu'une gamme limitée d'autres textures pour y puiser. Le jeune peintre a encore la ressource de jeter aux orties toutes ces exigences de bon goût, — encore qu'il ne puisse le faire qu'à ses risques et périls. J'ai déjà évoqué toutes les défaites qu'a essuyées la bataille pour un espace pictural qui vibre, l'obstination de bien des écoles de beaux-arts à enseigner aujourd'hui un espace pictural réglé. Je n'ai jamais pu critiquer la construction académique d'un espace pictural abstrait sans être immédiatement accusé de prêcher l'anarchie. Et un critique d'art anglais, qui est aujourd'hui aux États-Unis, a un jour déclaré que s'il ne contrôlait pas l'espace avec précision, l'art abstrait tournerait à la « pagaille ».

Et pourquoi pas la « pagaille »? Tout créateur qui s'aventure sur un nouveau terrain risque bien le chaos et la fragmentation. Selon ma théorie de la créativité, il faut supporter un premier stade de fragmentation avec les angoisses non négligeables (paranoïdes-schizoïdes) qui l'accompagnent. L'art abstrait n'est devenu un exercice aussi usé, dans un désert de sensibilité, que pour s'être à ce point rangé, précisé, ordonné suivant les conventions académiques susceptibles d'être enseignées. Si les conventions académiques ont le moindre mérite, c'est bien leur aptitude à empêcher la pagaille. Mais après tout, c'est peut-être bien de pagaille que nous aurions besoin aujourd'hui. Peut-être est-ce la peur d'y aboutir qui nous fait esquiver le contenu, le sujet et toute référence directe à la réalité extérieure. La nature est à coup sûr désordonnée et place côte à côte des formes, des textures et des couleurs que le raffinement de notre sensibilité abstraite ne pourrait pas supporter. Quand l'abstraction fit sa première apparition, elle apporta sans aucun doute une liberté nouvelle à l'égard de l'imitation strictement naturaliste. Ne pourrait-on imaginer en sens inverse qu'un renouveau de référence

à la nature et à tout autre sujet extérieur à l'art puisse
aujourd'hui nous aider à nous émanciper des minuties de
l'abstraction académique? L'art abstrait nous a aidés à
éprouver le pouvoir émotionnel qui est inhérent à la forme
pure. Cette capacité ne se perdra pas de sitôt. Si nous associons aujourd'hui — par référence à des contextes extérieurs « accidentels » — des formes qui ne pourraient en
aucun cas se grouper dans un jeu de forme pure, nous pouvons instaurer des tensions émotionnelles nouvelles, dans
un stimulant contrepoint entre le sens émotionnel de la
forme pure et les nouveaux contexte et sujet intellectuels.

Maintenant que les processus secondaires ont émoussé
l'aiguillon des exercices fondamentaux d'art abstrait, il
est important de bien mettre en place les temps héroïques
de leur première apparition. A cette époque, il était nécessaire seulement de disrupter les patterns et les clichés
existants pour démontrer le pouvoir émotionnel et esthétique des structures « fondamentales » plus simples. Ce fut
une révélation de découvrir qu'il n'était pas nécessaire
de composer des tableaux complexes. On obtenait souvent
de meilleurs résultats en les déchirant et en réassemblant
les fragments en collages apparemment accidentels. La
technique de disruption comportait aussi qu'on provoque
une frustration chez les étudiants. Il devenait nuisible de se
donner trop de mal pour obtenir un résultat particulier,
et bénéfique au contraire, pour libérer des impulsions plus
spontanées, de n'avoir plus une entière confiance dans
ses fonctions intellectuelles. Disrupter l'analyse intellectuelle, surprendre, décontenancer la raison : on ne voyait
pas d'autres exigences pour un enseignement éclairé. Mais
la surprise ne tarda pas à s'user, il fallut inventer de nouvelles procédures disruptives à chaque nouveau cours,
— surcharge insoutenable pour les ressources inventives
du professeur. Mais ce n'était encore rien. Comme la nouvelle se répandait que les enseignements accélérés de dessin ou de « recherche » fondamentaux (c'est le nom que leur
donnait Harry Thubron, le professeur qui fut à l'époque,
en Angleterre, le plus inventif) étaient une véritable cure
de jouvence, on vit affluer au cours les enseignants de métier,
tout disposés à subir les bienfaits de la disruption. En
1964, Harry Thubron décida avec raison d'interrompre
de tels enseignements accélérés. Le temps était passé de la
disruption et du rendement rapide.

Nous avons aujourd'hui besoin d'une approche plus
constructive, d'une recherche précise et soutenue d'images

et d'idées qui aient une signification réelle. Je m'y suis
essayé par des exercices syncrétiques qui transforment la
forme abstraite pour en garder le contenu. Rappelons ici
la nécessité où est la caricature de détruire et de distordre
la forme correcte pour charger le sujet. Le peintre anglais
Benjamin, qui était chargé de cours au College of Art de
Ravensbourne, imposait des règles arbitraires pour distordre le nu conventionnel « correct ». Il interdisait à ses
étudiants de reconstruire le corps, membre à membre, partie
pour partie, mais il les obligeait à user d'un seul contour
courant librement sur tout le plan du tableau. Benjamin
imposait au moins deux points de contact entre ce contour
et le bord du papier qui devaient être distants, disons,
d'au moins quinze centimètres. Pour satisfaire à ces conditions, l'étudiant devait par exemple allonger une cuisse
pour lui faire toucher le bord. Le résultat, dans la plupart
des cas, était immédiatement satisfaisant. La règle, en effet,
était loin d'être arbitraire. Elle contraignait l'étudiant à
mettre en rapport la forme du corps avec la forme totale du
plan pictural. La forme du corps s'insérait alors dans ce
plan pictural et s'identifiait avec lui au lieu de s'y voir
attribuer une place ici ou là. On peut seulement regretter,
selon moi, que la contribution de la distorsion à la réalité
du corps leur ait échappé, — c'est-à-dire que l'étudiant
n'ait pas cru que la distorsion se justifiait du point de vue
de l'ensemble syncrétique, qui dépend davantage du rythme
global du trait que de la correction photographique du
détail. L'exercice dégénéra bientôt en confection de patterns décoratifs. Et pourtant la distorsion syncrétique
aurait pu être un bon principe et l'indice de progrès à venir.
Les techniques disruptives qu'on utilisait auparavant dans
le nu ne pouvaient d'ailleurs elles-mêmes garder leur sens
que si elles faisaient appel à une saisie syncrétique de
l'ensemble de la silhouette. Harry Thubron utilisa un
moment, avec succès, un procédé disruptif pour assurer
cette indispensable saisie syncrétique de la silhouette —
l'exercice n'avait d'ailleurs de sens que tant qu'on gardait
cette saisie syncrétique. Thubron faisait circuler entre les
rangs de ses étudiants plusieurs modèles en une sorte de
ballet ininterrompu. Avec une direction semblable à celle
que Merce Cunningham imposait à ses danseurs, il donnait
à chacun des modèles un répertoire différent de mouvements
où ils pouvaient faire leur choix, de manière à établir
entre leurs rythmes corporels un incessant contrepoint.
Thubron, alors, exhortait les étudiants à attraper l'attitude

fugitive des modèles en se servant d'un seul trait ininterrompu et à continuer à superposer ces traits jusqu'à ce
qu'émergeât une vision nouvelle. Comme dans les portraits
composites de Picasso, les tracés les plus inspirés se fondaient en ensembles nouveaux qui prenaient la vie d'êtres
humains. Tant qu'on pouvait maintenir la tension — que
les contours discordants réussissent ou non à former de
nouvelles combinaisons — l'exercice gardait sa valeur d'un
travail soutenu à la recherche d'une vision nouvelle. Mais
il ne tarda pas à dégénérer en un procédé pour fabriquer
des textures, animées d'une vie truquée. C'est pour cette
raison qu'on doit, à mon avis, éliminer de l'enseignement
artistique toute trace de disruption et de distorsion délibérées. L'essentiel est de tendre à un ensemble syncrétique
qui puisse survivre à la désintégration, la distorsion ou la
transformation du détail. Il faut apprendre à l'étudiant à
croire en sa vision, comme il faut lui apprendre que le
contenu ne se perd pas forcément dans la transformation
formelle, — croyances qui vont l'une comme l'autre à
l'encontre du formalisme abstrait qui a cours aujourd'hui
dans l'enseignement des beaux-arts (pl. 10).

C'est un signe assez désolant pour notre époque que des
objets morts, de fabrication humaine, aient plus de pouvoir
que d'autres êtres humains pour susciter l'implication
émotionnelle des étudiants, et produire des idées et des
thèmes assez puissants pour persister à travers une série
de transformations. Harry Thubron envoyait ainsi ses étudiants en quête d'éléments mécaniques intéressants. Il
leur faisait faire d'abord des dessins glacés, choisir ensuite
le détail le plus signifiant et l'étudier en une série de
diagrammes rythmiques dessinés librement. Ces dessins
diagrammatiques étaient à leur tour transformés en
dessins libres au pinceau qui prenaient le contre-pied de la
géométrie métallique des formes mécaniques originelles,
tout en préservant leur essence. Pour finir, on repassait
de ces libres tracés picturaux aux trois dimensions, mais en
utilisant cette fois le bois. Des éléments graphiques, on
faisait des composantes qui s'imbriquaient aussi étroitement que dans la machine originelle et — ce qui est le plus
important — comme s'imbriquent les membres et les
organes d'un corps humain. Comme Thubron le remarquait
lui-même, non sans ironie, cette sculpture de machine
avait l'air plus organique et plus vivante que les nus pris
sur le vif qui ont d'ordinaire la raideur de cadavres.
Mais cette réussite n'empêchait pas les étudiants de douter

du bien-fondé des transformations et de la fonction des idées qui les inspiraient. Car tout cela reposait, bien entendu, sur le postulat qu'il y avait plus de chances d'intéresser les étudiants à des parties de machines qu'à des nus dessinés selon les normes académiques; et, en outre, que leur intérêt serait assez puissant pour survivre à la transformation du dessin glacé originel en un langage pictural de signes et à sa reconversion en trois dimensions dans un médium totalement différent — ici le bois à la place du métal. Il faut préserver chez les étudiants cette conscience intellectuelle de la possibilité qu'ils ont de faire passer une idée par des transformations aussi radicales et de la retrouver indemne, et même fortifiée. Mettre à contribution l'intellect et sa puissance au service de la spontanéité : voilà le point essentiel que nous ne devons jamais perdre de vue. D'ordinaire, les natures mortes consistaient en fruits, gibier et autres objets organiques. On peut se demander si les machines ne feraient pas mieux tout compte fait, ou mieux encore, des objets fabriqués par les étudiants eux-mêmes, qui leur appartiendraient ainsi en propre et garantiraient leur implication émotionnelle. La fabrication de patterns et la vision à deux dimensions qu'elle encourage trouveraient ainsi dans un intérêt aussi puissant un contrepoids suffisant. Jon Thompson, qui prit la succession de Thubron au College de Lancaster, faisait faire à ses étudiants des cubes en papier qu'ils recouvraient de patterns camouflants de manière à en oblitérer partiellement la forme. Quand on les regroupait à nouveau, les cubes s'aplatissaient en patterns d'ensemble impressionnants. Et pourtant, dans la nature morte que peignait alors l'étudiant, les cubes à demi oblitérés ressortaient çà et là en trois dimensions, créant ainsi un espace ambigu bizarrement animé. Il était clair que l'intérêt qu'avait suscité à l'origine la réalité par la fabrication réelle des cubes était assez puissant pour survivre aux transformations en pattern à deux dimensions.

J'ai préféré pour ma part relever par une attaque directe le défi à l'intellect qu'impliquaient ces résultats. J'expliquais à mes étudiants la nécessité de trouver un thème capable de survivre à toute distorsion formelle, transformation, ou transposition en d'autres média. Je les faisais commencer par n'importe quel thème — pourvu qu'il leur parût signifiant (ce qu'il était rarement en réalité) — et le soumettre à une transformation systéma-

tique par ce que j'appelais une série d'exercices « de harcè-
lement ». Le terme de « carnet de croquis » n'a une mauvaise
connotation qu'en raison de la fonction similaire qu'il a
jouée au xixe siècle : le peintre y rassemblait les motifs
qui parlaient à son imagination. Mais la quête que font
nos contemporains d'images ou de thèmes signifiants est
trop désespérée et trop grave pour se pratiquer à la mode
oisive et détendue de l'artiste romantique de jadis. L'image
choisie n'est qu'un point de départ. Si elle se perd en
chemin, c'est peut-être la preuve qu'elle n'avait pas assez
de force pour être traitée avec la brutalité qui s'impose.
Toute image récemment émergée peut servir à son tour
de point de départ, et mon expérience montre qu'un effort
soutenu est réellement payant. Les transformations qu'elle
subit peuvent être extrêmes. Ainsi, sur ma suggestion,
un de mes étudiants, David Barton, se mit en quête de
mots qui ne se bornaient pas à décrire l'image qui flottait
devant ses yeux, mais pouvaient avoir toute la puissance
d'un thème verbal de plein droit. Il s'aperçut qu'il n'y
réussissait que trop bien, que les mots qui lui venaient
avaient tous trop de puissance, et qu'aucun des patterns
visuels qu'il pouvait imaginer ne pouvait les valoir en
force. Mais le défi s'était alors sérieusement corsé, et il
développa ensuite une série de dessins qui avaient une
relation de plus en plus étroite avec le thème éternel
du « dieu mourant » (pl. 3). (Je traiterai des motifs du
« dieu mourant » dans les chapitres suivants comme de
représentations externes du processus créateur interne.)
C'est évidemment là un thème plutôt littéraire — et il
s'agissait bien de littérature dans le cas précis de cet
étudiant. Ce qui importe, cependant, dans tous ces exemples, c'est le recours à l'intellect pour défier, assister et
contrôler la fabrication spontanée de l'image. Les étudiants
se donnaient eux-mêmes des tâches dont une analyse
purement intellectuelle ne pouvait pas s'acquitter —
ce qui est encore un cas où l'intellect fait de l'obstruction
à son propre mode de fonctionnement. Mais il ne se produit
aucune disruption.

C'est le maniement de la couleur qui exige le plus grand
contrôle intellectuel. Pour la plupart des artistes et des
professeurs d'enseignement artistique, on doit laisser entièrement la couleur à l'intuition spontanée, ou à un sens inné
de la couleur, qui ne relève pas de l'exercice intellectuel.
Pire encore, l'enseignement artistique commence souvent
par l'exercice de la technique du dessin, et introduit la

couleur plus tard pour ménager une progression du dessin à la peinture proprement dite, démarche vouée à l'échec. On admet ordinairement que la couleur a sa propre charge émotionnelle. Dans l'art schizophrène, la gaieté de la couleur est souvent contredite par la torture de la technique. Cette seule raison rend inadmissible la séparation de la couleur et de la forme : on y court le risque d'un clivage schizoïde de la sensibilité. La forme ne peut pas manquer d'affecter la couleur et vice versa. La couleur d'une tache change ainsi si on en agrandit ou réduit la taille : à mesure qu'elle se rapproche d'un petit point, elle tend vers le noir; si elle s'agrandit, elle tend à devenir plus saturée, comme l'a appris à ses dépens tout décorateur d'intérieurs. Une couleur choisie sur un petit échantillon peut lui apparaître délicate et assez apaisante, mais quand il en recouvre un mur entier, elle prend une intensité perturbante. C'est là une des raisons supplémentaires qui font que les architectes fuient la couleur, quel que soit le pouvoir qui lui est propre de créer et moduler l'espace. Nous en arrivons ainsi au point essentiel. La couleur semble impraticable intellectuellement. On ne peut reproduire dans une composition plus grande une combinaison de couleurs prévue dans le cahier de croquis sans la changer d'une manière ou d'une autre si l'on veut lui conserver le même effet. Mais une telle transformation n'est-elle pas le défi normal que jette toute pratique spontanée, et néanmoins disciplinée de l'art? La plupart des artistes ignorent tout simplement l'extrême instabilité de la couleur parce qu'elle exclut un maniement intellectuel. Par exemple, les couleurs d'un tableau changent avec les modifications de la lumière du jour; au crépuscule, l'équilibre de la couleur est totalement bouleversé, en raison de l'effet Purkinje qui augmente l'intensité du bleu aux dépens des autres couleurs. Un bon tableau supporte cette instabilité; quel besoin aurait-on alors de parvenir à un plein contrôle intellectuel? A raisonner ainsi, on s'en tiendrait en fait à une solution de facilité. Notre défaitisme intellectuel nous rend presque aveugles à la couleur, comme on peut en faire la preuve facilement. Nous devrions protester violemment contre l'usage qu'on fait de projections en couleur dans les conférences sur la couleur, pour illustrer la grande peinture qui est faite avec des colorants opaques. Les projections et les diapositives ne peuvent donner une reproduction approximative que des peintures sur vitraux, dont l'original est lui aussi transparent. Mais la couleur des vitraux ou des projections en couleur a un aspect tout à fait différent de la couleur obtenue avec des colorants opaques, à ce point que les artistes verriers commettent de graves erreurs s'ils essaient de réaliser en verres colorés des esquisses faites sur papier. Par exemple, le bleu avance dans le verre coloré, tandis qu'il recule dans le colorant. Mais — ce qui est bien plus important — le passage du colorant à la diapositive exagère considérablement l'interaction de la couleur (le contraste simultané de la couleur) et change donc totalement l'apparence des couleurs — or l'apparence est la seule chose qui compte dans l'art. Il serait absurde de dire que la couleur ne fait que changer d' « aspect » en agrandissant ou réduisant l'espace qu'elle couvre ; elle change de « nature ». De la même manière, l'interaction de la couleur, là où la juxtaposition de plusieurs couleurs induit des changements réciproques dans leur apparence, produit un changement réel et pas seulement illusoire. Les couleurs induites ne diffèrent aucunement des couleurs qui gardent leur valeur originelle de colorants. Josef Albers n'eut pas tort de consacrer sa vie à l'exploration des couleurs induites. La part de contrôle qu'il réussit à garder vient pour une bonne part de son refus de mélanger les colorants, et de l'application qu'il en fait dès leur sortie du tube. Si nous avons une longue familiarité avec un colorant particulier, nous pouvons au moins en voir la très grande instabilité, à cause de son interaction avec les autres couleurs. Il faut donc contrôler intellectuellement la complexité de l'interaction de la couleur, du moins jusqu'au point où c'est de toute façon possible. On perd relativement son temps à accorder, comme le font la plupart des livres qui traitent de la couleur, beaucoup trop d'attention à la consonance et à la dissonance de deux ou trois couleurs entre elles. Si précise que soit l'interaction obtenue, elle est instantanément déséquilibrée par l'adjonction d'une nouvelle couleur. L'étudiant qui s'obstine dans l'étude des consonances et des dissonances refusera d'aller plus loin, craignant de voir cette discipline péniblement acquise bouleversée par les complications ultérieures, et il deviendra aveugle à l'interaction de la couleur. La distinction entre les consonances et les dissonances de couleur est aujourd'hui aussi injustifiée pour la peinture moderne qu'elle l'est pour la musique moderne. La musique moderne évite les consonances et explore les tensions qui se produisent entre les dissonances. C'est ce que fait, pour une part, la peinture moderne.

Le privilège que l'on accorde à certains accords et à certaines combinaisons de couleurs, jugés consonants, repose, évidemment, sur une base physiologique, — il est vrai, assez fragile. Les harmoniques jouent un rôle dans la consonance musicale, et, en peinture, les récepteurs de la couleur dans la rétine répondent aux complémentaires sur un mode particulier. Juxtaposées, elles tendent à grésiller ou éblouir; les images persistantes tendent vers la couleur complémentaire. L'interaction de la couleur modifiera aussi les couleurs dans le sens de la couleur complémentaire. Par exemple, un carré gris dans une plage verte sera (paraîtra) un rose complémentaire, etc. Mais on a du mal à comprendre que cette seule raison les fasse décréter consonantes par les ouvrages consacrés à la couleur. A cause de leur tendance à « se compléter » l'une l'autre, elles sont facilement ennuyeuses quand on les juxtapose étroitement.

Certaines couleurs sont indubitablement ressenties comme plus consonantes que d'autres, mais ce sentiment est sujet à des changements de goût. Durant ma jeunesse, pendant la Première Guerre mondiale et à l'époque qui la suivit immédiatement, on rejetait le rouge et le bleu comme incompatibles. Sans prévenir, le commerce du vêtement français imposa le bleu-blanc-rouge tricolore au goût populaire et l'y maintint pour bien des années. Jusqu'à il y a peu de temps, la combinaison de l'orange et du rose passait pour manquer de goût et faire dentifrice. Or, aujourd'hui, nous ne l'avons déjà que trop vue. A l'époque où je travaillais comme coloriste dans le textile, on trouvait que le bleu et le vert ressemblaient trop à des couleurs de paysage. Ce n'est plus le cas aujourd'hui; les dissonances se transmuent ainsi constamment en consonances, et il en est de même pour l'histoire des consonances en musique. J'ai déjà évoqué l'interprétation qu'en donne Schoenberg : les consonances nouvelles commencent leur vie comme des combinaisons « accidentelles »; on les relève ensuite comme des dissonances qui ont encore besoin d'une préparation adéquate et d'une résolution pour se faire accepter, jusqu'à ce qu'enfin elles puissent s'imposer par elles-mêmes, sans tension interne. Cela signifie qu'elles sont enfin devenues pleinement consonantes. Ce qui distingue en réalité la consonance et la dissonance, c'est leur pouvoir dynamique et statique relatif. Les combinaisons dissonantes désagréables ont besoin d'un enrobage pour les justifier. Elles sont par conséquent dynamiques et poussent à la justification. Les consonances, au contraire, sont statiques et autarciques. On ferait mieux de parler, pour la couleur, de combinaisons statiques et de combinaisons dynamiques. On mettrait ainsi au jour le problème intellectuel qui y est impliqué. Si les complémentaires agissent comme des consonances, c'est qu'elles sont autarciques et donc hermétiques aux autres couleurs. Mais ce n'est pas une raison suffisante pour les dire plus « belles » que des combinaisons de couleurs plus dynamiques et plus instables. L'art moderne, qui préfère le dynamisme, préfère aussi la couleur dissonante, tout comme la musique moderne a rejeté les consonances.

Le concept plus général d'interaction de la couleur (ou d' « induction » de la couleur, pour recourir à une expression qui me paraît préférable), englobe l'usage statique et l'usage dynamique de la couleur à l'intérieur d'un cadre plus large qui inclut aussi cette relation essentielle qu'entretiennent entre elles la forme et la couleur, — relation qu'on néglige en général quand on traite de la couleur, comme ce fut le cas de Josef Albers lui-même — et pourtant, en sa qualité d'artiste, il ne connaissait que trop bien ce problème. Cette négligence est d'autant plus surprenante que, pour une fois, avec la relation entre la forme et la couleur, on a une relation ouverte à une formulation intellectuelle précise.

De façon générale, une composition puissante inhibe le renforcement mutuel des surfaces de couleur (contraste simultané de la couleur, interaction de la couleur); inversement, le renforcement mutuel de la couleur tend à affaiblir les contrastes de formes et de ton, la relation entre la silhouette et le fond, ainsi que les illusions de profondeur que produit la perspective. La forme et la couleur appartiennent à des niveaux différents de l'expérience esthétique. Comme l'a fait remarquer Gombrich, l'expérience de la couleur stimule les niveaux mentaux plus profonds. C'est ce que démontrent les expériences faites avec la mescaline, qui a pour effet de rendre incertains les contours précis des objets, et de les amener au point de s'enchevêtrer librement, sans beaucoup d'égards pour les apparences formelles; la couleur, en revanche, s'en trouve fortement renforcée et tend à se détacher des objets compacts pour assumer sa propre existence autonome.

La forme est, tout compte fait, plus rationnelle. Dans l'enseignement de la technique du dessin, on peut davantage soumettre le contrôle du trait à une maîtrise intellectuelle. En accord avec le climat intellectuel qui règne aujourd'hui dans les écoles des beaux-arts, on enseigne un certain contrôle intellectuel de la couleur, mais on ne s'est pas attaqué à une étude systématique du conflit fondamental qui oppose la forme à la couleur. La raison en est, à mon avis, dans la rareté de bons ouvrages sur l'usage que fait un artiste de la couleur. Il y a, par exemple, un grand hiatus intellectuel entre le travail pratique de J. Albers et ses écrits théoriques sur la couleur. Le livre magnifique qu'il consacra à l'interaction de la couleur est rapidement devenu un ouvrage de référence. Et pourtant, c'est à peine s'il y mentionne à quel point l'interaction de la couleur dépend de la faiblesse relative de la forme, alors que sa propre peinture offre peut-être le meilleur exemple de cette loi. L'œuvre de sa maturité fut consacrée, on le sait, à son *Hommage au carré*. C'était des expériences avec un motif simple constamment répété, qui consiste en un grand carré contenant des carrés plus petits de taille décroissante. En fait, la forme la plus faible qu'on puisse mettre dans un carré est un autre carré plus petit. Il se borne à faire écho au contour plus puissant du carré plus grand. (Tout aussi faible, d'ailleurs, est le motif d'un cercle intérieur à un cercle plus grand, tel qu'on le trouve dans les tableaux « cibles » à la mode.) L'extrême faiblesse d'un tel motif fait que l'interaction de la couleur se trouve fortement renforcée. Albers pensa d'abord que dans son *Hommage au carré* (fig. 10) il rendait effectivement hommage à un motif puissant, particulièrement simple. Ce n'est que peu à peu qu'il commença à comprendre qu'il s'était en fait consacré, non pas à l'étude de la forme, mais à celle de la couleur, pour découvrir qu'une puissante interaction de la couleur pouvait créer sa propre illusion spatiale. Ses trois carrés superposés pouvaient représenter tantôt un long corridor menant vers les profondeurs, tantôt un télescope faisant saillie vers le spectateur. Il n'existait aucune règle intellectuelle pour prévoir les effets spatiaux exacts des différentes combinaisons de couleurs. C'est probablement la raison qui empêcha Albers de commenter dans son livre le travail auquel il avait voué sa vie. Son livre offre cependant la meilleure documentation possible sur la relation qu'entretiennent une couleur puissante et une forme extrêmement faible.

Le peintre anglais Patrick Heron affirma un jour dans une conférence que son œuvre était consacrée exclusivement à la couleur et qu'il avait par conséquent « aboli » le trait aussi bien que la relation « fond-figure ». Une forme forte tend à se détacher en figure sur un fond indistinct. Plus fort est l'effet de figure, plus faible sera l'interaction de la couleur entre la figure et le fond. Pour la même raison, une illusion spatiale puissante créée par la perspective et d'autres moyens formels — comme le chevauchement de formes — diminuera aussi l'interaction de la couleur à l'intérieur du tableau. Le sujet jouera aussi son rôle. Si l'intérêt que nous portons au sujet nous fait focaliser plus intensément sur une forme particulière, cette forme, si faible objectivement qu'elle soit dans sa structure formelle, se séparera aussi du reste de la peinture; par conséquent, sa couleur s'isolera. On peut lire tout ceci dans les livres de psychologie expérimentale, mais rarement, sinon jamais, dans les ouvrages consacrés à l'usage esthétique de la couleur. On se demande pourquoi.

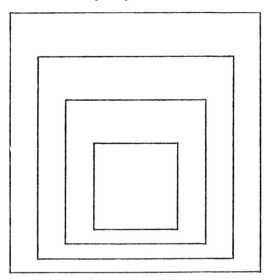

FIGURE 10. *Diagramme d'une variante de l'*Hommage au carré *de Josef Albers. De toutes les formes qu'on peut placer dans un carré, une seconde forme parallèle à la première est la plus faible; l'interaction de la couleur y est par conséquent à son maximum. De même, la plus faible forme qu'on puisse placer dans un cercle est un second cercle; de là l'intense interaction de la couleur que présentent les peintures « cibles ».*

Quand Chevreul, dans les premières années du XIXe siècle, familiarisa les artistes avec l'induction de la couleur, il ne toucha pas directement au problème de la forme et de la couleur L'expérience qui démontrait le plus clairement l'interaction consistait à placer un petit carré gris sur un grand fond de couleur. Sur un fond vert, le carré gris tournait nettement au rose. De toute évidence, plus le fond vert environnant était saturé, plus fort était le rose induit du carré. Quelques années plus tard, on observa un phénomène des plus paradoxaux; quand on plaçait sur la plage entière une feuille de papier de soie à demi transparent, la saturation du fond vert s'en trouvait évidemment fortement diminuée. On se serait attendu à voir se réduire dans la même mesure l'induction de la couleur dans le gris, c'est-à-dire à voir pâlir fortement le rose induit du carré gris. Mais c'est le contraire qui se produisait : le rose du carré gris s'en trouvait accentué. Bien des années passèrent, et il ne fallut rien moins que le grand Helmholtz pour donner l'explication aujourd'hui banale du paradoxe. Le papier de soie diminuait la netteté du contour du carré gris, et cet affaiblissement de la forme accentuait l'interaction de la couleur. On pouvait difficilement imaginer une preuve plus impressionnante de l'importance primordiale du trait et de la forme. Il suffisait en effet d'un affaiblissement relativement grossier du trait pour compenser — et faire, en fait, plus que compenser — ce qu'on avait perdu en saturation des couleurs. Quand Rothko faisait soigneusement bavocher ses plaques de couleur, il renforçait considérablement leur pouvoir d'interaction et de renforcement mutuels. Mais je ne suis pas sûr qu'il ait eu une pleine conscience intellectuelle de ce qu'il faisait. Comme dans toutes les relations qu'entretiennent la forme et la couleur, l'effet inverse peut aussi se produire. Une interaction puissante de la couleur fait paraître beaucoup plus flous qu'ils ne le sont dans la réalité des contours tranchants, et nivelle les différences de ton. Les diapositives en couleur de peintures célèbres exagèrent l'interaction de la couleur, et donnent souvent une allure curieusement blanchie et voilée aux formes qui nous sont familières. Et pourtant, il n'est pratiquement personne pour protester contre l'usage des diapositives de couleur en illustration des conférences sur l'art, et pour en dénoncer l'effet trompeur. A l'accepter avec tant de docilité, on ne fait que dépraver une sensibilité à la couleur qui est déjà bien faible.

La brillance excessive des diapositives de couleur nous donne une autre leçon. L'interaction maximale n'est pas une vertu par elle-même. Il faut la mettre en balance avec la force également puissante de la forme et de l'espace. L'abandon des lourds contours de plomb du vitrail médiéval n'a nullement facilité l'art du vitrail. Si l'on cimente directement les panneaux de verre entre eux, comme on peut le faire avec les adhésifs modernes, il faut que la composition linéaire ait une force exceptionnelle pour contenir et inhiber les couleurs, comme c'est le cas, par exemple, pour les projets de vitraux dessinés par Chagall. Les contours lourds des anciens vitraux contribuaient énormément à mettre en valeur la beauté des couleurs transparentes. Les colorants peuvent nous donner la tentation d'accentuer à tout prix l'interaction de la couleur, mais c'est une mode à laquelle il faut renoncer dans le vitrail et dont il faut prendre le contre-pied en favorisant la puissance du trait et de la composition. Je suis convaincu, pour ma part, que la beauté du vitrail médiéval ne tient guère à des recettes perdues de fabrication de verre coloré, et tient beaucoup en revanche au pouvoir des contours de plomb qui rongeaient et emprisonnaient les couleurs transparentes. Aussi n'est-il pas étonnant que le vitrail soit un art perdu.

Il nous faut comprendre que dans le conflit qui oppose une couleur forte à une forme forte, leur confrontation mutuelle fait croître chacun des adversaires en stature et en puissance. Patrick Heron commença, comme Albers et Rothko, par recourir aux formes les plus faibles possibles, — cercles évanescents, quadrilatères suspendus de façon scabreuse sur un fond plus consistant. L'absence de profondeur spatiale suggérait un sentiment océanique-mystique, celui d'une existence individuelle perdue dans l'univers. L'annihilation de l'espace renvoyait à un niveau onirique d'expérience, à ce niveau où nos concepts communs de l'espace et du temps perdent leur signification. Depuis lors, Heron a renforcé à juste titre ses formes, et solidifié son espace pictural. Il s'y produit des chevauchements puissants, et le plan pictural est découpé en niveaux distincts de profondeur. Sa couleur a gagné d'autant en force et en netteté.

Le tranchant de la forme, par exemple, la relative netteté de son contour, ou sa configuration prégnante, ou encore le conflit ou le parallélisme entre les formes superposées ou juxtaposées, etc., peuvent être récapitulés comme qualités d'une « bonne » gestalt. Nous pouvons par conséquent dire en résumé que l'interaction de la couleur entre la forme et le fond est inversement proportionnelle à la bonne gestalt de la figure. C'est pourquoi également — comme le démontra implicitement Albers dans son œuvre tardive – l'ambiguïté d'une figure faible sur un fond fort renforce énormément l'interaction de la couleur. La psychologie de la ges-

talt, sans le secours de la découverte de Helmholtz, a
établi indépendamment que l'interaction de la couleur augmente à l'intérieur des limites d'une bonne gestalt, tandis
qu'elle est inhibée sur ses frontières. Et une fois de plus,
on ne trouve nulle mention d'une loi aussi simple dans les
écrits esthétiques qui traitent de la couleur.

L'inhibition de la couleur dans la peinture a le même
rôle que le bon contrepoint dans la musique (polyphonique). La musique est aussi le siège d'un conflit entre la
couleur et la forme. Nous avons vu que l'écoute « verticale »
de l'harmonie fusionne les tons particuliers en un accord
pourvu d'une couleur (ton) soit consonante, soit dissonante.
Les mêmes tons s'insèrent aussi « horizontalement » dans
les lignes mélodiques cohérentes du contrepoint. Dans la
polyphonie, la « ligne » mélodique se développe aux dépens
de la « couleur » (harmonique) et vice versa. Le compositeur
affaiblit instinctivement la couleur (harmonique) dissonante d'une certaine note en l'insérant dans un contexte
polyphonique plus puissant. Quand on prépare un ton
dissonant, et qu'on le résout ensuite, on use d'un procédé
affaiblissant du même type. Ou, en d'autres termes : dans
la mesure où une note musicale est insérée dans une « ligne »
mélodique nette, on l'empêche de se fondre dans la « couleur » tonale harmonique; inversement, un accord puissant
fondra temporairement les courants lâches de la polyphonie
en une couleur tonale consistante au point de faire totalement disparaître les lignes mélodiques séparées. J'ai évoqué
l'oscillation constante qui est celle de l'oreille, entre la
fusion harmonique et la séparation polyphonique des lignes
mélodiques; ce conflit entre la « forme » et la « couleur »
appartient à la vie même de la musique. Si un morceau a
trop de richesse harmonique, il perdra bientôt son impact,
à moins qu'elle ne soit équilibrée par la résistance de la
structure polyphonique.

Le conflit de la forme et de la couleur joue le même rôle
dans la peinture. Une forme et un espace puissants inhibent
l'interaction de la couleur tandis qu'une interaction puissante de la couleur oblitère la forme et l'espace. Il faudrait
que l'étudiant saisisse intellectuellement ce conflit bénéfique. Une interaction trop stridente des couleurs doit être
contrebalancée par la création d'une forme et d'un espace
fortement inhibants. L'interaction assez évidente qui existe
entre des complémentaires, ou des quasi-complémentaires
appelle une telle inhibition. Par exemple, quand on groupe
des complémentaires, on n'accentue l'interaction de la

couleur que dans un grésillement très local. Les complémentaires se rejoindront en une étreinte très ferme et, tel un couple d'amants dissimulé, refuseront de tenir compte de leur entourage. Le renforcement local de la couleur se fait aux dépens de l'interaction totale de la couleur. Et à la grande surprise de l'étudiant qui a réuni le plus de complémentaires possibles, l'effet d'ensemble est assez terne. Il vaut mieux, en général, séparer les complémentaires, ou les quasi-complémentaires. Albers interposait souvent entre ces couleurs une bande de séparation, d'une couleur neutre, grisâtre ou brunâtre. Chacune des couleurs saturées cherchera à se gagner l'âme de la couleur neutre, essayant de la teinter de son interaction spécifique. Et à mesure que nous focalisons d'abord sur une couleur, puis sur l'autre, la couleur induite de la bande neutre change en conséquence.

Van Gogh ne se contentait pas de faire fond sur le heurt déclaré de couleurs complémentaires ou quasi complémentaires, — par exemple un ciel bleu-violet contre des champs d'un jaune chaud. Il se préoccupait davantage de les rendre hermétiques l'une à l'autre et d'augmenter entre elles la tension dramatique. Harry Thubron aimait à dire que les imitateurs de Van Gogh s'étaient simplement précipités sur son ciel bleu et ses champs jaunes, en négligeant les couleurs plus subtiles de ses clôtures, de ses chemins, de ses maisons, etc., qui maintenaient l'écart entre le ciel et les champs, et augmentaient ainsi, paradoxalement, l'attirance dynamique qu'ils exerçaient l'un sur l'autre.

Van Gogh était passé maître dans l'art de séquestrer et d'emprisonner les couleurs trop fortes. Parfois, il réservait aux contours les couleurs les plus actives. De toutes les surfaces, la prison la plus sévère pour y cantonner la couleur est peut-être le ruban étroit d'un contour. C'est à peine, de toute façon, si nous consentons à traiter une ligne comme une surface. Dans ses *Tournesols* qui sont exposés à la National Gallery, Van Gogh n'accentue pas l'interaction de la couleur en donnant aux jaunes sales des têtes de fleurs le fond complémentaire d'un violet bleuâtre, par exemple. Le fond est en fait un vert-jaune non saturé, assez faible, qui ne réussit pas à mettre les fleurs en valeur. Mais le secours n'est pas loin. On peut découvrir le violet bleuâtre qui manque, caché dans les contours du plateau de la table et du vase. Ainsi emprisonné, il envoie un reflet discordant dans le fond vert, et lui donne le tranchant qui lui manque pour renforcer les fleurs.

L'inhibition de la couleur par l'emprisonnement des

couleurs aboutit en général à leur débordement. J'ai eu l'occasion d'observer un curieux phénomène qui va dans ce sens. Un étudiant avait peint en orange une série de formes aérodynamiques qui se déplaçaient sur un fond bleu outremer presque complémentaire. L'interaction violente de la couleur produisait d'épais bords bleu clair autour des formes orange. Ces bords étaient pour une bonne part de l'exacte couleur complémentaire : un bleu turquoise légèrement plus clair que le fond. Mais à l'endroit où la ligne profilée qui entourait les formes de gouttelettes se recourbait pour dessiner un coude plus aigu — ce qui se passait en général quand elle se trouvait vis-à-vis d'une gouttelette avoisinante —, le bord turquoise virait nettement au mauve, prenant à peu près la nuance qui dans le spectre des couleurs serait à mi-chemin entre l'orange et le bleu. Fallait-il attribuer ce mauve au débordement de la couleur, plutôt qu'à son interaction? Le contenu profilé, en prenant un tournant brusque, « emprisonnait » -il la couleur à l'intérieur de lui-même, inhibant ainsi son interaction pour induire à la place le débordement des deux couleurs?

Ce « débordement » d'une couleur emprisonnée fait partie d'un phénomène général qui est aussi mal compris que le renforcement mutuel de la couleur. L'effet de débordement est exactement l'opposé de l'interaction de la couleur. L'interaction de la couleur accentue en effet la différence entre deux couleurs et les pousse vers leurs complémentaires. Dans notre exemple, le fond vert ne faisait pas virer le carré gris central au verdâtre (ce qui serait un effet de « débordement »), mais au rose qui en est complémentaire. L'effet de débordement appartient en propre aux couleurs emprisonnées, enfermées, et incapables de ce fait d'interaction. Dans *L'Art et l'illusion*, Gombrich reproduit les exemples classiques d'un effet de débordement. Si nous y regardons de plus près, nous nous rendons compte qu'ils contiennent tous des patterns linéaires plutôt que de larges surfaces. Par exemple, une ligne serpente en un pattern sinueux au travers d'un fond uniformément bleu. A mesure que la ligne passe du noir au blanc et ensuite au rouge, le fond qui la supporte vire d'une couleur grisâtre à un bleu lumineux et finalement au mauve. Cet effet de débordement est dû à l'emprisonnement (inhibition) de l'interaction de la couleur par l'effet d'un procédé linéaire (compositionnel). Il se trouve qu'à ce titre il relève d'un phénomène plus général d'inhibition de la couleur qui a jusqu'ici fort peu retenu l'attention des artistes. Il s'agit, en dernier ressort, d'une des manifestations du conflit fondamental de la forme et de la couleur. Si une couleur est inhibée par une composition puissante (ligne, contraste, tonal, etc.), elle tendra, en échange, à déborder. Au lieu de renforcer le contraste de la couleur — comme c'est le cas dans l'interaction de la couleur — elle teintera toute plage qui s'y prêtera de sa nuance propre. Le débordement semble capable d'affecter une plage plus étendue que celle qu'affecte d'habitude l'interaction de la couleur, comme si une couleur qui était capable de s'échapper de sa prison avait la force de déborder presque sur le plan entier du tableau, avec pour seul obstacle l'action contraire de l'interaction de la couleur. Les peintres anglais Maurice Agis et Peter Jones construisirent une structure architecturale de panneaux et de tiges colorés. C'était là une partie de l'étude qu'ils consacraient à la couleur dans l'espace, étude très généralement esquivée par les architectes professionnels. Les deux artistes, eux, donnent du recours aux tiges une explication assez formelle. Les tiges qui font saillie des panneaux leur sont nécessaires comme extension logique de leur langage formel. De même que la peinture a besoin de lignes aussi bien que de surfaces à deux dimensions, leurs constructions spatiales ont besoin de tiges en plus des panneaux. L'effet de ces tiges colorées est saisissant. Elles donnent la démonstration la plus spectaculaire de l'effet de débordement de la couleur emprisonnée. On croit voir sortir des tiges une pellicule invisible de couleur, suspendue librement au-devant des panneaux.

Bridget Riley a fait aussi des expériences en ajoutant de la couleur à sa peinture optique aveuglante. Dans l'une de ses études, des bandes alternées d'orange et de bleu se rétrécissent progressivement jusqu'à une plage critique où les surfaces se réduisent à des lignes minces et se mettent à faire un effet aveuglant. Selon le commentaire qu'en donnait Bridget Riley, il paraissait difficile de décider laquelle des deux couleurs — l'orange et le bleu — était la plus profonde de ton. C'était effectivement le cas dans la plage qui comprenait les bandes plus larges. La violence de l'interaction de la couleur entre ces bandes de couleurs complémentaires qui étaient presque du même ton empêchait l'assistance d'établir une vraie comparaison. Mais dans la plage critique où la surface se réduisait à de minces lignes aveuglantes, il devenait parfaitement net que l'orange était en fait plus foncé que le bleu. La forme linéaire des surfaces colorées avait détruit l'interaction de la couleur et l'avait remplacée par un effet de « débordement ». L'orange et le bleu tendaient à déborder l'un sur l'autre et à se mélanger pour donner un vert. Suivant la théorie qui est ici proposée, ce débordement n'est qu'un nouveau cas particulier de l'emprisonnement (cantonnement — inhibition) de la couleur. L'absence d'interaction de la couleur permettait, dans ce cas, de voir que l'orange était beaucoup plus foncé que le bleu, — démonstration assez claire de ce fait paradoxal, que l'inhibition de la couleur produit son débordement et en même temps son isolement (du moins en ce qui concerne l'interaction de la couleur). Les points scintillants de Seurat offrent encore un exemple d'un débordement excessif, aussi bien que d'un extrême isolement. En dehors de la ligne, il n'est pas pour une couleur de prison plus efficace qu'un point (si l'on excepte les formes plus complexes qui retiennent notre attention en raison de leur intérêt formel, intellectuel ou émotionnel).

J'ai dit plus haut qu'on n'a jamais, jusqu'ici, entrepris délibérément d'explorer le conflit fondamental de la forme et de la couleur en peinture, si l'on excepte des entreprises extrêmes, comme celles d'Albers et d'Heron, pour éliminer totalement ce conflit. L'interaction de la couleur est toujours de toute façon si forte qu'il lui faut le contrepoids d'une inhibition judicieuse. Même des formes purement graphiques (sans couleur) ont une interaction dynamique, bien que ce soit peut-être moins évident. J'ai évoqué plus haut le cas d'une bonne caricature, où les distorsions agissent l'une sur l'autre et s'équilibrent. Des formes géométriques non distordues manifestent la même interaction pour peu que nous nous y sensibilisions suffisamment. Si nous plaçons un cercle dans un coin du tableau, puis un carré dans un autre coin, on peut dire que le carré a modifié la forme du cercle. Le cercle, maintenant, n'a pas seulement l'air différent, il *est* différent. L'interaction de la couleur est peut-être plus violente encore. Une nouvelle tache de couleur dans un coin agira sur tout le plan pictural et affectera tout autre couleur placée à l'intérieur du champ entier. Quand on fait des exercices sur la couleur, on devrait manœuvrer sur le champ entier des couleurs, au lieu de s'occuper des couleurs isolées, l'une après l'autre. La musique peut ici montrer le chemin. En sérialisant des éléments musicaux, elle peut manœuvrer la distribution de ces éléments à travers une série (champ) entière.

J'ai déjà fait, dans un cours expérimental destiné à des professeurs d'enseignement artistique, des expériences de « sérialisation » de la couleur. J'avais envie de tenter l'expérience parce que j'avais acquis la conviction qu'il y avait entre la structure de la couleur musicale et la structure de la couleur visuelle une relation plus profonde que celle qu'on évoque d'habitude en parlant d'identité synesthésique de nos impressions sensorielles, par exemple en énonçant l'affirmation sans contenu que la trompette sonne « rouge ». Non, il y a en fait une identité structurelle profonde, qu'il est possible de formuler par une proportion mathématique précise dans la relation de la forme et de la couleur. Il est bien des interprétations possibles de la sérialisation en musique. L'harmonie classique reposait sur la relation linéaire entre des clefs *distinctes*, tandis que la musique atonale établit un équilibre entre *tous* les éléments d'une série, par exemple les douze demi-tons de la gamme chromatique. Une relation linéaire, terme à terme, entre les clefs est ainsi remplacée par une interaction à l'intérieur du champ entier qui établit des transversales entre tous ses éléments. Un compositeur sériel doit penser en termes de série entière et non en termes de relations linéaires entre des éléments distincts. Aussi le concept de consonance et de dissonance, qui se fonde sur la relation entre des tons distincts par exemple une quinte est une consonance, tandis qu'une septième n'en est pas, etc.), a-t-il perdu sa validité. En ce sens, la sérialisation regroupe des sons dissonants qu'un compositeur ne combinerait pas normalement; mais comme ils sont justifiés en tant qu'éléments dans le champ entier de la série, on aura un effet final réussi.

Contre toute attente, nos étudiants parvinrent aux mêmes résultats avec leur sérialisation de couleurs. Si arbitraires et même désagréables que fussent en termes de consonance et de dissonance traditionnelles les couleurs qu'ils avaient choisies, elles ne choquaient pas si elles étaient distribuées dans le champ suivant la rigueur d'une série mathématique (numérique). C'est bien, en un sens, une gamme limitée de couleurs toutes prêtes qu'a sérialisée Albers dans les permutations infinies de son *Hommage au carré*. Celles-ci ont l'air perdues si on ne les regarde pas ensemble; et elles perdent beaucoup de leur sens, si on les regarde isolément. Ce qui pourrait prouver que leur effet

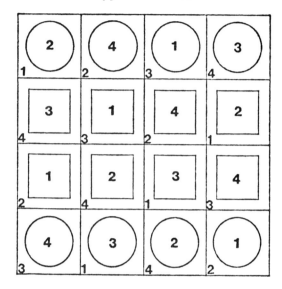

Figure 11. *Diagramme de sérialisation de la couleur. Les nombres représentent 1, soit le vert; 2, soit le brun; 3, soit le rouge; 4, soit le bleu (toutes ces couleurs étant proches de ton). En musique, la sérialisation sert à produire un « champ », où l'on puisse agencer une série d'éléments en permutations sérielles sans affecter l'identité du champ. Les couleurs, elles aussi, ne devraient pas être mises en relations, une à une, de consonances et de dissonances, mais aussi bien comme composantes d'un champ total. La moindre modification de la distribution déséquilibrera les couleurs. A remplacer les cercles par des carrés, on augmentera considérablement l'interaction.*

ne peut que démontrer la sérialisation sous-jacente. Dans mes expériences, les étudiants commençaient par remplir des dessins en « damier » suivant les permutations d'une courte série de couleurs (I-8, et ensuite seulement I-4) (fig. 11). On n'était pas toujours heureux de constater que ces damiers faisaient paraître agréables presque toutes les couleurs, puisque, comme l'op' art, la sérialisation pouvait facilement se dégrader en recette commerciale pour obtenir des motifs textiles réussis, et cesser dès lors d'être l'étude des champs entiers de la couleur. Malheureusement, presque tous les exercices peuvent être ainsi vidés de leur pertinence. Puisque les éléments sériels sont représentés par des nombres, on court le risque, si les nombres restent des symboles vides, d'aboutir à une jonglerie vide de nombres qui n'ont aucune relation avec les besoins artistiques. Mais les nombres ne sont pas forcément vides de cette manière. L'enfant, pendant la période du syncrétisme (avant l'âge de sept ou huit ans), traite les nombres comme s'ils étaient réels. Les symboles mathématiques peuvent en général garder, à un niveau plus élevé, ce même lien mystérieux avec la réalité. Le physicien, par exemple, les manipule en fonction de leurs lois propres (purement mathématiques) et pourtant, à la fin, ils peuvent être reliés directement à la réalité, et donner une explication nouvelle du monde physique. Il en est de même pour les nombres dans l'art. Kenneth Martin, un constructiviste anglais qui ne jure que par les nombres, m'affirma un jour qu'il n'était pas mathématicien, mais qu'il manipulait les relations numériques exactement comme il manipulait d'autres instruments : pinceau ou burin. Si nous sérialisons les relations de la couleur, nous devons agir de même et user des nombres comme d'un instrument pour contrôler l'interaction de la couleur sur un champ entier.

On doit donc pouvoir utiliser un agencement sérialisé de couleurs comme un instrument de précision pour étudier l'interaction de la couleur. J'ai dit, plus haut, par exemple, qu'un carré était la forme la plus faible à l'intérieur d'un autre carré plus grand, alors qu'un cercle à l'intérieur d'un carré était la forme la plus forte. Il a beau en être ainsi sans le moindre doute, on trouvera des gens pour refuser de le reconnaître, tant nous sommes en général fermés à la couleur. Mais si nous produisons un champ de couleurs sérialisées et combinons un certain nombre de couleurs en différents agencements numériques, nous aiguisons de façon incommensurable notre sensibilité à l'interaction de la couleur dans le champ entier. Mettons, par exemple, que nous avons fait une série de petits carrés à l'intérieur de carrés plus grands dans un champ en forme de damier, et que nous les colorons de quatre couleurs en une série de permutations. Il peut arriver que l'interaction puissante de certaines couleurs entre elles produise, dans une partie du damier, un effet aveuglant local. Si maintenant nous transformons les petits carrés en cercles de la même taille, l'aveuglement diminuera notablement à cause de l'action inhibante de cercles à l'intérieur des carrés. Mais nous ne serions pas si prompts à le reconnaître si l'équilibre du champ entier ne se trouvait pas perturbé. Car il suffit de recouvrir le reste du champ et de limiter notre comparaison aux plages isolées où apparut en premier lieu l'aveuglement, pour que soit beaucoup moins manifeste l'effet produit par le passage du carré au pattern circulaire. L'essentiel ici est que seul l'équilibre dû à la sérialisation par les nombres fait apparaître ces petites différences d'interaction de la couleur qui nous échapperaient autrement. Il faudrait, dans les exercices de sérialisation, avoir recours à de petites modifications qu'on soumettrait à une gradation progressive; faute de quoi, ces exercices, comme jadis les exercices de dessin fondamental, dégénèrent rapidement en trucs de production de patterns décoratifs. Une sérialisation correctement utilisée, du moins pour le temps présent, peut nous fournir ce contrôle intellectuel d'un champ de couleur, qui nous fait tant défaut.

Il reste évident que même une relation numérique équilibrée ne peut surmonter le déséquilibre inhérent à la couleur. Le jaune ne peut jamais devenir aussi foncé que le violet, le gris sera toujours plus sensible à l'interaction de la couleur, etc. Mais la logique interne de la sérialisation peut surmonter ces déséquilibres naturels. En musique aussi, l'introduction du tempérament égal a bouleversé les relations physiques et physiologiques des harmoniques et des tons de la gamme; elle a cependant réussi parce qu'elle correspondait aux exigences techniques de l'exécution musicale. Schoenberg soutient — avec raison, selon moi — que le compositeur est encore aujourd'hui guidé par une recherche inconsciente d'harmoniques anciennes. Celles-ci sont pratiquement inaudibles à l'écoute consciente et, comme je l'ai déjà mentionné, leur structure a été radicalement malmenée par le caractère artificiel du tempérament égal. Bien plus, chacun des instruments produit des harmoniques différentes pour le même accord, si bien que la structure harmonique inconsciente de la musique change à la moindre modification de l'instrumentation. Le schéma musical conscient continue cependant à prévaloir, selon ses lois propres d'exécution.

L'audition consciente ne perçoit pas les harmoniques comme des tons, bien qu'il n'y ait entre elles et les autres sons naturels aucune différence physique. Pour la conscience, elles se fondent dans les différentes couleurs tonales des objets et des instruments. Sans cette fusion harmonique, tous les instruments résonneraient comme des faisceaux de tintements fragiles, à la manière des vibrations d'un diapason ou du son grêle et désincarné d'un piccolo. C'est grâce à cette fusion que les instruments acquièrent la couleur tonale consistante que nous associons à divers objets de verre, de métal ou de bois. Le son épais et feutré d'une caisse correspond à un riche accord harmonique transmué en une couleur tonale particulièrement consistante. Mais en fait, la découverte d'harmoniques inaudibles marqua, dans la physique et l'acoustique, un progrès moins important que la découverte psychologique que le cerveau fusionne les multiples sons émis par la plupart des objets en faisceaux consistants de couleurs tonales, — par exemple les sons cristallins, métalliques ou les sons renvoyés par le bois — qui nous aident à identifier rapidement et sûrement les objets qui résonnent.

On pourrait ici faire un rapprochement avec la découverte de Newton que la lumière blanche du jour n'est pas un phénomène physique simple, mais un faisceau de couleurs spectrales complexes. Les différents objets reflètent des segments différents du spectre que le cerveau fusionne rapidement en impressions colorées simples, caractéristiques de ces objets. Nous voyons que Newton avait découvert en fait une faculté psychologique du cerveau et non pas une qualité physique de la lumière. L'analogie entre la fusion harmonique et la fusion spectrale est totale. Elle accentue une autre relation, plus fondamentale, entre la « couleur » tonale musicale (fondée sur la fusion harmonique) et la couleur visuelle (fondée sur la fusion spectrale); l'une et l'autre se révèlent en fin de compte comme des produits arbitraires du cerveau. Peut-on penser que l'artiste ait la même conscience des composantes spectrales réprimées de ses colorants que le compositeur — si l'on en croit Schoenberg — pour les harmoniques assourdis qui tintent derrière les couleurs tonales perceptibles à l'écoute consciente? C'est possible. On pourrait expliquer ainsi qu'entre les blancs et les gris il puisse y avoir de telles différences émotionnelles, alors qu'un examen superficiel n'y verrait qu'une apparence à peu près semblable. Pour la vision inconsciente, il se peut qu'ils apparaissent constitués de composantes très différentes, et que le peintre effiloche inconsciemment les divers faisceaux de couleur en leurs composantes diverses : qu'il interprète, par exemple, des blancs différents en fixant explicitement leurs composantes inconscientes réprimées ailleurs dans le tableau. Il y a bien des chances pour que ces interactions soient hors de portée de l'analyse intellectuelle, même si l'on inventait un orgue de couleur électronique qui permettrait au peintre de fusionner et de décomposer à volonté les couleurs spectrales. A mon avis, le peintre n'a pas plus besoin de connaître la base physiologique inconsciente de ses sensations de couleur que le musicien n'a besoin de connaître les composantes harmoniques de sa musique. Pour contrôler ces régions des profondeurs, nous devons nous replier sur l'intuition. Notre méthode peut très bien être de recourir à notre analyse intellectuelle des perceptions conscientes de la couleur et d'explorer les lois dynamiques qui les gouvernent, sans accorder une attention excessive à leur complexité inconsciente.

LIVRE II

Mettre l'imagination en mouvement

Quatrième partie

LE THÈME DU DIEU MOURANT

CHAPITRE XI

Le contenu minimum de l'art

C'est un lieu commun de dire que le réalisme traditionnel dépeignait la réalité extérieure, tandis que l'art moderne se tourne vers l'intérieur pour inscrire le processus interne de sa propre création. Mais ce processus de création se reflète toujours, en un sens, dans l'œuvre d'art; et, il en représente à mes yeux le contenu minimum. Il est certain que l'art moderne arrache, le plus souvent, la superstructure rationnelle pour exposer la substructure, qui est cachée d'ordinaire, et qui reproduit clairement les différentes phases de la créativité telles que je les ai décrites, et la part de fragmentation que garde une œuvre d'art moderne pourrait représenter un résidu de la projection et de la fragmentation initiales, renvoyant ainsi à la première phase schizoïde de la créativité. A ce titre, donc, une part d'angoisse de persécution (paranoïde-schizoïde) adhère encore à l'œuvre. J'ai montré que cette fragmentation résiduelle est contrebalancée, plus profondément, par une dédifférenciation inconsciente. L'art moderne manifeste également dans sa structure une part de cette indifférenciation maniaque. A ce titre, donc, l'œuvre reflète aussi la seconde phase maniaque de la créativité, celle qui aboutit, par la dédifférenciation, au *scanning* et à la réintégration inconscients. On voit alors surgir — en signal conscient de l'intégration inconsciente — un espace pictural ferme. Dans la mesure où un bon espace pictural — qu'il faut bien distinguer d'une pure illusion spatiale, comme on peut en trouver dans la peinture de la Renaissance — est inhérent à toute peinture, on pourrait dire qu'il représente le contenu minimum de l'art : l'expérience enrichissante d'un enveloppement et d'une intégration inconscients.

L'œuvre d'art, comme je l'ai dit, joue le rôle d'un « utérus » retenant, qui reçoit les projections fragmentées du soi de l'artiste. Il en sort des pulsations puissantes qui se propagent en ondes à travers le tableau et qui aspirent le spectateur dans leur étreinte.

Un second lieu commun oppose le réalisme traditionnel qui creusait le plan du tableau et révélait, à la manière d'une fenêtre, un espace caché au-delà, à l'art moderne qui construit son espace dans l'espace qui s'offre au-devant du tableau, comme s'il essayait d'occuper la pièce où est accroché ce tableau. Dans sa tentative désespérée pour conquérir cet espace frontal, la peinture moderne a souvent eu recours à une extension réellement tridimensionnelle de l'œuvre. La fameuse chaise de Rauschenberg, qui est attachée à un tableau, sert de manifeste provocateur à la nouvelle école humoristique du « spatialisme ». C'est à notre vision subjective de remodeler ce meuble, protubérant et aberrant, pour le réintégrer dans le plan à deux dimensions du tableau, pour le faire avaler et digérer par le renflement de son espace pictural. Avec l'humour du désespoir, quelques artistes pop américains en sont venus à contrefaire par dérision des éléments de salle de bains ou de chambre à coucher. Faudrait-il alors attendre des tuyaux de la salle de bains, qu'ils nous « aspirent » dans l'œuvre, et de la contrefaçon parodique du lit, qu'elle nous « enveloppe » dans son étreinte ? C'est, à mon avis, Maurice Agis et Peter Jones, dont j'ai déjà mentionné l'œuvre, qui nous offrent la réponse la plus solide à ce problème qui, pour être humoristique, n'en est pas moins sérieux. Ils ont en effet décidé d'abandonner la peinture et la sculpture pour reconstruire à la place une pièce entière : ils ont passé une année à rebâtir un sous-sol de taudis, qu'ils ont divisé par des intersections contraignantes de panneaux de plastique, de revêtements de sol et aussi de tiges en saillie qui entravaient ou guidaient le cheminement du visiteur, ici indésirable. On était extrêmement surpris et impressionné par l'effet de ces frêles tiges colorées : en effet, la couleur qui s'y trouvait emprisonnée tendait, comme je l'ai dit plus haut, à se diffuser. De plus, ces tiges animaient un espace architectural statique, elles maintenaient séparés deux murs qui, sans cela, se seraient trop refermés sur le visiteur, et pouvaient l'amener soit à les contourner, soit à les enjamber. Leur couleur était déterminante, faisait reculer ou avancer les panneaux et les tiges — ou plutôt — par un effet très mystérieux, les faisait à la fois reculer et avancer (pl. 21-23). On remarque chez ces

artistes une réaction contre la claustrophobie et le morcelle-
ment de l'architecture moderne qui, excessive dans l'extension ou le rétrécissement, échoue à créer un espace où nous
puissions réellement vivre. Une pièce génératrice de claustrophobie, qui se referme trop sur nous, peut faire surgir
des peurs profondément refoulées — peur d'être captifs —,
qui sont en dernière instance liées aux fantasmes à demi
oubliés de la vie intra-utérine. Un bon espace architectural
doit avoir les propriétés d'un bon espace pictural : il doit
pouvoir à la fois nous envelopper et nous mettre à distance.
L'espace dynamique intérieur, tel que l'ont articulé
Maurice Agis et Peter Jones, s'attaque explicitement —
pour la première fois peut-être — à la question de la ferme-
ture ou de l'ouverture de l'espace architectural, et cela
en recourant essentiellement à la couleur. Ce genre d'exercices d'épure « fondamentaux » fait cruellement défaut
dans nos écoles d'architecture surprofessionnalisées; il
pourrait pourtant sensibiliser les étudiants aux ressources
qu'offre l'espace intérieur pour mettre la vie en valeur.

Le thème de la retenue (capture) et de l'extension (délivrance) comme contenu minimum de l'art se présente
sous bien des formes (pl. 24). Un potier me disait un jour
qu'il cherchait à faire des pots dont l'intérieur paraîtrait
plus grand que les pots eux-mêmes. Il rappelait que les
cavernes indiennes donnaient la même impression para-
doxale. Dans les cavernes de l'âge de pierre, les artistes
paléolithiques appliquaient à des passages inaccessibles un
traitement que nous réserverions à des compositions archi-
tecturales plus vastes. Il est probable que la libre dissémination des peintures murales contrecarrait l'impression
claustrophobique engendrée par les cavernes refermées sur
elles-mêmes, et donnait au contraire un sentiment d'extension océanique illimitée. En termes psychanalytiques, le
sentiment d'extension illimitée est étroitement associé aux
fantasmes utérins. L'utérus, pris en lui-même, est peut-être
le symbole le plus contraignant d'une retenue génératrice
de claustrophobie. Et pourtant, dans les fantasmes de
l'enfant, l'utérus s'étend jusqu'à contenir l'univers entier.
Dans l'image créatrice, en tout cas, le fantasme d'un retour
à l'utérus est pratiquement omniprésent. Otto Rank interprète — à juste titre, à mes yeux — une grande part du
matériel mythologique et artistique comme le fantasme
d'annuler sa naissance et de revenir à l'utérus. Il me semble
en revanche aboutir à un échec quand il essaie d'interpréter
tout ce matériel comme le souvenir et le souhait réels d'une

existence intra-utérine. Rank ne fut d'ailleurs pas suivi sur
ce point par les autres psychologues, et sa pensée perdit peu
à peu contact avec l'essentiel du courant psychanalytique.
Son défi est pourtant toujours là, et l'omniprésence et l'insistance du fantasme utérin restent en grande partie inexpli-
quées. J'ai déjà évoqué la signification obscure qu'il revêt
dans la schizophrénie. Ne pourrait-on pas penser que ce
fantasme n'exprime pas tant le souvenir ou le fantasme du
ça, qu'il ne reflète directement le processus de retenue et
d'extension inhérent à toute œuvre créatrice? Si nous y
regardons de près, nous découvrons que les trois phases de la
créativité, qui comprennent la projection, la fragmentation,
la dédifférenciation, l'intégration et la réintrojection, sont
associées au thème fondamental de la capture et de la délivrance. Il se peut dès lors que la représentation du processus créateur dans le moi constitue le contenu minimum de
l'art.

Le matériel utilisé par Rank tend à recouvrir par son
étendue le terrain même que Frazer a exploré dans son
enquête sur le thème du « dieu mourant », sans pouvoir
réussir, lui non plus, à rendre compte de l'omniprésence de
ce thème. Quand Frazer commença à rassembler son matériel, il fut incapable de le limiter, le vit proliférer sous ses
yeux de chercheur, et dut remplir volume sur volume
d'appendices à sa grande œuvre, *Le Rameau d'or*. On dit
qu'il mourut en homme déçu, avec le sentiment de n'avoir
pas trouvé la clé nécessaire pour comprendre effectivement
ce thème. L'une de ses rationalisations était que le roi-
dieu devait mourir pour permettre à un homme plus jeune
et plus vigoureux de gouverner à sa place et d'assurer la
fertilité du pays. Ce thème entretient aussi un rapport étroit
avec l'invention de l'agriculture, — qui pourrait bien être
le progrès le plus important qu'ait connu l'histoire humaine.
Comme le dieu mourant, la graine du blé était tuée, ensevelie dans l'utérus de la terre, pour renaître au printemps de
la nouvelle année. Mais aucune de ces interprétations ne
convient à un matériel aussi vaste. La compulsion à multi-
plier les symbolisations de ce même thème fondamental
doit avoir ses racines dans un besoin plus profond que les
rituels magiques de l'agriculture et l'assurance d'un gouver-
nement efficace. Le motif du dieu mourant re-émerge dans
l'esprit de poètes et d'artistes modernes dont les intérêts
matériels sont très éloignés des craintes et des espoirs
d'une communauté agricole de l'antiquité. Weisinger [33]
a montré que la tragédie grecque classique descend directe-

ment du rituel néolithique du dieu mourant. Le héros de la tragédie doit périr pour pouvoir triompher. Weisinger propose lui-même une autre interprétation rationalisante de ce thème qu'il appelle la « chute bienheureuse ». Selon lui, ce thème repose sur le besoin de maintenir la libre volonté et l'autodétermination de l'homme, face à des forces extérieures écrasantes. La psychanalyse sait bien quelle acuité peut atteindre notre mortification narcissique si notre désir inconscient de toute-puissance et d'immortalité est contré par les limitations de la réalité. Nous avons besoin de toute notre sagesse disponible pour accepter le fait de notre mort personnelle. Certes, Freud lui-même, dans un de ses premiers textes mythologiques, consacré au motif des trois coffrets dans *Le Marchand de Venise* de Shakespeare, suggère qu'on pourrait voir dans le thème du « dieu mourant » une réflexion philosophique résignée sur la nécessité d'affronter la mort en tant que fait. Mais cette explication est peut-être trop restreinte pour un motif aussi universel de l'imagination créatrice. Autant que je sache, il revint à Marion Milner, psychanalyste douée d'une sensibilité artistique exceptionnelle, d'explorer ce motif à travers sa propre émotivité artistique et de l'interpréter comme une réflexion du processus créateur lui-même, direction que j'ai moi-même adoptée et développée.

Devenue psychanalyste, Marion Milner consacra sa vie à la recherche d'une créativité accrue. Elle s'aperçut qu'elle ne pouvait confondre l'exploration d'elle-même en tant qu'artiste avec la compréhension croissante de ses fantasmes du ça. Nous savons comment les artistes doivent balayer le monde à la recherche d'une imagerie puissante qui pourrait donner une acuité nouvelle à la qualité de leur imagination. Ces images ne leur tiennent pas forcément lieu de motifs « pittoresques » *, c'est-à-dire de substituts d'inventions de forme libre, mais elles les aident à garder un regard neuf et une émotivité en alerte. A la différence des motifs, les images créatrices ne s'intègrent pas forcément à l'œuvre définitive. Elles ont une fonction de catalyseurs pour libérer le flot de l'imagination et peuvent finalement amener l'invention de concepts et de formes tout à fait différents.

Marion Milner, dans son livre *An Experiment in leisure,*

---

* « Pittoresque » : ici, au sens propre et non péjoratif du terme : « propre à fournir un bon sujet de composition artistique ». *(N.d.T.)*

écrit sous le pseudonyme de Joanna Field [21], abandonna rapidement sa recherche des motifs pour, à la place, balayer le monde, sa propre mémoire et sa propre imagination, à la recherche d'images incisives, dans un effort soutenu pour mettre en valeur sa réceptivité globale au réel et au beau. C'est alors qu'elle reconnut qu'on ne pouvait expliquer la force de ces images en les interprétant selon les termes psychanalytiques habituels des fantasmes du ça. Il s'agit surtout, comme je l'ai dit, des principales images de souffrance, de destruction et de mort centrées autour du thème de Frazer : le dieu mourant. Pour leur rôle de catalyseurs créateurs, leur contenu sado-masochiste comptait peu. En mettant en mouvement le processus créateur, elles perdaient en effet leur poids d'angoisse et de culpabilité. Comme le dit Marion Milner [21] :

> L'incandescence paisible qui auréolait certaines de ces images dans mon esprit, images du dieu en feu, d'Adonis et d'Osiris, devait-elle son apparition à la satisfaction subreptice de quelques désirs infantiles bruts que j'aurais dû laisser derrière moi depuis longtemps déjà? Je ne pouvais pas croire qu'il en était ainsi, car j'avais assez d'expérience psychanalytique pour reconnaître cette impression de désir inavouable... le type de pensée qui apportait ces autres images était d'une qualité toute différente : il laissait l'impression de la plus grande paix et de la plus grande austérité.

Bien entendu, cela n'exclut pas que les fantasmes du ça, toujours présents, puissent s'emparer de ces images pour leurs propres desseins coupables. Marion Milner admet qu'à se représenter le meurtre d'un substitut humain à la place du dieu, on puisse éprouver le plaisir de faire souffrir, mais, en même temps, la même image pourrait renvoyer à « la vérité d'un processus purement psychique pour lequel nous ne disposerions d'aucun langage plus direct ». Nous pouvons aujourd'hui nommer ce processus et parler des modifications créatrices dans le moi ou, plus spécifiquement, des processus autodestructeurs qui sont inhérents à tout travail créateur. Il y a longtemps déjà, Silberer décrivait une dualité de fonction analogue dans l'imagerie qui accompagne et qui provoque l'acte de s'endormir. Les rêveries crépusculaires intermédiaires entre la veille et le sommeil expriment déjà peut-être, tout comme le rêve profond, des fantasmes interdits du ça, mais en même temps elles offrent le reflet le plus direct qui soit des modifications qui surviennent dans le moi lors de son passage de la veille au sommeil. Quand la semi-paralysie qui affecte la pensée rationnelle durant le sommeil est ressentie comme la destruction de soi et même comme la mort, ces rêveries peuvent présenter un caractère d'autodestruction. L'étude de Silberer portait sur les images qui provoquent et décrivent la venue du sommeil. C'est le mérite de Marion Milner d'avoir reconnu ce même caractère fonctionnel au matériel omniprésent de la Déesse Blanche et de son fils-amant mort. J'ai forgé le terme « poémagogique » pour décrire la fonction particulière de ce matériel : provoquer et symboliser la créativité du moi (le mot grec *poema* signifie toute sorte de composition créatrice, et pas seulement la composition poétique).

Les images poémagogiques, dans leur immense diversité, reflètent les différentes phases et les différents aspects de la créativité de façon très directe, bien que le thème central de la mort et de la renaissance, de la capture et de la délivrance, semble éclipser les autres. La mort et la re-naissance renvoient l'image de la dédifférenciation et de la redifférenciation du moi. On peut voir, dans ce rythme double, une interaction des pulsions fondamentales de vie et de mort qui sont à l'œuvre dans le moi créateur. Une telle interprétation recoupe directement une controverse critique qui partage aujourd'hui les écrits psychanalytiques entre une acceptation littérale de la pulsion de mort (Thanatos) et son rejet catégorique comme spéculation biologique quelque peu déplacée *.

Il est bien évident que la division des positions ne vient pas d'une argumentation rationnelle mais plutôt — comme c'est souvent le cas dans la pensée scientifique quand elle touche aux limites de l'inconnu — d'une attitude émotionnelle. Cette attitude elle-même pourrait, un jour, devenir un sujet légitime pour l'interprétation psychanalytique. Peut-être la qualité de la controverse souffre-t-elle de la conception sommaire qui consiste à imaginer une mort suicidaire radicale qui serait l'objet d'un « souhait ». Quand nous parlons de pulsions fondamentales, nous parlons de concepts explicatifs, très abstraits, et non pas de ces attitudes conscientes et de ces souhaits concrets qui guident notre vie pratique. Si Éros (vie) et Thanatos (mort) correspondent à un dualisme fondamental de pulsions, il est clair que la vie en tant que telle serait impossible sans la pulsion de mort. Le dualisme de la différenciation et de la dédifférenciation, qui est inhérent au fonctionnement du

* Cf. Appendice, p. 357-358.

moi, le manifeste très clairement. La dédifférenciation temporaire, si elle est extrême — comme c'est le cas aux stades océaniques —, implique une paralysie des fonctions de surface et peut ainsi avoir une action très disruptrice. Mais le moi ne pourrait pas fonctionner du tout sans le rythme de son oscillation entre les différents niveaux et l'action disruptrice de la pulsion de mort dans la phase de dédifférenciation fait partie d'un rythme sain du moi. Empêcher ce rythme, c'est risquer la folie et même la mort physique.

Marion Milner, commentant dans une conférence la part que j'attribue à la pulsion de mort dans le contexte de la créativité, disait que la destruction réelle de soi-même et la psychose sont peut-être une forme distordue, parce que frustrée, du processus créateur. La créativité de Jackson Pollock, par exemple, devait peut-être beaucoup aux attaques violentes qu'il faisait subir à sa propre sensibilité de surface. Est-ce un hasard si on a, en général, interprété sa mort dans un accident de voiture, survenue à une époque où sa créativité était presque épuisée, comme un quasi-suicide? S'il avait pu continuer à attaquer son moi de surface, le travail silencieux de la pulsion de mort à l'intérieur du moi aurait pu absorber et neutraliser bénéfiquement son autodestruction physique. Il s'agit là, évidemment, d'un exemple presque entièrement conjectural, et il nous faudrait des preuves plus solides pour soutenir sérieusement cette hypothèse. Dans notre contexte, un tel exemple contribue simplement à illustrer en termes plus concrets la possibilité d'une relation entre la psychose, le suicide, la rigidité du moi d'un côté, et un moi créateur et malléable de l'autre. Le schizophrène vit dans la peur de fantasmes indifférenciés qui, chez des gens sains, auraient une action poémagogique. Chez lui, en effet, ils ne peuvent que conduire à la disruption du moi. Les psychiatres londoniens Ida Macalpine et R. A. Hunter [20] citent des fantasmes typiques de procréation bisexuelle où la différenciation des sexes est suspendue et où le schizophrène assume le rôle du « dieu mourant ». Ils prétendent que le fameux schizophrène Schreber ne se défendait pas tant contre son homosexualité inconsciente — ainsi que le pensait Freud — que contre un fantasme indifférencié où il n'était ni homme ni femme, mais une sorte d'être hermaphrodite primitif destiné à faire renaître l'humanité. Une telle vision résiste normalement à la verbalisation à un niveau conscient. Que Schreber ait été, en fait, capable de transcrire ses fantasmes terrifiants en un langage cohérent prouve des dons certains d'écrivain. Sa transcription, disait-il, était « approximativement » correcte. Il devait en effet soumettre ses souvenirs à une élaboration secondaire, comme nous devons nous-mêmes le faire pour tous nos souvenirs profonds, qu'il s'agisse de rêves, d'expériences mystiques, ou des images poémagogiques fuyantes du travail créateur.

En essayant de revivre sa maladie passée, Schreber a dû soumettre son moi de surface convalescent à une nouvelle disruption, et donc certainement affronter des angoisses très graves. Que la prolongation de sa maladie l'ait contraint à mettre en acte ses fantasmes de dieu mourant ne diminue en rien sa réussite. On sait qu'il se résigna à être émasculé pour pouvoir assumer le rôle de recréateur de l'humanité. Un tel fantasme se rapproche dangereusement de l'imagerie poémagogique d'une autodestruction volontaire, à la manière du « dieu mourant ».

Eric Simenauer [29] rapporte que Rilke lutta contre des fantasmes bisexuels semblables, à caractère messianique, avant de devenir un vrai poète. On sait qu'il rencontra Lou Andreas-Salomé, la grande amie de Nietzsche et de Freud, qui l'encouragea à céder à ses fantasmes disrupteurs et aux graves angoisses qu'ils engendraient. Simenauer affirme que Rilke ne se trouva lui-même comme poète— dépouillant toute forme de préciosité et de clichés — qu'après cette reddition créatrice et cette autodestruction symbolique. (Cette perte de l'imagerie de surface défensive est évidemment le premier profit d'une telle reddition.) Il devint alors capable de verbaliser, sans les travestir, des fantasmes bisexuels indicibles et, ce qui est plus important, sans aucune tentative pour les mettre en acte. On trouve, dans son *Livre d'heures*, une prière au Messie bisexué pour qu'il apparaisse sous la forme de Thanatos. Rilke s'adresse en effet avec ferveur à sa divinité : « Donne-nous la preuve ultime, fais apparaître la couronne de ta force et donne-nous la vraie maternité de l'homme. » Il n'omet pas les détails anatomiques de cette étrange mère bisexuée sans recourir pour autant à des termes trop crus, car le poète garde encore beaucoup de la structure indifférenciée de la fantasmatique poémagogique sous-jacente. A la différence de Schreber, Rilke n'articule pas sa fantasmatique en imagerie précise, et donc obscène ; en s'accrochant au clair-obscur de l'indifférenciation, il peut exprimer l'aspiration du poète à la mort et à la créativité, — éprouvée comme la

vraie maternité de l'homme. Cela signifie que, comme tant
d'exemples de l' « art moderne », le poème décrit ici le
processus de créativité lui-même dans le moi.

Robert Graves nous donne ce qui est presque une recette
de créativité en poésie. Selon lui, l'adoration du poète
pour Apollon appartient à un niveau presque homosexuel,
plus superficiel, de l'imagination poétique. Le poète apol-
linien esquive les dangers de l'abîme où l'attend la vraie
Muse, la dangereuse Déesse Blanche. La vraie menace
qu'elle représente tient à son triple aspect, à son indifférenciation entre la vie, l'amour et la mort. Son amour
pour le poète précipitera donc la mort de celui-ci : le poète,
en l'adorant, provoque sa propre mort pour trouver à la
place l'amour et la re-naissance, ou bien (pour retourner la
formule, comme c'est toujours possible dans de tels fantasmes indifférenciés) il désire la vie dans la mort. L'éternel
thème poétique de Graves n'est pas un fantasme masochiste — c'est le point majeur —, mais une incantation
poémagogique au don de pouvoir créateur. L'image
poémagogique de la déesse, à travers son indifférenciation
extrême où fusionnent la vie et la mort, le meurtre et
l'amour, suscite l'inspiration poétique en dérivant l'imagination du poète vers des niveaux oniriques. Graves,
saisissant intuitivement la vaste stratification qui, dans
l'imagerie poémagogique, traverse les nombreux niveaux
de la production d'images, suggère plusieurs niveaux du
thème du dieu mourant qui sont psychologiquement tout
à fait pertinents. L'analyse que sa psychologie des profondeurs a donnée des mythes grecs est devenue, à ma
grande surprise, un ouvrage classique des bibliothèques
du monde entier. Cependant son approche, qui est implicitement celle d'une psychologie des profondeurs, devrait
être très suspecte au savoir académique. Il extrait en effet le
thème omniprésent de la Déesse Blanche de presque tous
les mythes en supprimant les couches supérieures des
versions tardives. En un sens, son travail rivalise avec les
méthodes de Frazer et de Rank, qui recherchaient tous un
thème fondamental dans une vaste somme de matériel
culturel. Le mythe d'Œdipe lui-même, si cher à la psychanalyse, n'échappe pas à l'analyse de Graves. Pour lui, la
Sphinge tuée par Œdipe était la déesse lunaire de Thèbes
et Jocaste sa prêtresse, qu'un nouveau roi devait épouser
selon les lois d'une société matriarcale. Œdipe, triomphant
de la Sphinge, représente donc le conquérant patriarcal de
l'ancienne société. De la même manière, dans les autres

mythes grecs, la religion olympienne patriarcale l'emporte sur la religion matriarcale plus ancienne. Mais des éléments anciens des mythes sont préservés sous une forme travestie. Selon la loi ancienne, par exemple, le nouveau roi devait devenir le « fils » de l'ancien roi en épousant sa veuve. Cette coutume sacrée est ici détournée en crime de parricide et d'inceste par le remaniement patriarcal du mythe. Graves n'aurait jamais été en mesure de relier avec tant d'audace des indices aussi disséminés, si la psychanalyse n'avait pas ouvert la voie à de telles techniques de réinterprétation. Il n'est pas insignifiant, du point de vue psychologique, que d'anciens mythes, qui ont affaire à un matériel pré-œdipien comme une mère sans époux, aient dû être plus tard réélaborés en une version œdipienne où le père assume certains des aspects terrifiants de la figure primitive de la mère. Mais Graves tombe dans le piège où était tombé Frazer avant lui. Il essaie d'utiliser une réélaboration dictée par des impératifs psychologiques, comme moyen de reconstruire des événements préhistoriques : ainsi des processus psychologiques internes de refoulement sont extériorisés en exploits militaires d'oppression, de sadisme et d'autodestruction, — abus auquel l'imagerie poémagogique interne est exposée. En particulier, la censure interne exercée par le surmoi est extériorisée (projetée) en causes politiques, qui auraient entraîné la réélaboration du rituel et du mythe, par exemple la conquête et l'invasion ou le remplacement du matriarcat par le patriarcat. Il est, bien sûr, tout à fait possible que les processus interne et externe se chevauchent, comme ils le font continuellement dans le travail créateur. Mais on ne doit pas ignorer les nécessités internes au profit d'incidents historiques purement externes.

Quand Frazer, il y a un demi-siècle, mit en avant l'image archétypale du dieu mourant, il espérait avoir trouvé un moyen de reconstruire les événements préhistoriques. A cette époque, l'anthropologie sociale était encore dominée par la reconstruction de l'évolution humaine proposée par Darwin. L'anthropologie physique était en mesure de retracer la préhistoire du corps humain, et les anthropologues sociaux, comme Frazer, espéraient reconstruire les origines de la culture humaine à partir des traces survivantes. Aujourd'hui la recherche des « origines » est discréditée et bien des volumes de Frazer, consacrés à ce thème unique, se couvrent de poussière sur les derniers rayons des bibliothèques universitaires.

Mais son importance reste entière pour les poètes et les artistes. Pour eux comme pour Frazer, un tel matériel sollicite leur intuition par son pouvoir poémagogique et leur sensibilité par son unité sous-jacente, encore qu'elle soit insuffisamment comprise.

Les reconstructions de la préhistoire que fit Frazer peuvent se révéler aussi insoutenables que celles de Graves au sujet des batailles préhistoriques entre les envahisseurs patriarcaux et les colons matriarcaux. Mais il est toujours vrai que les mythes grecs partagent avec d'autres matériels culturels la même imagerie fondamentale. Cette unité ne renvoie pas forcément à une racine commune dans la préhistoire; mais plutôt à une racine commune dans l'esprit humain où des conflits éternels, d'une tout autre espèce, se livrent sans répit.

Avant Marion Milner, Jung fut peut-être le seul à saisir la qualité poémagogique du matériel de Frazer. Dans une telle théorie, les images deviennent des « archétypes » qui président à certains processus créateurs d'intégration. Jung anticipa aussi les découvertes de Melanie Klein sur la mère pré-œdipienne. Mais la progression réglée d'une science aussi complexe que la psychanalyse ne peut rien tirer de bon d'une anticipation téméraire. Je n'ai moi-même pas tiré grand-chose de Rank, de Graves, ou de Jung. La stratification de l'imagerie poémagogique est en effet trop complexe pour cela.

Ce qui a été reconnu depuis longtemps par des auteurs comme Turel [36], Grotjahn [14], Bienenfeld [2] et d'autres, est le fait que le passage du matriarcat au patriarcat reflète le développement de l'enfant jusqu'au stade génital de l'Œdipe. A ce stade final de la sexualité infantile, le père a attiré tous les traits agressifs et sadiques qui jusque-là entachaient l'image de la mère (pré-œdipienne). Le très jeune enfant était confronté à l'image terrifiante de la Grande Mère qui unit dans son image indifférenciée à la fois les attributs mâles et femelles. L'amour d'une telle mère implique assurément un danger et une destruction possible, comme c'est le cas de la Déesse Blanche qui inflige la mort à travers son amour. Lorsqu'on parvient au stade génital de l'Œdipe, le double rôle de la Grande Mère a éclaté; ses aspects terrifiants sont assumés par le père (encore qu'ils soient déjà atténués puisque l'enfant a une meilleure compréhension des relations humaines), tandis que l'amour de la mère se retrouve intact de toute peur et de toute agression. Il est bien

possible que toute forme d'autorité sociale accordée
aux femmes d'une société donnée agisse sur les craintes
pré-œdipiennes de la mère. C'est un fait reconnu par
l'anthropologie que les sociétés matrilinéaires tendent
à se transformer en sociétés patrilinéaires, tandis que le
processus inverse ne se produit presque jamais. Il se
peut que l'instabilité relative des sociétés matrilinéaires
soit due à des peurs inconscientes. Mais le matriarcat,
tel qu'il fut reconstruit par Bachofen ou par Graves,
n'a peut-être jamais existé.

Le travail créateur nous ramène toujours à fouiller les
niveaux plus profonds de l'imagerie mentale. Là, se défait
à nouveau la situation œdipienne triangulaire du père,
de la mère et de l'enfant qui joue pendant la petite enfance.
La figure du père s'efface derrière la mère, qui, comme
la Déesse Blanche, réunit dans son image indifférenciée
les deux pouvoirs mâle et femelle, l'amour et la haine, la
vie et la mort. Comme je l'ai dit, c'est cette indifférenciation structurale seule qui compte comme catalyseur
créateur. Elle joue le rôle poémagogique de la désintégration du moi au cours de la créativité. Je montrerai
que la fragmentation partielle du moi durant la première
phase de la créativité peut être vécue inconsciemment
comme une attaque orale du surmoi contre le moi. Le
surmoi s'extériorise en image de la mère « dévorante,
ardente ». C'est à ce stade que l'artiste ressent des angoisses
de persécution, lorsqu'il doit affronter la fragmentation
de ses premières projections. La question du rapport
entre l'oralité et le dieu brûlé, dévoré, fera l'objet d'un
chapitre ultérieur. Ce n'est pas sans raison que son imagerie semble jouer un rôle plus important dans la créativité scientifique que dans l'art. Le savant projette l'agression et la compulsion orales du surmoi (la culpabilité
qui ronge) en événements incohérents dans une réalité
extérieure fragmentée et les y perçoit comme la loi contraignante de causalité qui assure la marche du monde.
Le voyeurisme et la curiosité orale du savant s'avéreront
étroitement liés à un stade phallique (presque œdipien)
relativement tardif, où la différenciation des sexes s'est
déjà effectuée sous une forme primitive; la mère est fan-
tasmée comme un mâle châtré. L'art, lui, a davantage
à faire avec un niveau plus profond de l'imagerie qui
ignore encore la différence des sexes et fantasme la mère
comme la femme phallique, pourvue des attributs des
deux sexes. Son agression prend son caractère anal. Le

dieu brûle, dévoré, devient le dieu disséminé, rassemblé
et enseveli. Son image reflète cette phase de la créativité
où l'œuvre fonctionne comme l'utérus qui rassemble et
ensevelit les projections disséminées de l'artiste. Grâce
à la dédifférenciation, la créativité réussit à réunir le matériel fragmenté et à le rendre susceptible d'une réintrojection ultérieure. Le dieu déchiré dont les membres
fragmentés sont rassemblés et ensevelis par la mère pour
en assurer la renaissance, reflète la seconde phase de la
créativité. Dans le matériel de Frazer, il prend la figure
de l'esprit du blé des rites agricoles néolithiques. Les
victimes humaines ou demi-divines sont déchirées membre
à membre et disséminées dans les champs comme les
grains de blé, comme la semence disséminée qui repose
ensevelie (captive) dans l'utérus de la terre pour reprendre
vie au printemps suivant. Osiris et Dionysos sont ainsi des
esprits du blé, et Osiris est, lui aussi, déchiré membre à
membre. Selon la version la plus fréquente du mythe, c'est
son mauvais frère, Set, qui est responsable de son meurtre ;
si l'on en croit Robert Graves, il pourrait s'agir ici d'une
réélaboration plus tardive, œdipienne, du mythe : la
figure mâle doit encore assumer les aspects agressifs
de la figure maternelle ; Isis n'apparaît pas comme la mère
qui déchire et dissémine, mais seulement sous sa forme
aimante et intégrante, puisqu'elle rassemble et ensevelit le
corps déchiré d'Osiris pour assurer sa renaissance dans
le monde d'en bas. La mère qui déchire apparaît au
contraire dans le mythe de Dionysos avec Agavè, la mère
folle de Penthée, qui déchire son propre fils vivant ; une
fois revenue de sa folie, elle prend le rôle de la mère qui
ensevelit, et rassemble amoureusement le corps brisé de
son fils pour lui donner une vraie sépulture. De même les
prêtresses de Dionysos, les Ménades en délire, déchirent
vivant le taureau du sacrifice en l'honneur du dieu. Mais
on voit alors surgir une complication qui renvoie à un niveau
encore plus profond et presque océanique d'indifférenciation. Le taureau signifie Dionysos lui-même. Dionysos,
semble-t-il, sacrifie « lui-même à lui-même ». A ce niveau,
la mère se retire et l'enfant reste seul, tout à la fois sujet
et objet de l'autodestruction. Si étonnant que ce soit,
l'expression la plus nette de ce niveau très profond d'indifférenciation se trouve dans l'imagerie poémagogique et
tout particulièrement dans les œuvres d'art qui traitent
de la créativité humaine le plafond de la Sixtine par
Michel-Ange, et le *Faust* de Goethe). Nous commencerons

une analyse plus détaillée de l'imagerie poémagogique
par les profondeurs de ce niveau océanique, pour remonter
ensuite jusqu'au niveau oral, presque œdipien, du dieu
dévoré et qui brûle. J'ai d'abord essayé de procéder en
sens inverse, depuis le niveau oral (le plus élevé) jusqu'aux
niveaux plus profonds. Mais cette démarche se révéla
finalement trop difficile et me fit retarder longtemps la
publication de mes découvertes. Le niveau le plus superficiel, celui du dieu dévoré, et qui brûle, est aisément
accessible, et j'en ai donné, il y a déjà de nombreuses
années [1949], un premier compte rendu dans un article du
Journal international de Psychanalyse [4] : « L'origine
du besoin scientifique et héroïque » (la faute de Prométhée).
Il se trouva que mes découvertes révélèrent un parallélisme
heureux avec l'œuvre de Melanie Klein, dont je ne connaissais presque rien à l'époque. John Rickman, qui était
alors coéditeur du journal, me fit remarquer cette correspondance (et prit sur lui de publier mon article), sans
pourtant qu'elle fût assez étroite pour m'encourager à
publier le reste de mes travaux sur les niveaux encore plus
profonds et moins différenciés de l'imagerie poémagogique.
Aussi en retardai-je la publication, — si j'exclus un cours
sur le niveau anal de cette imagerie que je fis à l'Imago
Group de Londres. Bien plus, je restai longtemps incertain
sur toute l'implication de l'imagerie du dieu mourant à ses
différents niveaux. Melanie Klein relevait bien l'origine
des sentiments rongeants de culpabilité et de remords.
Restait la question des attaques anales du surmoi contre
le moi. On n'a en effet pratiquement jamais remarqué
jusqu'ici l'indubitable coloration anale du refoulement —
ce qui est surprenant, car accepter le caractère anal du
refoulement aurait conduit à un parallélisme parfait des
deux principales fonctions du surmoi : l'induction de la
culpabilité et celle du refoulement dans le moi. Le ronge-
ment oral et la dissémination anale représentent en effet
les attaques primitives du surmoi : le moi réagit par des
affres rongeantes de culpabilité aux attaques orales du
surmoi, et par le refoulement à sa dissémination anale.
L'autodissémination anale peut être une forme accentuée
d'un clivage et d'une autoprojection plus anciens, au cours
du stade oral. La dissémination est contenue par la nouvelle capacité du moi à dédifférencier et donc à refouler
(ensevelir) les parties du soi disparues par clivage. Sans
refoulement, ces parties étaient librement projetées (expul-
sées analement) dans un vide. Il s'ensuivait un appauvris-

sement permanent sans l'intervention de la bonne mère nourricière qui accueille volontiers, garde (ensevelit) pour finalement redonner la substance expulsée. Le refoulement redouble ce processus du monde intérieur, et rend ainsi l'enfant indépendant de sa mère. Le travail créateur extériorise immédiatement ce processus et remplace la mère par le produit extérieur du travail créateur (l'œuvre d'art, etc.). Je n'ai cessé d'insister sur l'impossibilité de séparer les processus internes et externes de la créativité. Le réceptacle (ensevelissant) d'un « utérus » est préparé simultanément, à l'intérieur par le refoulement, et à l'extérieur dans l'œuvre créatrice. Le refoulement interne par la dissémination et l'ensevelissement de parties du soi est redoublé, pas à pas, par les deux premières phases du travail créateur (projection et dédifférenciation). Le même processus structurel de dédifférenciation façonne la vaste substructure enfouie de l'œuvre d'art, tout en enrichissant, au même moment, et en ordonnant la vie fantasmatique (refoulée) inconsciente de l'artiste.

La capacité de retenue (ensevelissante), opposée à la libre dissémination, est reliée à l'apprentissage que fait l'enfant de la propreté et du dégoût, par un effet encore inexpliqué, et peut-être biologique, de la maturation. Lors du premier stade anal, l'enfant dissémine librement ses excréments et attend de son entourage qu'il les recueille (retienne) comme des dons précieux. Le second stade voit apparaître le dégoût qui inhibe leur libre expulsion. L'enfant apprend à les retenir pendant un certain temps et leur expulsion éventuelle n'est plus libre, mais dirigée vers un retenant. Il s'établit un rythme précis de rétention (retenue) et d'expulsion dirigée, qui est étroitement lié au rythme métabolique de base de la vie même. Dans la créativité et le refoulement interne, le rythme métabolique est renversé; l'expulsion dirigée précède, au lieu de les suivre, la rétention et la retenue, d'un mouvement analogue à celui du sperme mâle, d'abord éjecté et ensuite retenu dans l'œuf. Les aspects anal et génital du rythme métabolique feront ultérieurement l'objet d'une discussion plus détaillée.

La méconnaissance qui a jusqu'ici affecté l'aspect anal de l'agression du surmoi contre le moi n'est probablement pas étrangère à la mode scientifique. On néglige aujourd'hui le matériel anal en faveur du matériel oral. Celui-ci est considéré comme plus fondamental et pri-

mitif, parce qu'il se façonne au cours d'une phase plus
ancienne du développement de l'enfant. Ainsi s'explique
peut-être que l'aspect anal du surmoi en soit toujours à
attendre plus amples éclaircissements.

Le niveau anal de l'imagerie poémagogique recouvre
le niveau océanique, plus profond encore. Or, il se trouve
que celui-ci est plus accessible. Seule sa place dans la
théorie psychanalytique est restée très incertaine. J'ai
déjà évoqué notre échec à trouver une explication adéquate de l'ubiquité des fantasmes utérins maniaques.
Il semble bien que dans la phase maniaque finale de la
créativité, le moi finisse par se libérer brutalement des
attaques acharnées du surmoi, qu'il se fasse alors une brèche
dans la frontière qui sépare le monde intérieur du monde
extérieur : le soi de l'enfant fusionne avec sa mère et incorpore ses pouvoirs générateurs. La figure de la mère disparaît donc comme entité individuelle, absorbée par l'enfant
autocréateur et autodisséminant qui reste seul et s'identifie avec l'utérus qui le porte. Ce fantasme poémagogique met en scène l'importante évolution qui, par l'apprentissage du refoulement, rend l'enfant indépendant d'une
figure maternelle bienveillante, jouant le rôle d'un réceptacle (utérus) pour les parties projetées du soi de l'enfant.
L'enfant incorpore l'utérus de la mère. Cette forme océanique des fantasmes utérins familiers est très négligée
dans la littérature psychanalytique, mais elle est largement mise en évidence par l'imagerie poémagogique de
l'art. On pense à la divinité autocréatrice de Michel-Ange
au plafond de la Sixtine. Nous retrouvons ce fantasme
chez Goethe, avec sa figure du petit homme, créé par
l'homme, de l'*homunculus*, qui n'est pas encore né, et
qu'il porte enchâssé dans son utérus de verre. Celui-ci
se délivre de son propre utérus en disséminant sa substance
aux pieds de la déesse de la mer : naissance, amour et
mort sont ainsi réunis en une action unique. Ce thème
fera l'objet d'une discussion plus détaillée dans un prochain chapitre. Dans la mythologie, c'est la figure du dieu
Dionysos, autodisséminant et autocréateur, qui représente
l'autodestruction et la renaissance de l'esprit créateur
sous sa forme la plus poignante.

Résumons, une fois encore, notre tentative de descente
progressive dans les profondeurs océaniques. Au sommet,
le niveau œdipien est totalement différencié et offre la
confrontation triangulaire père-mère-enfant. Avec le retrait
de la figure paternelle, l'enfant doit affronter la mère

dans ses aspects agressifs de plus en plus terrifiants. Au niveau phallique-oral, elle apparaît comme la mère dévorante, qui brûle et qui — comme nous le verrons — inflige la castration orale, tout en étant encore ressentie elle-même comme un mâle châtré, par un reste de différenciation sexuelle décroissante. En dessous, au niveau anal, la Déesse Blanche assume les pleins pouvoirs des deux parents. Son agression s'accroît aussi et la menace de castration fait place à la menace de mort : être déchiré ou brûlé vivant. En dernier lieu, l'enfant divin absorbe lui-même les pouvoirs créateurs de ses deux parents. Il incorpore l'utérus de la mère; il se porte, s'expulse et s'ensevelit lui-même en un acte unique, image océanique-maniaque que son extrême indifférenciation rend à peine visualisable. Il est important de mesurer le degré de dédifférenciation qui est atteint dans chaque version particulière du thème du dieu mourant. Il existe en effet beaucoup d'étapes transitionnelles, qui appartiennent encore à un niveau plus superficiel, tout en comportant certains traits caractéristiques d'une plus grande profondeur.

Freud démêla intuitivement les travestissements de ce thème. Il s'en est occupé dans l'unique recherche qu'il a consacrée exclusivement à la mythologie, c'est-à-dire son article sur « Le thème des trois coffrets », dont j'ai déjà parlé. Freud admirait Frazer et son œuvre, mais il n'essaya pas d'évaluer le thème du dieu mourant dans sa signification universelle, sans doute parce qu'il croyait lui-même que le complexe d'Œdipe offrait les racines universelles de la civilisation humaine. Il n'eut cependant aucun mal à percer les nombreux travestissements de la déesse de la mort. Il reconnut, comme Graves, qu'il s'agit d'une déesse triple, dont la meilleure représentation est trois femmes : Cendrillon et ses deux sœurs, Psyché et ses deux sœurs, les Trois Grâces, les Parques, ou peut-être les Filles du Rhin de Wagner, — toutes ces figures triples cachent, sous leur apparence inoffensive, le triple aspect de la Grande Déesse comme celle qui dispense la vie, l'amour et la mort. J'ai évoqué plus haut l'interprétation rationalisante de Freud, qui voyait dans la prompte soumission du dieu mourant à la déesse de la mort, l'acceptation philosophique de la mortalité de l'homme, sans guère améliorer la rationalisation qu'avait donnée Frazer de ce thème. Mais il ne se laissa pas tromper par l'indifférenciation presque océanique de la représentation qu'en donnent certains matériels. Ce qui lui permit de reconnaître la déesse de la mort dans une situation complètement inversée. A ses yeux, la scène très émouvante de *King Lear*, où nous voyons le roi brisé porter dans ses bras sa fille Cordélia morte, tire son immense pouvoir émotionnel de l'inversion inconsciente de la situation et de l'image éternelle de la *Pietà* : la déesse de la mort pleurant son fils mort, Aphrodite pleurant Adonis, et Isis pleurant Osiris. Il ne peut s'agir, avec des inversions aussi complètes, du simple jeu d'un processus chaotique, que l'on pourrait faire passer au compte d'un irresponsable fantasme inconscient. Elles sont en effet structurellement fortement signifiantes, et renvoient à ce niveau océanique très profond, où l'enfant s'arroge le rôle de la mère (si bien qu'à la fin celle-ci disparaît totalement). L'inversion des rôles nous permet précisément de situer l'imagerie de Shakespeare près de la limite océanique de la production poémagogique d'images. D'autres exemples nous viennent immédiatement à l'esprit : Eurydice est encore une déesse de la mort, comparable dans son statut à Perséphone comme déesse des Enfers. Mais ce n'est pas elle qui conduit Orphée aux Enfers; elle est au contraire guidée par lui au sortir des Enfers. Le fils donne donc vie à la mère. La même inversion totale du rôle dispensateur de vie est peinte dans la plus sacrée des icônes grecques, la *Dormition de la Vierge* (pl. 27). La Vierge repose, mourante, sur son lit. Son fils divin, dressé fièrement dans sa majesté, berce dans ses bras l'âme, représentée comme une petite fille, de sa mère, lui dispensant la renaissance et la vie éternelle. Comme je l'ai dit, l'enfant, dans son rôle de dispensateur de vie, finit par se débarrasser totalement de sa mère, et, dans une image d'extrême dédifférenciation, se dispense à lui-même la vie et la mort. Au niveau maniaque-océanique, la mort est en effet impossible à distinguer totalement de la naissance. Les trois rôles de la figure maternelle fusionnent; le don de la vie, de l'amour et de la mort, devient un acte unique. Le dieu « autocréateur » de Michel-Ange, la curieuse conception de Goethe dans son *Faust* d'un *homunculus* créé par l'homme qui obtient la vie, l'amour et la mort dans l'acte unique d'une autodissémination aux pieds de la déesse, comportent cet aspect maniaque. La psychanalyse classique pourrait considérer de tels fantasmes comme simplement narcissiques et n'aurait pas tort de le faire. On y trouve en effet le même retrait à l'écart de la réalité extérieure, la même expansion illimitée du soi pour embrasser le monde entier. Mais on manquerait alors l'aspect structurel signifiant de la dédifférenciation océanique, qui situe fermement le fantasme dans le contexte du travail créateur extraverti. A mesure qu'on approche de cette phase maniaque de la créativité, l'image de la Déesse Blanche s'efface, et avec elle les terreurs qu'inspire un surmoi féroce. Le sursaut du moi est alors imminent. C'est à ce moment également que, pour reprendre les termes de Marion Milner, la coloration sado-masochiste du thème du dieu mourant disparaît pour faire place au calme et à la sérénité. Mais cette sérénité est précédée d'une expérience authentique de la mort que nous re-vivons dans l'imagerie poémagogique. A cet égard, l'expérience maniaque-océanique de la mort et de la résurrection diffère de la manie pathologique, qui nie simplement la mort *. Il est difficile de débrouiller dans l'imagerie poémagogique les aspects dépressifs et les aspects maniaques de l'autodestruction. Un sentiment de félicité océanique, cosmique fait alors un étrange contraste avec l'imagerie d'une souffrance et d'une mort inexorable. L'essentiel semble que la mort doive être d'abord affrontée et l'épreuve de la mort imposée jusqu'au bout, avant qu'on puisse atteindre fructueusement le niveau océanique-maniaque de la libération et de la renaissance. L'esprit non créateur, stérile, bronche devant la mort et le fait de la mortalité humaine. C'est pourquoi il ne peut supporter l'authentique épreuve émotionnelle de l'autodestruction qui accompagne le rythme créateur du moi dans son oscillation vers les profondeurs, et s'accroche désespérément à ses fonctions de surface. Le rythme du moi est toujours présent, mais sous une forme superficielle. L'épreuve virtuelle d'autodestruction qu'il recèle reste pratiquement insoupçonnée tant que la pulsion de mort est « muette »; la phase autodestructrice de dédifférenciation s'intègre alors sans heurts dans une oscillation souple du moi entre différents niveaux. Le rythme du moi de la créativité, au contraire, met sévèrement à l'épreuve la souplesse du moi. Qu'un tant soit peu de rigidité du moi ait dissocié les fonctions du moi et empêché les dérives plus profondes de la conscience dans le travail créateur, alors la fragmentation forcenée de l'imagerie de surface qui précède la dédifférenciation est ressentie

---

* Cf. Appendice, p. 356-357.

émotionnellement comme une annihilation totale de soi. Dans la mesure où nous souffrons tous, pour une part, d'une dissociation schizoïde (j'ai décrit, dans les chapitres précédents, des cas intermédiaires qui frisaient la stérilité créatrice), nous devons affronter les angoisses et les peurs de l'autodestruction. Marion Milner soutient que cet affrontement permet aussi d'éprouver si l'acceptation de la mort comme faisant partie de la réalité est totale, émotionnelle (et pas seulement intellectuelle). Elle rappelle que, dans les corridas espagnoles, la mise à mort du taureau est appelée « moment de vérité ». Le rituel de la corrida est en fait d'une grande indifférenciation émotionnelle. Le taureau est-il l'agresseur, ou un animal qui représente le dieu mourant, un symbole de nos fantasmes d'autodestruction? Dans le *Guernica* de Picasso, le premier projet faisait du taureau la victime, mais la version finale en fit l'agresseur impitoyable, avec le cheval mourant dans le rôle de la victime. La confusion des rôles doit entrer pour une part dans l'excitation émotionnelle qu'on ressent dans ces combats. Le moment de vérité dans la mort définit enfin la victime. Ainsi l'imagerie poémagogique du dieu mourant aide certainement à confirmer la réalité psychique de la mort. Il ne peut y avoir en effet aucune tricherie émotionnelle dans le rituel de deuil du dieu mort. Car sa résurrection n'est jamais entièrement assurée. J'ai été élevé dans une région catholique et je me rappelle le caractère radical de ce deuil du Vendredi-Saint qu'aucun espoir de résurrection ne venait adoucir. Et pourtant, ce Vendredi de désespoir était « Saint », et la mort émotionnellement acceptée comme faisant partie de la réalité.

Il peut paraître paradoxal que nous devions faire capituler nos fonctions de surface, le siège même de notre rationalité, pour approfondir notre sens de la réalité et de la vérité. Ne prétend-on pas que seul notre esprit rationnel, et pas notre inconscient, reconnaît la mort et la mortalité? Mais, en fait, le seul à ignorer la mort et le temps est le ça inconscient. La part inconsciente du moi fait, elle, l'expérience constante de sa destruction dans son rythme fondamental de dédifférenciation, ne serait-ce que dans l'alternance lente qui règle la veille et le sommeil, ou dans le rythme plus accusé du travail créateur. Selon toute vraisemblance, c'est ce rythme intérieur au moi qui donne le sens du temps aussi bien que de la mort. Nous pouvons confirmer par là l'hypothèse de Freud, selon laquelle le temps était peut-être le mode de fonctionnement du moi. L'être non créateur aplatit ou contrecarre le rythme du moi, par crainte de la dédifférenciation; il nie du même coup le cours du temps et l'existence de la mort en tant que fait émotionnel. (J'ai avancé plus haut une autre raison qui interdit à nos fonctions rationnelles de surface de nous fournir, à elles seules, un sens vrai de la réalité et j'ai montré comme la vivacité de notre expérience consciente dépend d'une vaste substructure inconsciente.)

Le second trait de la dédifférenciation semble contredire sa valeur en tant qu'expérience de la réalité. Il s'agit de sa qualité maniaque distinctive. Lors de la mise à mort du taureau, du sacrifice du dieu mourant, est perdu le sentiment vraiment dépressif qui les accompagne; la mort, une fois acceptée, devient une fête de félicité cosmique, une libération de la servitude humaine. La *Passion selon saint Matthieu* de Bach, par exemple, est peut-être la déploration la plus déchirante qu'ait suscitée l'agonie du Christ dans notre art. Rien ne vient suggérer la résurrection prochaine, ni faire espérer une renaissance; la mort y est acceptée émotionnellement, pleinement. Et pourtant, une fois offert le sacrifice suprême, une paix profonde, inexplicable, tarit toutes les lamentations. Une mélodie sereine dit la fraîcheur du soir, une fois tout consommé. Le travail de deuil s'est assurément accompli comme jamais auparavant. L'expérience maniaque ultime de la mort rejoint alors l'indifférenciation extrême qui confond le sens de la mort et de la vie, de l'amour et de la haine. Cette fusion (qui fait partie du *scanning* inconscient) permet la mise en scène de la réintégration du soi et sa renaissance ultérieure. La littérature psychanalytique n'a pas encore assuré une place à cet important rôle constructeur de la fusion maniaque dans le travail créateur, encore qu'elle semble aujourd'hui plus proche de le faire.

On traite habituellement la créativité comme la faculté de réussir des formations symboliques, ce qu'elle est en effet. Marion Milner s'engage dans la discussion générale sur les conditions psychologiques propices à une formation de symboles effective, en affirmant que la fusion océanique et la dédifférenciation en sont des conditions préalables. Elle cite le cas d'un enfant qui reproduisait dans son jeu l'ancien rituel du dieu mourant [22]. Elle observa l'enfant en train de brûler solennellement l'effigie d'un soldat de plomb. Il y avait là un sens profond du mystère et de l'implication de soi dans le sacrifice. Le sacrifice signifiait à ses yeux la reddition créatrice du moi (superficiel) du sens commun qui veille sur les frontières qui séparent les choses entre elles, et le monde extérieur du monde intérieur. Ce qui est tout l'opposé d'une dénégation pathologique de la réalité. Il s'agit ici de mettre en scène une communion entre le moi superficiel et sa matrice indifférenciée dans l'inconscient, d'où doivent sortir toute idée et tout symbole nouveaux.

Melanie Klein a beaucoup insisté sur l'aspect dépressif de la créativité. L'enfant se rend compte du mal qu'ont fait ses agressions et sent le besoin d'une réparation. Des angoisses dépressives entrent certainement pour une part dans la créativité. J'ai suggéré que la première phase de projection et de fragmentation libres est assaillie d'angoisses de persécution schizoïdes-paranoïdes. Le savant, en particulier, recherche des parties de la réalité physique qui apparaissent encore incohérentes et fragmentées, et provoque presque les angoisses schizoïdes en contemplant cette fragmentation. C'est pourquoi, à mes yeux, l'image du dieu brûlé et dévoré est caractéristique du travail scientifique. Dans la seconde phase de la créativité, le créateur prépare, en quelque sorte, dans son œuvre, un « utérus » réceptif, l'image d'une figure maternelle bienveillante, pour retenir et intégrer le matériel fragmenté. Dans la mesure où l'intégration réussit, les angoisses de persécution font place à des angoisses dépressives. La progression qui fait passer de la projection schizoïde à l'enfermement dépressif répète la crise déterminante que j'ai mentionnée dans le développement de l'enfant. Tout d'abord, les angoisses paranoïdes-schizoïdes entraînent un éclatement excessif du soi et des projections massives et non dirigées (identifications projectives) dans le vide. Cette dilapidation de la substance du moi peut entraîner son appauvrissement permanent. Plus tard, l'enfant apprend à traiter différemment ses angoisses. J'ai suggéré qu'au lieu de projeter dans un vide les parties du soi perdues par clivage, il prépare dans son inconscient un « utérus » où il refoule ce matériel clivé. Une fois dûment transformé en représentation symbolique, le matériel refoulé peut reconquérir son accès au moi superficiel.

Comme je l'ai dit, l'œuvre créatrice dans le monde extérieur enferme et intègre les projections, tandis qu'au même moment se prépare un autre utérus dans la matrice indifférenciée de l'inconscient pour poursuivre le travail d'intégration à l'intérieur du moi. À ce stade secret, se produisent des dédifférenciations et des fusions océaniques fructueuses qui sont essentiellement maniaques de caractère. Une intégration parfaite est possible grâce à l'interpénétration mutuelle et sans limites de l'imagerie océanique tous les opposés se fondent, la mort et la naissance ne font plus qu'un, la différence des sexes et la différenciation parent/enfant disparaissent. Tout clivage est provisoirement annulé.

La troisième phase de la créativité donne alors lieu à une réintrojection partielle de l'imagerie océanique dans la conscience. Son caractère partiel contraint le reste au refoulement, formant ainsi la substructure inconsciente de l'art. On sait aussi, comme nous l'avons vu, que sa rentrée dans le moi superficiel implique une élaboration secondaire. La perception superficielle, étroitement focalisée, ne peut embrasser le champ plus large de l'imagerie indifférenciée. C'est pourquoi le résultat final du travail créateur ne peut jamais parvenir à l'intégration totale qui est possible dans la seconde phase océanique-maniaque de la créativité. L'angoisse dépressive en est l'inévitable conséquence. L'esprit créateur doit être capable de supporter l'imperfection. Le créateur se réveille en effet de son expérience océanique pour découvrir que le résultat de son travail ne correspond pas à son inspiration initiale. Des liens inconscients, établis au niveau maniaque-océanique, n'ont pas été intégralement transférés jusqu'à la cohérence de surface. Mais l'incohérence ne provoque pas nécessairement d'angoisse de persécution, parce que les liens inconscients persistent encore dans la matrice indifférenciée (substructure) de son œuvre. Les angoisses dépressives peuvent parfois entraîner une nouvelle immersion du résultat dans la matrice inconsciente pour créer de nouveaux liens. Ainsi, le rythme qui fait osciller le moi de la dédifférenciation à la redifférenciation périodique s'accompagnera de sentiments alternativement maniaques et dépressifs. Si parfaits que soient les liens inconscients, leur réintrojection dans la conscience entraînera toujours une angoisse dépressive.

Je connais un artiste qui place son tableau, une fois fini, près de son lit, pour pouvoir le voir le matin, à son réveil. Il se peut que dans l'état crépusculaire qui partage le sommeil de la veille, ses facultés autocritiques, encore faibles, lui permettent plus aisément d'introjecter ce qu'il a fait la veille dans une demi-cécité et en toute spontanéité. Mais la lumière grise du matin n'est pas toujours aussi indulgente. L'entraînement que nous pouvons donner à un jeune artiste consiste pour une part à durcir sa résistance contre une impulsion anale à rejeter les résultats imparfaits de la veille, pour recommencer à nouveau avec une feuille blanche. Il faut pouvoir supporter la fragmentation partielle. Je montrerai dans un prochain chapitre que les grands maîtres du passé ont appris dans leur maturité à ignorer la fragmentation de l'apparence superficielle et à maintenir leur confiance dans la logique inconsciente de la spontanéité. On peut penser qu'il faut la persistance d'un élément maniaque, appartenant à des niveaux plus profonds et presque océaniques de la dédifférenciation (où se poursuit le *scanning* inconscient), pour soutenir l'artiste face à la dépression qui l'assaille à la vue de la fragmentation tenace de la surface.

Le processus de la formation symbolique (créatrice) suit le même rythme. Pour pouvoir symboliser un autre objet, l'image symbolique doit se compénétrer avec lui dans la matrice indifférenciée de la production d'images. A leur réintrojection dans la conscience, les liens indifférenciés se resserreront. Seule l'image symbolique se prête au foyer étroit de l'élaboration, si bien que l'autre objet symbolisé demeure refoulé. Mais tant que persiste le lien inconscient, l'image qui symbolise ne sera pas dissociée, et restera imprégnée de signification et de référence inconscientes. Son pouvoir symbolique disparaît au contraire dès que se dissout son réseau inconscient, ce qu'entraînent inévitablement les processus secondaires qui tendent à dissocier l'imagerie de surface de sa matière indifférenciée. Ernest Jones, dans son article désormais classique sur la formation du symbole, excluait non sans raison de son discours les artefacts séculaires de la civilisation. Nous usons d'une charrue, d'un couteau ou d'une maison sans nécessairement réagir à leurs puissants symbolismes phalliques ou utérins. Contrairement à ce qu'on affirme souvent, cette dissociation ne sert pas l' « autonomie » du moi de surface. C'est une perte sans retour. Notre vie quotidienne a ainsi perdu de son intensité, puisque celle-ci dépend du contact qu'elle entretient avec la matrice inconsciente de la production d'images, où l'ancien symbolisme est encore en activité. La fonction sociale essentielle de l'artiste peut parfaitement consister à regagner pour nous l'intensité perdue de nos expériences, en réactivant leurs réseaux symboliques profonds, seuls capables de leur donner une vie plastique.

Le schizophrène, comme je l'ai montré, redoute la dédifférenciation qui est à ses yeux équivalente à la mort. Il n'a pas réussi à créer un « utérus » dans son inconscient qui puisse lui servir de matrice pour établir des réseaux inconscients. (L'échec du refoulement dans la psychose fera l'objet d'une discussion ultérieure.) Tout ce qu'il peut faire, c'est copier le processus de dédifférenciation à un niveau conscient — ce qui est impossible —, si bien qu'il ne réussit qu'à désagréger son imagerie rigide. A cause de leur incompatibilité, les fragments se télescopent en formes composites « bizarres » (Bion). La formation symbolique devient impossible : ce qui aurait dû être un symbole conscient et l'objet inconsciemment symbolisé se heurtent violemment à un même niveau conscient, et l'un des deux est contraint de céder le passage. Hanna Segal cite le cas d'un psychotique qui refusait de jouer du violon parce que, disait-il, il ne voulait pas se masturber en public. L'objet symbolisé usurpe ici la place de l'objet symbolisant; le violon ne symbolise plus le génital : il a été délogé par l'objet génital concret. Hanna Segal a proposé le terme d' « équivalence symbolique » pour désigner ce violent déplacement [27]. Ce n'est pas là un choix très heureux. Ce qui a lieu n'est en fait ni symbolique, ni une équivalence. Une chose s'est poussée à la place d'une autre parce qu'elle refusait précisément de lui être équivalente. Ce terme conviendrait mieux à la substructure inconsciente de l'œuvre créatrice où le symbole et l'objet symbolisé se compénètrent librement sans se faire violence. Chez le psychotique, non créateur, on assiste à l'effrayante tentative de réaliser dans le monde conscient, où les objets opposent une résistance opiniâtre, ce qu'autorise seule la matrice inconsciente indifférenciée de la production des images.

Si l'on accentue trop le rôle de la dépression dans la créativité aux dépens de la manie, on néglige la polarité de la manie et de la dépression. Ce sont là des attitudes humaines fondamentales, qui représentent peut-être les deux pulsions fondamentales, Éros et Thanatos. Une fois accepté le statut égal des deux positions polaires, nous pouvons percevoir leur coopération plutôt que leur antagonisme dans le travail de l'intégration créatrice. La dépression créatrice permet aux noyaux du moi qui sont disséminés à un niveau conscient d'être enfermés et maintenus ensemble, tandis que la manie créatrice descend par oscillations jusqu'à un niveau indifférencié de conscience, et résout ainsi la dissociation stérilisante qui sépare les différents niveaux du moi. La dépression réussit l'intégration *horizontale* du moi (qui se produit au même niveau), tandis que la manie provoque l'intégration *verticale* en réunissant l'imagerie de surface et sa matrice inconsciente. Ensemble, elles produisent le rythme fondamental dont dépend la santé du moi.

CHAPITRE XII

Le dieu autocréateur

La créativité tend à faire le lien entre l'extrême fond et les plus hauts niveaux de la production des images; aussi est-il souvent difficile de distinguer la fragmentation initiale, due à un clivage presque schizoïde, de l'autodissémination maniaque finale (dédifférenciation) qui contient la semence de l'intégration. Au stade océanique, l'agression du surmoi contre le moi est enfin neutralisée. Le moi superficiel ne résiste plus désormais à l'attraction des profondeurs, et la dédifférenciation n'est plus ressentie comme un danger. La raison a appris à accepter les structures « ouvertes », libres de toute gestalt. La solution finale d'un problème peut ainsi rester « ouverte » et retenir des variables (structures sérielles) que seule l'utilisation future viendra compléter. Par exemple, les ambiguïtés de l'art abstrait peuvent trouver leur complément dans l'interprétation plus concrète que fournit le spectateur; des morceaux de musique indéterminés sont ainsi ajustés en séquences définies, des constructions utilisées et transformées pour des usages non orthodoxes et le libellé de textes légaux redéfini par les besoins changeants de la société. Pour qu'elle puisse accepter de telles solutions ouvertes, l'agression du surmoi doit s'affaiblir considérablement. Le moi de surface s'est en effet trouvé submergé de structures indifférenciées, qui doivent être supportées et bien accueillies en dépit de leur apparence fragmentée et chaotique. De même, la réintrojection finale de l'imagerie — qui est en partie indifférenciée, et vulnérable à l'élaboration secondaire opérée par le principe rationnel de la gestalt — ne peut se faire sans un peu de ce bien-être maniaque, dont nous fait présent un surmoi bienveillant.

Certes, quand le résidu de la dédifférenciation maniaque est important, on ne peut éviter une apparence trompeuse de fragmentation, de coupures et de transitions brutales. Aussi les artistes, qui considèrent leur œuvre maniaque à la lumière grise et dépressive du jour qui suit, sont-ils la proie d'un doute insistant. Mais, heureusement pour nous, ils sont en général capables de résister à leur doute sur eux-mêmes, avec l'aide d'un surmoi apaisé, et peuvent, jusqu'à un certain point, faire revivre l'ancienne fusion océanique. C'est alors que les images poémagogiques du dieu autocréateur et autodestructeur ou de la Muse déesse aimante et meurtrière — aident l'artiste à ne pas lâcher prise pour s'en tenir au niveau maniaque de la créativité. Leurs images surmontent alors triomphalement les fissures brutales de la surface et justifient le chaos conscient par l'extrême indifférenciation de leurs aspects contradictoires, qui réconcilie ces incompatibles que sont la naissance, l'amour, la mort, et qui transcende les limites de l'existence individuelle.

La figure d'Homunculus dans le *Faust* de Goethe repré· sente peut-être, comme je l'ai évoqué, l'incarnation la plus extrême du dieu autocréateur. Il se trouve que l'épisode d'Homunculus, dans la seconde partie de la tragédie, provoque également la rupture la plus manifeste de l'intrigue, — qui, de toute façon, tend à l'incohérence. Ce n'est pas là une coïncidence. Goethe en était venu, pour une fois, à se fier à son inspiration maniaque. Il avait, au départ, composé son *Faust* de pièces et de morceaux, au grand amusement — et au grand scepticisme — de son patron princier, le duc de Weimar, qui lui reprochait de tout laisser en « champ de bataille ». Et c'est bien comme un champ de bataille qu'apparaît *Faust* aujourd'hui, tout au moins au lecteur hyper-rationnel que choque le manque d'une cohérence superficielle. Goethe était en effet séduit par la fragmentation maniaque, c'est-à-dire par ce type de fragmentation qui renforce la cohérence profonde aux dépens de la cohérence superficielle. On en a la preuve avec l'intérêt, apparemment exceptionnel, que manifeste Goethe pour *La Flûte enchantée* de Mozart, — autre œuvre notoirement incohérente, mais beaucoup plus légère. On doit, comme on le sait, le livret de *La Flûte enchantée* à Schikaneder, acteur-directeur de faubourgs, dont le souci majeur était de s'écrire un bon rôle et d'introduire des effets qui puissent faire salle comble. Pour ce qui est de la musique, *La Flûte enchantée* est également ficelée de styles musicaux disparates, empruntés par Mozart à droite et à gauche, apparemment sans grande originalité. On aboutit pourtant, dans le cas de *La Flûte* , à un résultat qui ne manque pas de profondeur, et contribue au mystère de cet opéra qui n'a cessé de susciter des recherches d'interprétation toujours nouvelles. La plus imaginative d'entre elles — mais, en surface, la moins réussie — fut celle de Goethe lui-même. Celui-ci écrivit en effet une suite à l'opéra, espérant par là en éclaircir quelques obscurités : il ne réussit qu'à en ajouter quelques autres. Et pourtant, avec l'effort conjoint de Goethe et de Schikaneder, on a peut-être la condensation la plus profonde du thème du dieu mourant, puisqu'elle parvient au niveau le plus profond, celui de l'utérus autocréateur, autodisséminant, celui de l'enfant divin dépourvu de parents. Goethe renonça ensuite à son projet, mais il en transplanta en bloc l'imagerie dans son *Faust*, amenant ainsi, comme on peut maintenant s'y attendre, de nouvelles incohérences et de nouvelles coupures. Il n'est pas sans intérêt de retracer ici toute l'histoire de ce thème, à travers ses vicissitudes apparemment futiles.

Le début de l'opéra de Mozart est conventionnel. Il suit le cliché de l'opéra « salvateur », qui était très courant à l'époque. Le Prince Tamino est sauvé d'un serpent géant par trois dames qui sont au service de la Reine de la Nuit. En lui montrant un portrait de la fille de cette reine, Pamina, on lui apprend qu'elle a été enlevée par le mauvais magicien Sarastro. Tamino promet alors d'aider la mère infortunée et d'arracher sa fille au pouvoir de Sarastro. Il reçoit une flûte enchantée qui le protégera du danger, et trois jeunes génies le conduisent au temple de Sarastro. Si l'opéra avait suivi le schéma conventionnel, Tamino aurait dû se battre contre le mauvais magicien et sauver sa princesse pour l'épouser. En termes psychanalytiques, cette intrigue se serait déroulée exclusivement au niveau génital de l'Œdipe ; le fils prend le parti de la mère lésée, défie son père et gagne l'amour de sa mère. Or, il ne se produit rien de semblable. C'est pour le bien de Tamino que Sarastro l'a, en fait, enlevée. Il est en effet le prêtre du Soleil, et fait pendant à la Reine de la Nuit, déesse maléfique des Ténèbres. Tamino subit alors les épreuves qu'exige sa purification, pour mériter d'entrer dans la société secrète, mâle, de Sarastro. On a suggéré que Mozart, qui était franc-maçon, avait changé ses projets (et ceux de Schikaneder) en cours d'intrigue pour y introduire un enseignement maçonnique. On en reviendrait donc aux rituels secrets du

Saint Graal. C'est possible; mais il est plus vraisemblable que cet opéra a été dès le départ un bric-à-brac. Toutefois, les changements introduits en dernière minute par les grands artistes se révèlent en général inspirés aussi par une nécessité intérieure irrésistible; il s'agirait ici des niveaux plus profonds, pré-œdipiens, de l'imagerie poémagogique. En outre, le retournement n'est pas aussi brutal qu'il y paraît au premier abord. Les trois dames de la Reine, comme toutes les figures féminines triples, désignent la Reine comme la terrible déesse triple. Quand la Reine apparaît en personne au bruit du tonnerre, elle le fait dans le rôle de Cérès, la mère endeuillée et assoiffée de vengeance. Les à-coups de sa *coloratura* rappellent la figure tout aussi sombre de Donna Anna dans le *Don Giovanni* de Mozart, dont le seul but est aussi la vengeance, et qui rejette l'amour et la vie tant que le criminel n'est pas traduit en justice. Le travestissement de l'impitoyable Déesse Blanche est ici parfaitement transparent, comme l'est aussi celui du dieu mourant. Il est certain que Don Juan provoque sa propre destruction et se sacrifie lui-même. Goethe était prêt à reconnaître en lui un précurseur de son Faust; et il avait tant d'admiration pour le *Don Giovanni* qu'il espérait voir Mozart mettre aussi son *Faust* en musique. J'ai déjà indiqué qu'on peut reconnaître le motif du dieu mourant dans *La Flûte enchantée*. Le symbolisme de la castration qu'offre le meurtre du serpent se reflète dans la scène de restitution qui donne à Tamino sa flûte magique, — curieux symbole bisexuel. Tamino devient alors Orphée, et doit descendre dans des grottes souterraines remplies de feu et d'eau pour gagner une renaissance spirituelle. Cette conception d'une société mâle, qui fait renaître les jeunes mâles, est inscrite au cœur de ces rites ubiquitaires qui marquent les cérémonies du passage et de la puberté dans les sociétés primitives. La communauté des mâles s'approprie les pouvoirs féminins de l'utérus, comme l'a fait remarquer Margaret Mead. Le futur initié est isolé des femmes et recueilli dans l' « utérus » du corps social représenté par la communauté des hommes. Mais, plus profondément encore, c'est le jeune initié lui-même, comme l'a montré Bettelheim dans son livre *Les Blessures symboliques* [1], qui crée en lui-même les pouvoirs féminins, sous la figure du dieu mourant autocréateur. Il crée les organes féminins à l'intérieur de son propre corps, par exemple en incisant ses parties génitales. Il parvient alors à la renaissance sans l'aide ni de sa mère, ni du corps social représenté par les pères. Le Prince Tamino, dans *La*

Flûte enchantée, s'approprie ainsi la flûte bisexuelle qui représente son moyen propre de salut. On a remarqué que le pouvoir de la flûte enchantée est curieusement indépendant de la lutte qui oppose les figures paternelle et maternelle; il en est de même pour les trois jeunes génies qui accompagnaient au début Tamino et le guidaient jusqu'à Sarastro sur l'ordre de la Reine, mais qui intervenaient ensuite avec une grande autonomie. C'est sans doute avec ce rôle indépendant des trois génies que l'intrigue, riche en obscurité, offre son plus grand point de résistance. Avec eux commence une longue lignée, que Goethe a reprise. Leur détachement à l'égard de la lutte qui oppose le patriarcat et le matriarcat renvoie à ce niveau très profond de l'imagerie poémagogique où l'enfant autocréateur assume les pouvoirs générateurs de ses parents. La dette de Goethe envers Mozart a suscité récemment une étude particulièrement clairvoyante (Joseph Müller-Blattaau, « Der Zauberflöte zweiter Teil », *Jahrbuch der Goethegesellschaft*, Neue Folge, 18, 1956), où l'on suit la lignée qui, des trois génies « détachés » de *La Flûte enchantée*, mène à l'enfant de Tamino (dans la suite au livret écrite par Goethe) et de là au jeune cocher du second *Faust*. A ces résurgences du thème, j'ajouterais volontiers les figures d'Homunculus, d'Euphorion, et des jeunes bienheureux que met en scène l'apothéose finale de Faust. Toutes ces figures font preuve de la même indépendance disruptrice, et sont l'occasion d'inconséquences insurmontables, qui ont toujours défié toute interprétation littérale. On aura maintenant compris, je l'espère, qu'il ne peut s'agir ici des résidus mal digérés de quelque fantasme du processus primaire, qui devraient à un accident ou à une négligence d'être restés là tels quels. Leur origine, qui remonte au niveau océanique le plus profond de l'imagerie poémagogique, leur confère une signification structurelle essentielle. Les fissures et les crevasses de la surface descendent directement dans les profondeurs indifférenciées où commence à faire sens l'imagerie poémagogique de l'enfant divin. Sans cette rupture, nous ne pourrions éprouver sa puissance et nous nous laisserions égarer par la légèreté désinvolte du garçon divin. Il faut que la surface éclate en morceaux, en tribut à sa divinité, en hommage fracassant à sa puissance créatrice.

Dans la suite qu'écrivit Goethe à *La Flûte enchantée*, la Reine de la Nuit est transformée, sans plus de cérémonie, en une véritable déesse de la Terre : c'est le nom que lui donnent ses suivantes. Déesse chthonienne, elle vit — conformément à son caractère — volontairement recluse dans les grottes souterraines. Elle joue d'emblée son rôle véritable de « déesse ensevelissante », maîtresse de la mort et de la renaissance. Elle se venge de Tamino et de Pamina, qui sont cette fois mariés, et comblés tout récemment par la naissance d'un fils, en ensevelissant dans un coffret d'or l'enfant vivant. Bien plus, ce cercueil s'enfonce à son tour dans l'utérus de la terre, que gardent des animaux sauvages, et des barrières d'eau et de feu. Goethe n'aurait pas pu rendre plus explicite le symbolisme proprement utérin des grottes d'eau et de feu qu'on trouve chez Mozart. La réaction du principe paternel — incarné par Sarastro — correspond bien à ce qu'on en attend : Sarastro tente à son tour de se comporter comme un dieu mâle de la naissance. Papageno et Papagena n'ont pas d'enfants, et en désirent vivement. Sarastro leur conseille de déposer dans une grotte des œufs magiques, — ce qui est encore un nouveau symbole utérin usurpé cette fois par la figure paternelle œdipienne.

A la fin, c'est l'enfant qui s'arroge lui-même les pouvoirs des parents. Tamino et Tamina passent à travers l'eau et le feu pour rejoindre le cercueil qui contient l'enfant avec le secours de la flûte enchantée (Goethe précise explicitement qu'il faut utiliser pour cette scène le même décor que pour la scène correspondante de *La Flûte enchantée*). Mais la fin est tout à fait inattendue, et conclut brutalement la pièce par un gauchissement spontané de l'intrigue. Goethe n'est, en fait, jamais parvenu à achever le livret. Le coffret devient incandescent et transparent, et le petit enfant qui y est enfermé se transforme en un esprit puissant qui se donne à lui-même la vie en faisant éclater le cercueil et en s'élançant dans l'air pour se perdre dans l'espace infini. Les raisons qui interdisent à Goethe de poursuivre sont évidentes. Son intention était de prolonger l'intrigue et de la ramener à un litige entre les figures paternelle et maternelle. La seule voie possible était de réduire le pouvoir de l'enfant en annulant sa naissance-suicide maniaque. C'est précisément la tentative qu'esquissent les ébauches qu'écrivit Goethe pour le dernier acte. Le génie est « repris » au cours d'une bataille entre les deux puissances ennemies, rendu à la terre ferme, et le pouvoir de redonner la vie est ainsi à nouveau dérivé sur les parents. On peut y voir un sens logique, mais en aucun cas une description du processus créateur, du point de vue de la vérité poémagogique, qui impliquerait pour l'enfant autocréateur et autodestructeur (identifié avec son propre utérus) une issue victorieuse. La disruption violente de l'intrigue de surface n'est alors qu'un nouveau résultat logique de son triomphe maniaque.

C'est ce qui se produit également dans le *Faust* de Goethe. On rapporte que Goethe, quand il était jeune, s'était inspiré d'un fait divers qui rapportait le procès d'une femme jugée pour avoir tué son enfant. Il en fit la Marguerite du premier *Faust*, la mère éperdue et abandonnée qui tue son fils illégitime, mais que sauve la grâce du ciel. Mais il ne s'agit encore que d'une image très superficielle de la Déesse Blanche meurtrière, maîtresse de la mort et de la renaissance. Dans la seconde partie de la pièce, Faust assume le rôle de la mère dispensatrice de la renaissance. Il essaie de ramener à la vie Hélène de Troie, — ce qui constitue une nette inversion des rôles, caractéristique d'un haut degré de dédifférenciation; la mère, meurtrière de son fils, fait place au fils (Faust) qui redonne la vie à sa mère. J'ai évoqué plus haut la forme classique du mythe, selon laquelle Orphée conduit Eurydice au sortir des Enfers, au lieu d'être emmené aux Enfers par la déesse de la mort. Or, Faust est ici explicitement comparé à Orphée. La prêtresse Manto qui a jadis fait subrepticement entrer Orphée aux Enfers, promet à Faust la même faveur, pour qu'il puisse plaider la libération d'Hélène auprès de Perséphone. Mais la confrontation décisive de Faust et de Perséphone n'a jamais vu le jour. Goethe, en effet, changea d'avis au dernier moment — ce qui est typique d'une intrusion maniaque venue d'en dessous —, et lui substitua une histoire très différente de renaissance, sans même prendre la peine de la relier au reste. La continuité de l'histoire connaît ainsi une disruption totale. Le petit homme chimique, Homunculus, parvient dans l'amour à sa propre renaissance suicidaire, en un épisode caractérisé par une extrême indifférenciation océanique, comme je l'ai déjà fait remarquer. Homunculus, en effet, n'est pas encore né; il est enclos dans une fiole de verre qui peut devenir incandescente et s'élever dans les airs par ses propres moyens (encore un symbole phallique). Le petit homme réalise sa renaissance en fracassant sa fiole dans une explosion forcenée, aux pieds de Galatée, la déesse de la Mer, au cours d'une scène collective d'abandon orgiastique.

Nulle part la littérature n'offre une image plus condensée de l'utérus autocréateur et autodisséminant, ou plus exactement de l'enfant divin, privé de parents, qui s'identifie avec l'utérus dont il se délivre lui-même en un acte triple de naissance, d'amour et de mort. L'image obsédante des jeunes génies de *La Flûte enchantée* a enfin trouvé ici le moule qui lui convient. Faust, en effet, qui incarne la quête créatrice de la réalisation de soi, n'a pas vraiment désiré redonner vie à la figure maternelle; car l'artiste, même s'il ressuscite dans son œuvre la mère morte ou blessée, et propose sa restitution en intégrant le bâti de l'art, descend aussi, en même temps, dans les Enfers de son propre inconscient pour refaçonner son propre moi fragmenté dans l'utérus qu'ils constituent. Mais — et c'est ici que tend tout mon propos — l'intrusion de l'image poémagogique, tout en signifiant l'intégration dans la matrice de l'utérus, disrupte en même temps la cohérence de la surface, créant ainsi une impression presque insupportable de fragmentation. Faust a-t-il en fait pu se trouver en présence de Perséphone, et prononcer sa plaidoirie? La pièce n'en dit rien. La scène s'achève sur la naissance-amour-mort d'Homunculus et, lorsque le rideau se lève à nouveau, Hélène est déjà ressuscitée : il semble bien, comme pour Homunculus, qu'elle y soit parvenue par ses propres moyens. D'elle-même aussi, elle va voir Faust dans son château médiéval. La confusion de l'espace et du temps qui s'opère ainsi trahit la présence de résidus maniaques. Mais, en dehors d'eux, la tragédie d'Hélène accuse un austère classicisme, ce qui accentue le contraste avec les vers libres et la licence maniaque qui caractérisaient l'autosacrifice d'Homunculus. L'élément maniaque resurgit ensuite en Euphorion, fruit de l'union d'Hélène et de Faust. Nouveau Dionysos, il atteint à la pleine maturité en quelques jours, ce qui fait allusion aux pouvoirs autocréateurs de l'enfant divin. Sitôt qu'il s'est amené lui-même à la maturité, il parvient à sa propre réalisation en disséminant sa substance dans les airs. Et aussitôt après, il lance des appels depuis les Enfers souterrains : l'autodissémination signifiait donc un auto-ensevelissement dans l'utérus de la terre. La séquence temporelle qu'on trouvait dans la suite écrite pour *La Flûte enchantée* et dans l'épisode d'Homunculus — où l'autodissémination suivait l'ensevelissement d'un être vivant — est donc ici franchement inversée. L'intrigue prend d'ailleurs un nouveau tournant après la mort d'Euphorion, sans que pourtant son absence de cohésion soit ici aussi gênante que la rupture qui suivait la mort d'Homunculus. Goethe avait l'intention de rassembler quelques fils un peu lâches et d'accentuer davantage un point ou deux. Mais il mourut avant d'avoir pu le faire et on a, en fait, le sentiment qu'il n'y accordait guère d'importance. On se rappelle en effet qu'il avait travaillé son *Faust* de bric et de broc toute sa vie, et qu'il en avait publié des parties sous la forme de « *Fragment* ». La pièce commence d'ailleurs brutalement, au milieu d'un vers, par le mot « et », tant Goethe négligeait les fignolages de la cohérence superficielle pour se laisser guider au contraire par les exigences d'une logique plus profonde. Lorsque, dans ses dernières années, il eut le souci de mener l'œuvre à son terme, il rationalisa l'indifférence instinctive qu'il éprouvait pour la logique de surface et en fit un principe conscient de composition poétique. Dans une lettre qu'il écrivit à son ami W. von Humboldt, il faisait état d'un « développement psychologique secret » qui exigeait des « recherches scientifiques »; peut-être pensait-il que Humboldt pouvait l'aider à comprendre ce qui lui était arrivé. Il s'était, écrivait-il, élevé jusqu'à un mode de créativité poétique qui, dans la pleine lumière de la conscience, donnait des résultats capables de résister à l'autocritique future; mais « il ne savait jamais nager deux fois dans la même eau ». Bien qu'il acceptât lui-même sa spontanéité. et en appréciât la logique « pleinement consciente », il était bien certain, écrivait-il, qu'Aristote et les autres « esprits prosaïques » auraient attribué cet état à une forme de folie. Il prévoyait ainsi qu'il ne réussirait pas à faire comprendre sa logique poétique d'un public prosaïque. Il avait beau, en effet, se trouver au faîte d'une gloire internationale, il n'en savait pas moins que sa dernière œuvre s'échouerait, comme une épave, sur quelque rive lointaine pour y être disséminée, et ensevelie par « les dunes du temps » [*Dünenschutt der Stunden*]. Et c'est, en effet, ce qui devait arriver. Il a fallu attendre des commentateurs du xxe siècle comme Helen Herrmann, M. Kommerell et Stuart Atkins à Harvard, pour qu'on commence à mettre au jour l'ordre caché de *Faust*. Les commentaires antérieurs, en dépit du respect unanime et souvent excessif qu'ils vouaient à Goethe, n'avaient vu de *Faust* que sa fragmentation de surface; et ils en avaient critiqué le chaos dans les termes mêmes dont use la théorie psychanalytique classique pour décrire le chaos superficiel du processus primaire. O. Pniower, l'un des interprètes de l'œuvre de Goethe les plus respectés (dans *Dichtungen und Dichter*, Berlin, 1912), blâme l'indifférence de Goethe à l'essentiel, — qu'il cachait dans « des détails insignifiants ». (On sait que le processus primaire fait preuve de la même indifférence et déplace ainsi l'accent porté sur l'essentiel.) On a aussi critiqué

Goethe pour son traitement laconique des thèmes majeurs, pour les retards délibérés, les transitions brutales et les ruptures qui les noient. Les thèmes sérieux reçoivent en effet un traitement désinvolte; par exemple, l'aspiration de Faust à sa propre réalisation est parodiée par Homunculus, le petit homme synthétique, alors qu'on attendait une certaine solennité. Mais à qui imputer un tel défaut? Ne sommes-nous pas contraints de reconnaître, une fois de plus, les incartades irresponsables du processus primaire — celui qui, dans les rêves, exprime des fantasmes effrayants en images exquises, et transforme des idées rassurantes en motifs d'horreur et de peur? Il n'y a là, bien entendu, aucun chaos, mais simplement un nouvel exemple de notre aptitude inconsciente à la dédifférenciation qui réconcilie les opposés, et d'autres structures sérielles plus complexes. L'indifférence de Goethe pour la cohérence de surface fait appel, en nous, à la même faculté inconsciente. Soit dit en passant, l'épisode d'Homunculus devait à l'origine prendre la forme d'un divertissement léger, à l'imitation de *La Flûte enchantée*. Dans l'opéra, en effet, Papageno singe son maître en quête de sa propre réalisation, en partant à la recherche d'une oiselle à demi humaine à son image. Dans les premières esquisses de Goethe, Homunculus devait se chercher une jeune fille chimique de son acabit. Mais le divertissement léger tourna au sérieux, et ce qui ne devait être qu'une intrigue en reflet comique finit par interrompre l'action principale de la pièce.

Le « développement secret » de Goethe l'amena donc à accepter la fonction constructive du processus primaire. Comme ce n'était pas un « esprit prosaïque », il pouvait traverser la surface déroutante de la fragmentation, de la frivolité, de l'abandon maniaque et de l'obscurité pour sentir la logique submergée de ses fantasmes poémagogiques. En termes poémagogiques, sa vision initiale de la Déesse Blanche sous les traits de la meurtrière d'enfants, Marguerite — qui était une projection particulièrement agressive du surmoi —, fit peu à peu place à l'image du moi maniaque et souverain absolu : l'enfant autocréateur, autodisséminant, appelé Homunculus, ou Euphorion, ou jeune cocher, etc.

L'artiste doit ainsi apprendre à se fier à son inconscient, à la logique et à la cohérence cachées qui lui appartiennent. Il lui faudra peut-être supporter beaucoup de souffrance, d'angoisse et de doute pour pouvoir achever son développement secret : le moi doit d'abord, en effet, subir l'assaut du surmoi, ou, pour reprendre les termes de Robert Graves, le poète doit subir l'amour meurtrier de la Déesse Blanche. Le moi apprend à neutraliser cet assaut en le transformant en un pouvoir de dédifférenciation active, et en un contrôle plus rigoureux du processus primaire. Cette dédifférenciation n'est pas une simple « régression contrôlée » (E. Kris) à des formes plus primitives du fonctionnement du moi. La question est précisément que l'artiste transforme l'indifférenciation primitive, qui est passive, en une faculté active : la faculté de modeler des images d'une dédifférenciation extrême, et jamais atteinte jusqu'ici. La contemplation de l'imagerie poémagogique accélère ainsi le cheminement du moi, tout en indiquant le degré d'indifférenciation qui est atteint à chaque instant. C'est pourquoi il est si important de faire la distinction des différents niveaux structurels de l'imagerie poémagogique. Une fois que le moi est parvenu à contrôler pleinement la dédifférenciation des images qui est inhérente au processus primaire, il est prêt au renversement maniaque du surmoi, dont l'utérus autocréateur et l'enfant divin sont le symbole. Alors se confondent la surface et la profondeur du moi, le surmoi fusionne avec le moi, jusqu'au moment où le cycle de la créativité en fait intervenir la troisième phase, c'est-à-dire la phase dépressive.

Cette fusion provisoire des fonctions superficielles et des fonctions profondes implique une dissémination maniaque, ainsi que l'élimination de tous les clichés et de tous les maniérismes présents. Le moi peut se permettre de vider tout ce fatras, car la perte en sera largement compensée par la réintrojection dans la conscience du matériel refoulé qui est en attente dans la matrice inconsciente sous-jacente (c'est la troisième phase de la créativité). Bien entendu, l'élaboration secondaire qui relève de la réintrojection consciente tendra bientôt à dégrader en une nouvelle série de clichés rigides et défensifs les symboles de création récente. Pendant un certain temps ces clichés garderont, comme nous l'avons vu, leur pouvoir générateur et leur fertilité, tant que se maintiendra leur lien avec la matrice indifférenciée sous-jacente. Mais, avec la libération des images nouvelles — qui ne peut manquer de se produire —, se monte le décor nécessaire pour une nouvelle représentation du rituel de l'autodestruction et de la renaissance dans le sacrifice du dieu mourant.

Le rejet des solutions préexistantes, l'acceptation de la disruption et l'abandon maniaque de soi trouvent peut-être leur manifestation la plus nette dans le mouvement choral de la *Neuvième Symphonie* de Beethoven. Beethoven était alors entré dans sa dernière période et il commençait à abandonner la forme fixe, pour se fier de plus en plus à la cohérence intuitive profonde. Aussi lui fallut-il payer le prix même que Goethe paya d'ailleurs volontiers : en dépit de sa renommée grandissante, ses dernières œuvres furent longtemps sans être jouées. Les derniers quatuors furent ainsi découverts par Richard Wagner, encore adolescent, et l'aidèrent peut-être, bien qu'il n'ait probablement jamais eu l'occasion de les entendre, à provoquer, presque par accident, la plus grande révolution que la musique ait connue. Il a été plus haut question de l'incohérence rythmique du premier mouvement de la *Neuvième*, et de la rupture qui décale l'ondulation cosmique des premières mesures et les coups de tonnerre qui suivent. On ne peut obtenir d'unité rythmique qu'en modifiant effectivement la vitesse : on reconnaît ici ce vieux paradoxe de la logique inconsciente qui nous est maintenant familier. Cette symphonie, étant donné les normes rigides des concerts, est rarement exécutée même aujourd'hui de façon satisfaisante.

Dans le dernier mouvement choral, Beethoven rejette explicitement tous les antécédents. Les ressources de l'orchestre ne lui suffisent plus, il lui faut la voix humaine pour exposer la signification plus profonde de sa musique. Le rejet de l'antécédent figurait déjà dans cet étrange récitatif des contrebasses qui reprennent et rejettent — en imitant une voix humaine qui chanterait à gorge éployée — les citations des mouvements antérieurs. Dans les premières ébauches, ces reprises étaient effectivement chantées par la voix humaine, qui répudiait ces citations pour leur insuffisance à exprimer ce qui devait l'être. L'idée est évidemment plus subtile de faire plutôt « chanter » les contrebasses. C'est en effet démontrer l'intolérable mutisme d'une musique purement instrumentale, que d'essayer de faire chanter les instruments de façon humaine, sans pouvoir y arriver. Pour finir, il faut bien que la voix humaine fasse elle-même irruption, symbolisant ainsi une disruption violente seule capable d'obéir à une logique plus profonde.

Mais cette intervention finale de la voix humaine a également pour effet, au même moment, de rejeter le chaos et la destruction. Elle ne rejette pas, à la différence des récitatifs de contrebasses, les souvenirs mélodiques des mouvements antérieurs; elle répond au tonnerre fracassant du chaos qui inaugure le mouvement et qui se répète à la fin pour écarter définitivement les citations orchestrales. La voix chantante rejette le tonnerre de la destruction pour exiger une musique moins hostile. C'est alors qu'intervient l'hymne extatique à l'esprit de la joie. L'autoreddition maniaque suit l'autodestruction agressive, suivant la logique de l'imagerie poémagogique. Beethoven fut longtemps dans une hésitation douloureuse sur la pertinence de ce mouvement choral. A la différence de Goethe, en effet, il n'avait pas appris à accepter la disruption superficielle au profit d'une logique plus profonde. Remarquons au passage que l'évolution rapide qui dégrade chez Beethoven un procédé de fragmentation en un procédé intellectuel de composition dénonce, dans toute sa dérision, notre obstination à ne pas comprendre ce qui est en question dans l'imagerie poémagogique. La citation de mouvements précédents était aussi un truc bien commode pour produire une unité superficielle entre les mouvements de la symphonie.

La forme symphonique est inenseignable. Nulle part en effet le besoin poémagogique d'une fragmentation de la cohérence superficielle ne se fait davantage sentir. Si chaque mouvement, pris en lui-même, possède une forme qui peut se laisser saisir analytiquement, les changements de registre qui les séparent représentent bien plus qu'un contraste agréable de clé, de rythme et de mode. On ne peut percevoir d'unité sous-jacente qu'en acceptant et en accentuant les ruptures superficielles. L'intervalle de silence qui sépare les mouvements est d'une signification structurelle immense quoiqu'il ne puisse pas se mesurer. La brève floraison de la forme symphonique classique institutionnalisa, en quelque sorte, la fragmentation de la surface, et ne pouvait donc être viable qu'aussi longtemps que les compositeurs se fiaient à leur sensibilité profonde pour structurer des coupures de la continuité superficielle. Beethoven, en rompant les formes traditionnelles, montra que, dès cette époque, les changements de registre et les contrastes entre les mouvements symphoniques étaient devenus une question d'habitude mécanique et manquaient d'une unité plus profonde. La *Neuvième Symphonie* a ceci de commun avec le *Faust* de Goethe qu'elle choisit comme thème le travail même de l'esprit créateur. Doute sur soi-même, essai de rejeter les précédents, solutions expérimentales diverses à un problème formel nouveau avec leurs rejets, maîtrise du chaos qui s'ensuit par une autoreddition maniaque, tout est incorporé dans le bâti même de l'œuvre. J'ai dénoncé plus haut la prétention de l'art moderne à avoir abandonné le sujet objectif, comme à avoir représenté en premier le processus créateur subjectif. Nous savons dorénavant que les plus grandes œuvres du passé étaient, au même titre exactement, poémagogiques. Tout se passe comme si l'art, une fois que sa production d'images a atteint de plus grandes profondeurs, devait réfléchir dans sa structure cette descente périlleuse.

On sait que Michel-Ange a peint, sur le plafond de la Sixtine, la Création du monde. Il acheva son œuvre en peignant, poémagogiquement, sa propre créativité dans le panneau biblique qui est le plus proche du *Jugement dernier*, et qu'il peignit sur le mur de l'autel, en dernier lieu, alors qu'il était au sommet de ses moyens (fig. 3o). Ce petit panneau passe d'habitude inaperçu, et surprend par son aspect vague et estompé — ce qui semble bien appartenir aussi au sujet poémagogique. Avant de créer le monde, il fallait que le grand créateur se créât lui-même. Bien loin d'être la puissante et virile figure paternelle des scènes de la création, c'est ici un vieillard faible qui essaie d'émerger de l'utérus d'un nuage tourbillonnant où il s'enveloppe comme dans une chrysalide : son unique bras s'élève à tâtons pour défaire l'écheveau qui l'enveloppe. Cette élévation tâtonnante est le résultat d'une décision de dernière minute, qui suggère donc une intervention de la spontanéité et de son action disruptrice soudaine. L'étude que nous avons faite de l'action disruptrice de l'épisode d'Homunculus nous a amenés à faire cas de ces changements d'avis tardifs. Comme dans *Faust*, le motif poémagogique de l'utérus autocréateur est ici venu s'introduire dans une histoire biblique qui est par ailleurs parfaitement orthodoxe. Michel-Ange lui-même n'en a jamais donné l'interprétation; ce n'est d'ailleurs pas nécessaire si l'on accepte mon hypothèse d'un besoin intérieur qui viendrait s'introduire dans un projet bien réglé. Ses contemporains s'empressèrent de sauter sur cette interprétation hérétique du panneau et, depuis, aucune autre explication satisfaisante n'a jamais été proposée. A le décrire comme « Dieu partageant la lumière et les ténèbres », on ignore la faiblesse du geste, et contribue ainsi à l'indifférence qui a toujours été celle du grand public.

Un de mes amis hasarda un jour une explication assez profane de l'étonnante disparité qui existe entre la divinité de ce panneau et la puissante figure paternelle qui crée l'univers. Le personnage faible et laid qui lève ce bras fatigué peut aussi bien représenter le vieux maître lui-même, Michel-Ange, en train de peindre le plafond. Il arrive souvent que ce genre de plaisanteries badines, sur les sujets qui touchent à la psychologie des profondeurs, frappent juste. L'attitude du personnage et le mouvement malaisé de son bras ne sont pas en effet sans évoquer les contorsions d'un peintre qui peint un plafond. On ne sait d'ailleurs pas si Michel-Ange a peint la Sixtine debout ou couché sur le dos. Il a laissé une petite esquisse (fig. 12) qui représente un peintre debout en train de peindre un plafond avec ce que cela suppose d'inévitable contorsion. On a ainsi la démonstration parfaitement claire de l'image que se faisait Michel-Ange de l'acte de peindre un plafond, et de la vision de lui-même qu'il pouvait avoir inconsciemment. La plaisanterie expliquerait ainsi tout à la fois la fragilité surprenante du personnage divin, et l'acceptation par le maître aussi bien que par son public d'un traitement manifestement hérétique de la création biblique. Au plus profond du niveau poémagogique, tout artiste véritable s'identifie, lui et son œuvre, aux pouvoirs générateurs de l'utérus. Il se sent au même moment à l'intérieur et à l'extérieur de l'enveloppe utérine, et, en dernier ressort, représente l'utérus lui-même. L'histoire de la création divine devient ainsi l'histoire de la création humaine.

Les mêmes raisons poémagogiques pourraient bien, à mes yeux, expliquer l'intrusion dans le plafond des nus glorieux qui y sont tout aussi déplacés. La provocation de leur musculature et de leur nudité indispose encore aujourd'hui un public pieux, mais les admirateurs de Michel-Ange y voient la plus belle réussite du plafond. J'y verrais de plus, pour ma part, une représentation directe du motif de la créativité. Ils sont d'ailleurs étroitement apparentés aux trois génies impudents de *La Flûte enchantée* qui traversent l'opéra sans être inféodés à quiconque, ainsi qu'aux nombreux jeunes garçons divins autocréateurs qui s'arrogent l'autorité et le pouvoir de leurs parents. Il est certain qu'ils introduisent aussi une disruption et une fragmentation formelles, au moins pour ce qui est de l'articulation architecturale du plafond. Une première esquisse porte encore, à leur place, des ornements architecturaux conventionnels qui faisaient valoir la courbure de la voûte; si bien que leur absence interdit de lire correctement la courbe rampante du plafond, et qu'elle ne peut qu'égarer et gêner le spectateur. Toute la netteté architecturale se

trouva abandonnée du jour où les *ignudi* envahirent ces
points architecturaux clefs. Leur taille inhabituelle boule-
verse l'équilibre de la composition et laisse une impression
de surcharge. Leurs immenses corps constituent un cadre
extravagant pour les panneaux bibliques relativement
petits qu'ils entourent : à chaque coin de chacun des
panneaux s'est installé un de ces géants nus, dont l'autarcie
et l'indifférence divines semblent écarter les scènes bibliques qu'ils enserrent, écraser les figures bibliques qu'on y
voit représentées. Leur nudité païenne cadre mal avec les
histoires sacrées, et produit souvent une impression fran-

FIGURE 12. *Esquisse faite par Michel-Ange en marge du manuscrit
d'un sonnet, où il décrit les difficultés physiques qu'il a rencontrées
en peignant ses fresques au plafond de la Sixtine. Ne peut-on suggérer que l'image du « dieu autocréateur » du plafond (pl. 30) représente Michel-Ange en train de peindre précisément ce plafond?*

chement sacrilège. Pour peu, cependant, qu'on soit en résonance avec eux, toute confusion de l'espace ou du sens disparaît. J'accepterais volontiers l'interprétation qu'en donne Adrian Stokes : leurs distorsions objectivement choquantes symboliseraient, à un niveau indifférencié de vision, les propriétés d'un être ambisexuel puissant. La forme à la fois carrée et rembourrée de leurs torses serait un signe moins de force virile que de fécondité féminine et, comme cette fusion indifférenciée résiste à l'analyse consciente, elle provoque l'angoisse. Quand Stokes dit [31] : « Les créatures viriles comme... Sébastien (dans *Le Jugement dernier*) sont surhumaines : sans la moindre effémination, elles incorporent les pouvoirs féminins : d'où leur *terribilità* », il s'accorde bien avec mon interprétation : les *ignudi* représenteraient le génie auto-créateur identifié avec l'utérus. Tout comme les scènes bibliques tirées de la Genèse, ils racontent l'histoire de la créativité divine et humaine ; ils ne peuvent donc que venir en intrus et bouleverser toute considération esthétique et iconographique. Ils ne doivent leur triomphe insolent qu'à leur pouvoir de disruption violente, qui fait partie de leur symbolisme le plus profond. Leur distance et leur désintérêt à l'égard des représentations qu'ils encadrent en principe appuient le motif fondamental de l'autarcie divine. Ils répètent en écho par tout le plafond le mystère de la créativité et, par la disruption qu'ils imposent à sa continuité superficielle, ils le relient à une unité plus profonde.

Comme cette disruption faisait partie de la fantasmatique poémagogique, elle n'a jamais pu être imitée avec bonheur. Les peintres baroques, qui ont tout copié des innovations de Michel-Ange, ont aussi essayé, évidemment, de produire leurs propres *ignudi*. Au mieux, un jeune homme puissant soutient laborieusement un cadre autour du panneau ; il n'y a guère de quoi s'émouvoir. Jamais plus on n'a tenté cette interpénétration et cette fusion réciproques du panneau et des *ignudi* ; il aurait d'ailleurs fallu, pour y réussir, l'impulsion d'une logique plus profonde.

CHAPITRE XIII

Le dieu disséminé et enseveli

Il nous faudra probablement attendre, pour élucider parfaitement le rôle exact que joue l'agression du surmoi dans le travail créateur, d'en savoir davantage sur la part de responsabilité qu'elle porte dans la maladie mentale. La créativité et la maladie mentale sont en effet, à bien des égards, les deux faces d'une même médaille. Ainsi, le blocage de la créativité par la rigidité du moi découple souvent le déchaînement autodestructeur du surmoi, qui est d'habitude absorbé et neutralisé par la décomposition périodique du moi qui se fait au cours de la créativité; on peut donc mettre à profit une intensité particulière de l'agression orale et anale du surmoi contre le moi pour approfondir l'oscillation, normalement superficielle, qui règle la descente pendulaire du moi vers des niveaux moins différenciés. Les assauts disséminants, de type anal, du surmoi conduisent inexorablement le moi vers une profondeur océanique extrême jusqu'à ce que le processus de dédifférenciation en vienne à suspendre la distinction entre le moi et le surmoi. Alors le moi peut, d'une secousse, se libérer de l'agression du surmoi. L'ordre adopté pour ma description de l'imagerie poémagogique tient à de simples raisons de commodité : il m'était en effet plus facile de la commencer à son niveau océanique le plus profond, à ce point où l'agression du surmoi est épuisée, et où le moi se prépare à son rebond et à sa renaissance maniaques. La cruelle Déesse Blanche qui représente l'agression anale et orale du surmoi a disparu alors, et l'enfant divin (qui représente le moi autodestructeur et autocréateur) usurpe la fonction créatrice de l'utérus. L'espace et le temps ne comptent plus. La retenue (sépulture) peut précéder la dissémination et l'expulsion dans le vide, mais on peut aussi bien observer l'ordre inverse. La mort peut précéder la naissance et l'amour. Le phallus, qui est normalement l'instrument de la pénétration et de l'éjection, se transforme en un utérus qui retient. La boîte de verre d'Homunculus, par exemple, tient certainement lieu des deux à la fois. Henry Moore, lui, semble avoir, dans ses dernières œuvres, abandonné le thème de la Grande Mère et de sa cavité utérine qui avait été constamment le sien jusqu'alors. Ses sculptures récentes ont souvent l'air de phallus géants. Ces formes phalliques continuent pourtant à exprimer l'ancien thème, mais, cette fois, à ce niveau plus profond où l'enfant mâle a incorporé les pouvoirs de l'utérus. Elles sont en effet creusées, elles aussi, comme les ventres caverneux de la Grande Mère. L'enfant et la mère ne font désormais plus qu'un (pl. 29). Michel-Ange, lui, suivit l'évolution contraire. C'est au dieu autocréateur et autonome, qui n'avait nul besoin de sa mère, que fut consacrée l'œuvre de sa maturité. Mais il revint dans sa dernière œuvre, la *Pietà Rondanini* (pl. 28), à la déploration du fils mort par sa mère, sur le modèle d'Aphrodite et Cybèle. L'œuvre semble inachevée, comme si la mort avait empêché Michel-Ange de la mener à son terme. Elle a gardé d'une ancienne version abandonnée un solide bras athlétique qui se détache, libre, sans lien avec le reste de l'œuvre, comme un membre amputé! Il fait pourtant partie intégrante de l'œuvre, comme le disait avec insistance Henry Moore dans une interview, parlant de la profonde impression que faisait l'œuvre sur lui. La fragmentation en effet est ici, comme c'est souvent le cas dans les grandes œuvres de la dernière maturité, pleinement surmontée à un niveau maniaque. Le reste de la sculpture est parfaitement achevé, et montre le travail constant de Michel-Ange pour amenuiser le corps du Christ, qui était athlétique au départ, jusqu'à ce qu'il prenne une fragilité presque transparente.

Sa mère semble flotter au-dessus du corps qu'elle caresse, d'une main fine comme du papier, et qu'elle enveloppe d'une tendresse infinie. Et, par un effet assez surprenant, le corps mort, et flasque, du fils semble porter la mère comme si son étreinte utérine était devenue une partie du corps qu'elle embrasse. Le souvenir nous revient ici de l'icône de *La Dormition*, qui montre le fils divin portant l'âme de sa mère. Avec ce renversement, nous sommes renvoyés au niveau maniaque de l'imagerie poémagogique dont l'enfant autarcique est le symbole. L'une et l'autre figure frémissent sur le seuil, entre la vie, la mort et la possibilité d'une renaissance par l'amour. La félicité maniaque qui dénie la mort s'y mêle à un sentiment de deuil profond — qui appartient au niveau dépressif, plus élevé, de l'imagerie poémagogique. Le pouvoir de l'œuvre tient peut-être à cette capacité de porter à la fois ces deux niveaux d'expérience. Il n'en reste pas moins que la figure de la mère émerge nettement!

Il faut aussi remarquer une différenciation du temps et de l'espace. Au niveau océanique, le soi de l'enfant retient le monde entier, tandis qu'au niveau dépressif, la mère et l'enfant, le monde extérieur et le monde intérieur, sont déjà perçus comme séparés. Le temps a connu le même retournement. La naissance, l'amour et la mort ne sont plus en effet un acte unique, mais s'échelonnent désormais dans le temps. Le rythme binaire qui fait alterner la manie et la dépression, ou celui qui règle, parallèlement, la dédifférenciation et la différenciation, commence à se faire sentir, fût-ce obscurément. On n'est pas très loin du niveau dépressif anal. Le deuil du Vendredi « Saint » a beau être saint et comporter même une certaine douceur, il n'en reconnaît pas moins la mort, sans aucune assurance d'une résurrection ultérieure. Dionysos, le dieu autocréateur, est aussi le dieu mourant déchiré membre à membre par ses prêtresses. Sous les traits de Penthée, il est mis en pièces, vivant, par la figure maternelle d'Agavé. Mais il est aussi dévolu à Agavé de revenir à la raison et d'assumer alors le rôle de la mère ensevelissante qui rassemble le corps déchiré mis en pièces pour lui offrir une vraie sépulture et assurer ainsi sa survie dans le monde souterrain.

Il est un autre trait presque océanique de cette imagerie du dieu mis en pièces et enseveli (disséminé et retenu) que j'ai déjà évoqué : il s'agit du renversement qui s'opère facilement entre les rôles de la mère et du fils. Si l'on en croit Freud, le roi Lear portant le corps de sa fille Cordélia représente le renversement d'une autre situation : la déesse de la mort emportant le corps de son fils amant. De la même manière Sémélé, la mère de Dionysos, doit prendre la relève du rôle du dieu mourant. Dans l'une des nombreuses versions de ce mythe, Sémélé, comme Cordélia, est bannie par son père, et enfermée dans un coffre qui va se perdre dans la mer (cette image comporte à la fois des traits d'expulsion et des traits de retenue). Mais, en dernier ressort, Dionysos reste le dieu autocréateur dépourvu de mère. Comme Macduff dans *Macbeth,* il n'est pas « né

d'une femme », puisqu'il a été « avant l'heure arraché à
l'utérus de sa mère ». Leur naissance par césarienne fait de
Macduff comme de Dionysos des êtres créés par eux-mêmes.
Dionysos répète le motif de l'autocréation sous la forme dont
nous avons déjà parlé. Il atteint en effet, par ses propres
moyens, la maturité virile en quelques semaines. Freud en
vint presque à donner de *Macbeth* la même interprétation.
Il considérait que le thème inconscient en était l'échec
de Macbeth et de sa femme, incapables d'avoir des enfants.
Mais, en fait, il est plus important qu'ils soient vaincus
par Macduff qui n'a pas de parents. Une fois de plus, à ce
niveau presque océanique, nous devons renverser la situation et lire le motif de la privation d'enfants comme
le motif de la privation de parents, c'est-à-dire comme le
thème poémagogique le plus profond : celui de l'enfant
autocréateur. C'est à ce même niveau que Dionysos devient
Dionysos Zagreus. Enfant, il fut mis en pièces, membre à
membre, mais put être reconstitué à partir de son cœur
qui battait encore. Quand émerge la figure de la Déesse
Blanche, l'enfant préserve sa supériorité grâce au mécanisme, qui nous est dorénavant familier, du renversement
de leurs rôles. La figure maternelle partage le sort du dieu
mourant. Il n'appartient pas seulement à sa mère Sémélé,
mais aussi à sa femme Ariane, de prendre la relève du rôle
passif qui consiste à être expulsée et retenue. Ariane est
en effet la mère retenante en tant que déesse du labyrinthe,
— qui représente peut-être le symbole le plus puissant
de l'utérus retenant (capturant), qui dévore l'intrus; mais
elle est aussi l'exilée de Naxos, sauvée par Dionysos. Sous
la forme du bon Iacchos, Dionysos est également apparenté
à Déméter, la grande déesse de l'agriculture, et à ses mys-
tères. C'est alors la fille de Déméter, Perséphone, qui
prend à son tour le rôle du dieu mourant. La graine du blé
connaît le sort du dieu disséminé et enseveli, et le blé est
symbolisé par Perséphone, qui est ensevelie et captive
dans l'utérus de la terre. Déméter, en revanche, devient
la mère qui capture et ensevelit, puisqu'elle rend la terre
infertile pour obtenir la libération de sa fille. La graine
ensevelie, comme Perséphone, reste captive sous terre, et
ne peut plus pousser au printemps. Dans une créativité
normale, la retenue (qui enterre vivant) du matériel disséminé conduit à son intégration et à sa réintrojection dans
le soi. C'est une caractéristique, en revanche, de la fantasmatique psychotique que le fantasme d'être retenu captif
dans un monde intérieur mort ou vide. En tant que tel,

ce fantasme représente d'ailleurs l'arché-crime de la mythologie grecque, et le moteur d'une chaîne sans fin de culpabilité. La cosmogonie d'Hésiode impute ce crime au Père
Universel Ouranos. Celui-ci, en effet, outrage la fertilité
de la déesse de la terre Gaïa, en contraignant sa progéniture,
encore à naître, à rester dans son utérus. (Je m'aperçois
que la cosmogonie des Maori comporte un incident exactement parallèle à celui-ci.) Qu'il s'agisse de la graine retenue captive par Déméter, ou de la progéniture de Gaïa, la
référence est immédiate aux rites agricoles et à la peur
persécutoire qui est constamment celle du paysan primitif :
celle de ne pas voir revenir à la vie au printemps la graine
ensevelie dans la terre. La réalité de ce danger n'enlève rien
à la signification de ce thème qui est, en dernier ressort,
poémagogique. Toute œuvre créatrice et toute invention,
quelle que soit son importance dans la réalité objective,
tirera son sens premier, et le plus significatif, du rôle poémagogique subjectif qu'elle joue dans le processus créateur. Être
captif d'un intérieur mort signifie la stérilité créatrice et
même la mort. C'est là le sort que redoute constamment
le psychotique. Projection (expulsion, dissémination, exil)
et retenue (être enterré vivant, retenu captif) sont deux
pôles du rythme créateur du moi.

C'est ce rythme binaire, considérablement étiré en longueur, qui détermine une des crises sérieuses par où passe
le développement du jeune enfant. Je veux ici parler de
l'émergence du dégoût anal qui apparaît à l'âge de huit
mois environ, au moment où le premier stade anal fait place
au second. Avant que l'enfant ait appris le dégoût anal, il
dissémine librement ses excréments, en les traitant comme
une partie de sa propre précieuse substance, et attend de son
entourage qu'il les reçoive comme des cadeaux de valeur.
L'importance qu'il y attache tient aussi à l'équivalence
que fait l'enfant, dans les fantasmes anaux extrêmement
indifférenciés qui caractérisent ce stade, entre tous les
produits du corps maternel; et, comme il est lui-même le
produit du corps maternel, il n'est pas, à ce titre, distinct
des excréments maternels. L'absence de différenciation,
qui donne à la fantasmatique anale ce caractère presque
océanique, joue aussi à d'autres égards : les organes génitaux
mâles sont traités, eux aussi, comme des expulsions
excrémentielles du corps. Tous les orifices, et toutes les
cavités du corps reçoivent, de façon générale, le même
traitement.

L'émergence du dégoût sert à redi004érencier les zones

du corps. La zone anale en est dépréciée. La zone génitale, au contraire, garde et renforce sa valeur. Les orifices oral et anal subissent, une nouvelle fois, une différenciation aiguë, de même que leurs fonctions d'alimentation (retenue, capture) et d'excrétion (expulsion, dissémination). On n'a d'ailleurs jamais su donner de l'origine du dégoût anal une explication satisfaisante. On peut être sûr, en tout cas, qu'il ne résulte pas uniquement de l'éducation que subit l'enfant pour sa propreté. Il est en effet beaucoup trop fondamental pour cela. Ce dégoût, en fait, accuse considérablement les tendances du moi à la retenue : les projections insouciantes du premier stade anal sont en effet retenues et les excréments déposés avec discrétion. Comme l'enfant fait encore, inconsciemment, l'équivalence entre les produits du corps maternel et lui-même, il est désormais essentiel pour lui d'être bien rassuré, de ne pas se croire dévalué, exilé et abandonné comme un excrément malpropre. Sa crainte constante de l'abandon redouble alors d'intensité. Nous savons d'ailleurs qu'à cet âge critique, toute séparation d'avec la mère, fût-elle courte, est particulièrement nocive. Elle peut fort bien mener à la délinquance, qui n'est autre qu'une manière violente de venir dérober de l'amour. L'enfant, qui se perçoit alors comme un excrément sans valeur, mort, accepte le rôle d'un hors-la-loi criminel, exilé de l'utérus de la société.

Mais la retenue anale joue un autre rôle, peut-être plus important encore : elle apprend au moi, à ce stade, à retenir les projections, prodigues, de soi (identifications projectives) et à recourir plutôt au refoulement. Lors du premier stade anal, l'enfant avait tendance à éjecter librement les parts clivées de son moi sans se soucier réellement de leur acceptation et de leur sauvegarde par son entourage. C'était à la bonne mère nourricière d'accueillir les projections de son enfant, de supporter les angoisses qui les accompagnent, et de permettre à l'enfant de réintrojecter sa substance perdue, une fois qu'elle l'a enrichie de ses propres élaborations. Comme je l'ai montré, c'est par l'apprentissage du refoulement que l'enfant crée, dans son propre inconscient, le réceptacle d'un utérus. Là, le matériel perdu par l'effet du clivage est « enseveli vivant » comme la graine du blé dans l'utérus de la terre. La dédifférenciation inconsciente transformera ce matériel et le rendra acceptable pour une introjection ultérieure — sous une forme symbolique qui en interdira la reconnaissance — dans la conscience. Si cette transformation ne se produit pas, et si le matériel refoulé revient sans modification, on observe alors une réaction consciente, des plus révélatrices, et qui suggère, de façon décisive, l'origine anale du refoulement. Freud a montré qu'un « retour du refoulé » malencontreux peut provoquer un mélange de sentiments : angoisses mêlées à du dégoût, et à l'inquiétude que suscite l'étrange. Freud fit d'ailleurs remarquer que le mot allemand *Grauen* (inquiétude suscitée par l'étrange) est souvent traduit par *Grausen* (dégoût). Si le dégoût anal est l'un des moyens dont use le surmoi pour contraindre le moi à refouler le matériel coupé par clivage, le retour des sentiments de dégoût, en cas d'échec du refoulement, est naturel.

Le moi use de la dédifférenciation structurelle comme d'une technique de refoulement. Sa dédifférenciation rend en effet inaccessible à l'expérience consciente le matériel refoulé. Nous commençons donc à comprendre que la dédifférenciation soit aussi facilement éprouvée comme une dissémination (anale), suivie d'un ensevelissement vivant. Toutes les craintes de mort et d'abandon qui accompagnèrent jadis l'apparition du dégoût et l'apprentissage du refoulement vont maintenant pénétrer dans le processus poémagogique de la créativité. Il se peut bien que l'échec du refoulement soit responsable de la psychose et de ses tortures. Le moi psychotique, en effet, n'a pas appris à neutraliser l'attaque du surmoi en mettant à profit son mécanisme refoulant. Par exemple, le malade maniaco-dépressif met en acte l'identification que fait l'enfant de soi avec les excréments. Au cours de sa phase maniaque (qui correspond au premier stade anal), il se jette à la tête de ses semblables sans prêter grande attention à l'accueil qu'ils font à ses avances; au cours de sa phase dépressive (qui correspond au second stade anal), il s'enterre lui-même à l'écart de la société convenable, comme un excrément malpropre, ou mort. Il n'a pas encore, en effet, préparé dans son inconscient l'utérus qui retiendrait et serait prêt à recevoir les parties du soi coupées par l'effet du clivage, absorbant ainsi l'agression anale du surmoi. Le psychotique aussi semble bien avoir raté son apprentissage du refoulement. J'ai déjà évoqué ses fantasmes d'un utérus hostile qui le capturerait, vivant. Il redoute d'être pris dans un vide intérieur, enterré vivant dans un objet mort, et ses peurs correspondent bien à la réalité psychique de son vide intérieur. Comme j'en ai fait la suggestion, l'interprétation de ses fantasmes utérins psychotiques comme une défense contre d'autres angoisses (peut-être orales) me paraît superflue. Si la mienne est juste, les fantasmes utérins psychotiques accentuent le caractère capturant, labyrinthique d'un monde intérieur hostile et vide qui n'a pas été alimenté par le refoulement. Et comme il s'agit là de fantasmes réels, ils ne peuvent manquer de provoquer des angoisses aiguës, qui frisent la crainte d'une annihilation totale de soi.

Pour un moi en bonne santé, au contraire, le refoulement sert à soutenir la richesse et la différenciation du moi. Le clivage ne conduit plus ici à un affaiblissement des tensions internes et de la différenciation; grâce au refoulement, la tension et le conflit internes sont tolérés et consolidés. Le moi se clive en parties conscientes et en parties inconscientes, que relie ce que W. R. Bion a appelé une « barrière de contact », c'est-à-dire une barrière qui maintient la séparation entre le conscient et l'inconscient, tout en se laissant, au même moment, franchir facilement.

Cette double fonction de la barrière, qui peut paraître, au premier abord, contradictoire, s'explique si l'on a recours au concept de dédifférenciation structurelle. La dédifférenciation, on le sait, rend l'imagerie mentale inaccessible à la perception consciente de la gestalt. C'est pourquoi, comme je l'ai suggéré, le moi se sert de la dédifférenciation pour réaliser la demande de refoulement que formule le surmoi. En même temps, la dédifférenciation prépare le terrain pour la réintrojection ultérieure dans la conscience. Elle élimine les traits anaux déplaisants (dégoûtants) du matériel qui avait choqué le surmoi et leur substitue des équivalents symboliques qui entrent dans le champ plus large de sa structure sérielle.

En dépit de sa relation étroite avec la retenue (refoulement) et l'expulsion (dissémination) anales, on aurait tort de considérer que le rythme créateur du moi ait quoi que ce soit d'anal. Il faudrait plutôt rapporter les deux phénomènes à une source commune, à un rythme plus fondamental qu'on pourrait associer à l'interaction des deux pulsions vitales, Éros et Thanatos. Le psychanalyste londonien, L. Rubinstein, me faisait remarquer qu'il serait adéquat, de toute façon, d'appeler « or-anal » le rythme anal de la rétention et de l'expulsion. Celui-ci combine en effet l'intériorisation et la rétention orales avec l'expulsion anale qui à l'origine n'était pas inhibée. Abraham faisait justement remarquer que le rythme anal qui fait alterner la rétention provisoire et l'expulsion est extrêmement primitif. On le trouve phylogénétiquement chez l'animal dépourvu de toute différenciation interne, doté d'une unique cavité et d'un unique orifice corporel, qui devaient servir à toutes les principales fonctions biologiques — nourriture, excrétion et reproduction. La cavité et l'orifice uniques opéreraient donc le rythme fondamental de la vie — rythme or-anal — qui règle l'intériorisation et l'extériorisation, l'alimentation et l'excrétion. Dans la vie psychique — la vie mentale ne ferait pas défaut à un organisme primitif de ce type —, ce rythme ferait alterner les expériences or-anales de rétention et d'expulsion, d'introjection et de projection, de différenciation et de dédifférenciation.

L'interaction qui existe entre les deux pôles de ce rythme peut se comprendre de façon particulièrement intéressante si on la rapporte, en dernier ressort, à l'interaction analogue qui existe entre les deux pulsions vitales. Dans mes premiers écrits, j'estimais, avec le physicien Schroedinger, que la vie (Éros) tend vers une différenciation interne qui ne cesse de l'enrichir, par l'alimentation (intériorisation, rétention), tandis que la mort (Thanatos) tend vers l'entropie, vers un nivellement de la différence entre l'intérieur et l'extérieur, et un affaiblissement de la tension intérieure par l'extériorisation (excrétion, expulsion). Freud, lui aussi, identifiait la pulsion de mort avec le principe nirvanique de l'entropie, c'est-à-dire avec une décharge complète de la tension intérieure à l'organisme psychique. On l'a critiqué en faisant valoir que les expériences faites récemment sur les états d'ennui montrent au contraire que l'organisme vivant tend vers un certain optimum de stimulation plutôt que vers un complet nirvana de néant. Ce truisme n'invalide certes pas la conception de Thanatos comme entropie, mais il nous oblige à reformuler l'opposition qui existe entre les deux pulsions et à recourir à la notion d'un seuil optimal pour les gains ultérieurs en différenciation. La vie ne peut en effet prospérer que par un équilibre entre la différenciation et la dédifférenciation. Les deux pulsions sont nécessaires, et c'est au pouvoir qu'a l'organisme de retenir la tension provoquée par la montée de la différenciation interne, sans en venir au clivage ou à l'expulsion, qu'on mesure sa vitalité. Dans une vie psychologique plus complexe, la montée de l'angoisse signale qu'on approche le seuil de tolérance et qu'un sursaut du rythme or-anal est imminent. Quand cette limite de tolérance est atteinte, c'est le clivage, la projection et le refoulement qui réduisent les tensions internes.

Au niveau de l'organisme le plus fruste, la division cellulaire pourrait se décrire comme un processus de clivage destiné à éliminer une différenciation interne excessive à l'intérieur de la cellule. A ce niveau, le métabolisme de base est à la fois excrétion anale et reproduction présexuelle. Les moitiés clivées de la cellule s'expulsent réciproquement, en quelque sorte, pour l'enrichissement de la vie organique en général. Comme toujours, Thanatos est lié à Éros. Si, à l'intérieur des nouvelles cellules, la différenciation est affaiblie, la vie dans son ensemble a au contraire gagné en différenciation en accroissant le nombre des organismes. C'est sous ce double aspect qu'il faut également envisager la sexualité, c'est-à-dire l'étape suivante — encore insuffisamment expliquée — dans l'évolution de la reproduction. Tandis que le sperme mâle s'expulse lui-même dans le vide, pour ainsi dire, l'œuf, de son côté, attend de l'introjecter et de le retenir. L'acte de l'expulsion (dédifférenciation), qui est au service de Thanatos, est lié à la retenue (redifférenciation) qui est, elle, au service d'Éros. Mais le rythme métabolique se partage ici entre deux individus distincts, par un changement aussi mystérieux que décisif. Il existe, à vrai dire, une étape intermédiaire : il s'agit de ce que j'ai appelé l'expulsion « dirigée », qui comporte déjà un élément de retenue. Il existe, d'ailleurs, des degrés dans ce caractère « dirigé » de l'expulsion. Les harengs, à la fois mâles et femelles, se contentent, par exemple, d'expulser librement le sperme et les œufs, même s'ils le font dans une proximité très étroite. Le développement des parties génitales mâles et de l'utérus constituent un progrès en directivité. Dans la sphère mentale, la forme primitive de l'identification projective précipite des parties du soi vers d'autres objets, et ne se soucie guère de savoir s'ils seront bien accueillis et nourris. Dans la créativité, ce processus devient plus « dirigé ». Avec le refoulement, l'esprit prépare dans le monde intérieur un réceptacle utérin pour y pouvoir déposer les parties du soi coupées par l'effet du clivage. Ce que j'ai appelé fantasmatique anale ressemble beaucoup, par son caractère fondamental, au métabolisme de base de la vie. Le thème du dieu mourant, à ce niveau, a beaucoup à voir avec l'expulsion, la libre dissémination et la projection dirigée (« ensevelissement ») dans un réceptacle utérin. Le dégoût anal joue certainement son rôle dans l'inhibition et la « direction » de la libre expulsion du premier stade anal. Nous voyons désormais que, loin d'être purement anal dans son origine, ce développement correspond bien à cette mystérieuse interaction d'Éros et de Thanatos, à laquelle nous devons également le progrès accompli par la reproduction de l'espèce, depuis la division cellulaire asexuée et la libre dissémination de soi jusqu'à l'expulsion plus dirigée et la retenue de la propagation sexuelle. Ces deux progrès de la « directivité » ont une origine également mystérieuse, et ne peuvent, pour le moment, trouver d'explication.

Si nous parlons maintenant d'imagerie poémagogique, nous pouvons lire, avec une grande clarté, cette évolution dans l'imagerie de Dionysos, le dieu mis en pièces. Le dieu autocréateur dissémine en effet librement sa substance. Au mieux, les fragments eux-mêmes se reconstituent en individus nouveaux par leurs propres moyens. Dionysos Zagreus ressuscite à partir de son cœur qui bat encore. La dissémination et la reconstitution se produisent donc ici encore à l'intérieur du même individu. À un niveau dépressif plus élevé, cependant, un autre individu — ici la figure de la mère qui ensevelit (Isis, Agavé, etc.) — enraye la libre dissémination en rassemblant et en retenant le corps du dieu mis en pièces, lui assurant ainsi la renaissance dans son propre utérus. La distribution supra-individuelle du rythme métabolique de base transcende alors les limites de l'existence individuelle par l'émergence de la sexualité. Nous voyons maintenant combien on s'égarerait à appeler anal, ou même or-anal, le rythme créateur de l'expulsion et de la retenue. Car il est aussi éminemment génital. S'il semble présent à chacun des niveaux, c'est peut-être qu'il répète sans cesse l'interaction métabolique des deux pulsions de base.

Le premier stade anal représente donc une crise. Les deux pulsions menacent de perdre leur particularité au cours de ce que Melanie Klein, dans ses premiers écrits, appelait le maximum de sadisme et d'autodestruction [*Blüte des Sadismus*]. Il n'y a aucune contradiction entre ma propre interprétation de l'instinct de mort (Thanatos) comme principe d'entropie et de dédifférenciation, et la coïncidence de la suprématie de Thanatos pendant le stade anal avec un maximum de dédifférenciation dans la fantasmatique anale. L'expulsion et la projection deviennent alors lourdement chargées d'agression anale. Les excréments sont éprouvés comme des armes dangereuses qui infligent de lourdes pertes à l'objet dans lequel ils sont projetés. Au plus fort de la crise, Éros intervient pour inverser le courant. Nous avons vu qu'il trouve comme premier allié le dégoût anal, qui redi:fférencie les zones corporelles orale et génitale et les distingue de la zone anale et de ses produits désormais dépréciés. C'est lui aussi qui arrête les expulsions et les projections aveugles d'excréments en faisant jouer le nouveau besoin de propreté, et prépare ainsi le terrain aux projections « dirigées ». Il faut remarquer que ce mode de retenue ou de continence anale intervient encore exclusivement à l'intérieur d'un organisme individuel unique. Avec le développement de la sexualité génitale, intervient le changement décisif. Un autre individu prend la relève de la fonction de retenue, et met ainsi en échec les tendances expulsantes de la pulsion de mort. Dans l'imagerie poémagogique, les changements affectent surtout le caractère des fantasmes utérins. On sait en effet qu'au niveau maniaque-océanique, le soi est identifié à l'utérus. Au moment où les projections deviennent « dirigées » et cherchent un réceptacle dans le monde extérieur, intervient le miracle; c'est la découverte de la figure de la mère et de son utérus, qui se montrent prêts à accueillir et à retenir les projections de l'enfant *. Il est impossible d'expliquer ce processus supra-individuel en se fondant sur une psychologie individuelle, ou de groupe. Bien entendu, l'état océanique était déjà, d'une autre manière, supra-individuel, mais il se contentait de dénier les frontières qui séparent le soi des autres individus. Le cercle magique est désormais plus étroit et limité à deux individus seulement. Faut-il voir ici une nouvelle interaction et un nouveau compromis entre les deux pulsions vitales? Cette question n'a pour moi d'autre fonction que de démontrer l'inexplicable mystère que constitue cette étape, et le passage d'une projection (expulsion) asexuée à une projection sexuée. Son éclaircissement semble encore bien éloigné, et il pourrait bien exiger un degré d'abstraction dont nous sommes encore incapables.

Je faisais un jour une conférence sur la dissémination et la retenue dans l'art, et j'expliquais que l'œuvre d'art fonctionne comme un « utérus » qui accueille et nourrit les identifications projectives. On me reprocha alors, dans l'assistance, de ne pas parler spécifiquement de l'art, mais

---

* Lors de la phase antérieure de projections libres, non dirigées, la bonne mère nourricière retient bien aussi et rend les fragments expulsés du soi de l'enfant. Mais elle n'est pas alors pleinement ressentie encore comme un autre individu, qui accepte de servir de réceptacle. Les projections ne sont donc pas dirigées et seule l'intervention accidentelle de la bonne mère nourricière empêche le soi de l'enfant de prodiguer sa substance.

de relations humaines, en général. C'était parfaitement vrai. Il est impossible en effet de séparer la créativité de sa base sociale. La créativité de l'enfant accompagne et soutient le développement de ses relations humaines, et nous avons besoin, pour nous enrichir en tant qu'individus, de refaçonner sans répit et de modifier nos relations humaines, par la projection et par l'introjection. L'échec des relations humaines est d'ailleurs souvent dû à cette même rigidité du moi qui empêche la créativité. Il faut en effet savoir donner librement sa substance, la projeter en autrui ou dans une œuvre créatrice pour qu'elle soit à nouveau remodelée; et, si l'on veut recevoir en échange beaucoup plus que la mise personnelle de départ, il faut, comme dans l'œuvre créatrice, savoir faire preuve d'humilité et de gratitude. Cet échange créateur, qui sous-tend le métabolisme de la vie sociale, développe la personnalité. Là est peut-être la morale de *Peer Gynt* — la pièce faustienne d'Ibsen — et le sens qu'il faut donner à la quête que fait le héros pour se réaliser. Peer a fait le tour du monde à la recherche de lui-même, pour aboutir sur les genoux de sa femme-mère, qui a passé toute sa vie à l'attendre, pour pouvoir l'accueillir et le retenir. La créativité s'identifie peut-être, dès lors, à la création de soi, mais elle doit en passer par des relations sociales, qu'il s'agisse d'autres individus, comme c'est le cas dans la créativité sociale, au sens le plus strict de ce terme, ou qu'il s'agisse de l'œuvre créatrice impersonnelle. L'œuvre d'art, contrairement à ce qu'on prétend souvent, n'est certainement pas une pure projection ni une réflexion directe de notre monde intérieur, par l' « expression de soi ». Elle n'accueille les projections fragmentées de notre monde intérieur que pour les nourrir et les transformer.

On ne saurait trop accentuer l'aspect social de la créativité. Nous ne savons malheureusement, pour ainsi dire, rien de la créativité sociale et de son impulsion la plus puissante, c'est-à-dire de notre sentiment inné et profondément ancré de la justice. Les écrits psychanalytiques tendent à le considérer comme une pure projection du surmoi, et les lois sociales comme des compulsions de culpabilité extériorisées. Il est certain que la puissance punitive des lois pénales est caractéristique d'un surmoi sévère. Mais, en un sens, ce point de vue ignore totalement l'importance de notre sens de la justice, qui est plus équilibré. Il est utile à mes yeux de lire le corps social ou l' « utérus » de la société en termes de métabolisme de base, d'expulsion et de retenue, et la justice sociale comme un effet de leur

interaction équilibrée. Nous avons tendance à nous étonner de la cruauté obscure et contraignante de nos systèmes pénaux. Or, il est admis que nous ne nous conten-
tons plus de rejeter les criminels hors de notre société.
En les enterrant littéralement vivants dans des prisons
pour les rejeter ensuite, au bout d'un certain temps, sans
guère de direction, dans une société hostile qui n'est prête
ni à les accueillir ni à les nourrir, nous payons donc notre
tribut à l'exigence de les retenir dans le corps social. Il
est intéressant de mesurer la santé d'une société et
son pouvoir de cohésion sociale à la force de résistance
qu'elle oppose à l'expulsion de ses membres déviants et
marginaux. Les minorités, les criminels, les fous, les vieux
et les morts tendent à être des éléments marginaux, peut-
être même étrangers, qui semblent provoquer, dans une
société donnée, des tendances à l'expulsion et à la fragmentation. Une différenciation interne riche et une grande
variété de classes et d' « institutions » (Malinowski) dans
une société indiquent une grande force de cohésion sociale,
tandis qu'un égalitarisme envieux et l'intolérance d'une
différenciation sociale révèlent une mauvaise santé sociale.
Plus faible est le pouvoir de retenue dans une société, plus
il y a de chances qu'un membre déviant soit traité comme
un élément « étranger » à expulser. Le besoin d'uniformité
et d'égalité en est venu à ce point d'excès dans notre société
qu'il a fini par donner le phénomène, beaucoup trop fréquent aujourd'hui, de la « personne déplacée » : c'est là
un symptôme inquiétant de maladie sociale. Le criminel,
en se mettant délibérément en dehors de la société, prend
sur lui le rôle de bouc émissaire, de celui qu'on doit dûment
expulser, et s'offre en cible volontaire aux tendances de
fragmentation qui sont à l'œuvre dans une société. Cette
institution du bouc émissaire prend sa source, si l'on en
croit Frazer, dans le thème universel du dieu mourant.
Dans le rituel religieux et social en effet, seuls les mieux
nés pouvaient être choisis pour le sacrifice volontaire, qui
maintenait la vigueur de la société primitive. Avec le
temps, ces rites sacrés se dégradèrent en rites de purification, teintés cette fois d'une nette coloration d'expulsion
anale. La cité se purifiait, à certaines périodes, en rejetant
des boucs émissaires chargés des péchés et des maux de la
communauté. On tenait en réserve, pour l'occasion, les
membres marginaux de la société, par exemple les vagabonds et les criminels.

Jamais le corps humain n'est plus proche de l'excrément

qu'après la mort, — et en particulier une fois qu'a commencé la décomposition. Le traitement qu'une société donnée réserve à ses morts est donc un assez bon étalon de sa cohésion sociale. L'élimination hâtive et sans dignité qu'elle peut en faire exprime ses tendances de fragmentation. Les corps sont alors enfouis rapidement ou jetés dans les fourrés. Ainsi la malheureuse île d'Alor, dont Kardiner s'est servi comme exemple de tension sociale, s'occupe peu de préserver ou de retenir les morts. A l'autre bout de l'échelle, on trouve au contraire les civilisations qui usent de grandes quantités de richesse ou d'énergie pour retenir et préserver leurs morts en leur sein, allant même parfois jusqu'à leur préparer une tombe à l'intérieur même des habitations. Il ne reste plus alors aucune trace d'expulsion ou d'élimination anale. Par un symptôme étrange de comportement compulsif, la loi pénale refusait au corps des criminels exécutés une vraie sépulture, creusée dans le sol. On les enterrait dans l'enceinte des prisons, immergés dans la chaux vive, comme un rebut pourrissant.

Le mauvais traitement infligé aux morts et aux fugitifs soulève souvent notre sens de la justice. Nulle part, en effet, il n'est plus délicat de maintenir l'équilibre entre l'expulsion et la retenue. La figure d'Antigone joua ce rôle pour les Grecs de toucher, plus qu'aucune autre, leur sens de la justice. Antigone est peut-être en effet l'incarnation la plus sublime de la déesse ensevelissante, qui favorise la retenue et résiste à l'expulsion. On sait que son père Œdipe, aveugle, s'est rejeté de lui-même en dehors de la société convenable après avoir reconnu son crime. Il parcourt vainement le monde en quête de sa rédemption, guidé dans ses errances par sa fille Antigone. Sophocle a décrit, dans *Œdipe à Colone*, sa libération finale. Antigone le conduit au gouffre du bois sacré des Euménides, près d'Athènes. (Les Euménides ne sont autres que les Érinyes, sous leur aspect bienveillant de déesses de la terre.) Elle laisse Œdipe entrer seul dans le bois sacré et descendre dans le gouffre jusqu'au monde souterrain. Œdipe s'ensevelit lui-même, vivant, dans l'utérus de la terre. La scène est tout imprégnée d'une sérénité solennelle que l'action consciente ne peut suffire à expliquer, si l'on pense, en particulier, qu'elle se produit en fait dans les coulisses. Tout se passe comme si nous avions l'impression que justice est faite, et il serait bien difficile de dire pourquoi. Le spectacle qui nous est offert est en fait le rituel du dieu mourant avec son pouvoir étrange de combler notre sens de la justice.

C'est dans la pièce de Sophocle qui porte son nom qu'Antigone atteint pleinement son statut de déesse ensevelissante. Les Grecs ne tardèrent pas à y voir la manifestation suprême d'une justice divine qui domine la raison et la législation humaines. Les témoignages contemporains nous font connaître la profondeur de l'émotion ressentie par le public athénien, et cela malgré un certain nombre de traits repoussants, de caractère nettement anal. L'intrigue, en effet, traite ouvertement le corps humain comme une saleté anale. Les frères d'Antigone ont été tués dans un combat fratricide, l'un en défendant sa cité natale et l'autre en l'attaquant criminellement. Le roi Créon, leur oncle, a décrété que le bon frère aurait des funérailles nationales, tandis que le cadavre du mauvais frère devait être jeté hors de la cité, et laissé, sans sépulture, à la pourriture. Antigone essaie alors, secrètement, d'accomplir superficiellement les rites de la sépulture pour assurer à son frère une survie aux Enfers, alors même que Créon avait décrété que toute nouvelle tentative pour ensevelir le cadavre serait punie par l'ensevelissement du coupable, vivant. Le thème du rejet et de l'ensevelissement vivant est donc là sous sa forme la plus insistante. On ne nous épargne pas non plus le dégoût anal, et l'insistance mise sur le rapport entre le corps non enseveli et les excréments rehausse le caractère sublime de la pièce, au lieu de l'altérer. On nous dit en effet que la puanteur du corps exposé et qui se décompose parvient jusqu'à la cité. Antigone se sent tenue d'obéir à la loi divine qui prescrit qu'on accomplisse correctement les rites de la sépulture, et de défier ainsi les lois humaines. Elle recommence à accomplir les rites et se fait condamner, comme il se doit, à être enterrée vivante. Les rôles de la mère et du fils sont ainsi renversés, comme c'est souvent le cas au niveau presque océanique. Antigone, la déesse ensevelissante, doit être elle-même ensevelie vivante.

On a peut-être mieux compris maintenant qu'on ne puisse pas expliquer notre sens « inné » de la justice comme une simple projection de notre surmoi. Le sens de la justice qu'a le moi sert à modifier les agressions primitives du surmoi qui étaient extrêmes, et à la limite du psychotique. Justice est faite quand on aide le moi dans la lutte qu'il livre pour se maintenir contre un surmoi oral et anal hyperagressif. En bref, ce n'est pas le seul surmoi qui est projeté, mais plutôt l'interaction fructueuse qu'il entre-

tient avec le moi. Le moi doit être capable de modifier et
d'adoucir la rigueur du surmoi primitif, en général grâce
à sa créativité en développement. Le drame de la justice
humaine garantit à l'individu le fonctionnement correct de
la loi, ce qui lui permet de jouer un rôle actif dans l'exercice
de la justice et d'en modifier la rigueur. La justice soutient
l'équilibre nécessaire entre le surmoi et le moi, qui est sous
le contrôle de la lutte à jamais indécise que se livrent les
forces d'Éros et celles de Thanatos. Dans une société future
où les tendances retenantes d'Éros seraient assez fortes
pour contrebalancer les tendances expulsantes de Thanatos, on n'aurait besoin d'aucune punition légale pour retenir les tendances de fragmentation intérieures à cette
société. Mais dans l'état actuel des choses, il serait dangereux de toucher au système pénal existant. Le criminel
met en effet en danger la cohésion sociale en déclenchant
ses tendances latentes de fragmentation. Il s'offre lui-
même en bouc émissaire pour être dûment expulsé ou
bien — comme c'est le cas dans notre système d'incarcé-
ration — pour être enterré vivant. Il s'agit là d'un comportement fortement compulsif de notre part. A l'inhiber par
une réforme prématurée, on mettrait en danger la cohésion précaire de l'édifice social.

On parle souvent de l' « utérus » de la société et de sa
fonction de retenue pour les individus. Les membres de la
société projettent des parties d'eux-mêmes dans cet utérus
et sacrifient dans cette mesure leur existence individuelle,
dans ce processus supra-individuel qui est caractéristique
de la créativité et de la créativité sociale en particulier. La
société, quant à elle, tire parti de cette perte en accueillant
et en retenant de manière sûre les parties abandonnées
de l'individu. Ce rôle est d'abord joué par la bonne mère.
Quand l'enfant apprend l'adaptation sociale, il doit à son
tour abandonner une partie de son existence individuelle,
et cela au moment même où il prend pour la première fois
une conscience aiguë de sa propre individualité particulière. Sa reddition devient dès lors un geste lourd d'angoisse,
d'autant plus qu'elle coïncide avec la montée du dégoût
anal qui fait douter l'enfant de sa propre valeur, en tant que
produit corporel de sa mère. Il est crucial que la bonne
mère, à ce moment-là, ne rejette pas l'enfant qui s'accroche,
mais accueille pleinement ses avances et ses angoisses. Et
si le criminel est incapable d'accomplir cette reddition
sociale de soi, c'est, à mes yeux, qu'il a trop douté de
l'acceptation de sa personne par sa mère. Il se retranche

ainsi, volontairement, du corps social (l'utérus de la société) et, en tant que hors-la-loi, provoque les tendances de fragmentation et d'expulsion qui sont à l'œuvre dans cette société.

CHAPITRE XIV

Le dieu dévoré et brûlé

Freud croyait les poètes. Car, plus que tout autre, ils ont le privilège de comprendre immédiatement la fantasmatique inconsciente, comme aussi l'imagerie poémagogique et sa fonction dans l'œuvre créatrice. Les grandes œuvres d'art donnent à lire, en effet, sous une forme en général très claire, la stratification de l'imagerie poémagogique en niveaux génital-œdipien, oralo-schizoïde, analo-dépressif et océano-maniaque *. Le mouvement qui fait passer de la surface œdipienne à la profondeur océanique suit la logique interne de l'imagination créatrice et ses lois structurales de différenciation et de dédifférenciation. On a vu plus haut le traitement réservé par Sophocle au mythe d'Œdipe. Peu nous importe, au fond, qu'il ait fait des nombreuses variantes populaires du mythe l'usage le plus libre qui soit, en ajoutant probablement, ici ou là, un détail nouveau de son invention. Cette version est pour nous, et à juste titre, la plus authentique; poète, Sophocle comprit mieux que tout autre ce que sont en réalité le sens et la fonction poémagogiques des mythes. Dans *Œdipe roi*, il associe le thème « œdipien » génital à l'imagerie oralo-schizoïde qui lui est immédiatement inférieure : c'est la curiosité orale du roi qui provoque sa chute. Il avait, on s'en souvient, rencontré la mère dévorante avec la figure de la sphinge monstrueuse. La sphinge posait des questions et dévorait ses victimes lorsqu'elles ne savaient pas répondre. Dans la tragédie, Œdipe prend la relève de ce rôle. À son tour, il pose les questions qui mènent à sa propre destruction. Son autochâtiment — il se crève

* Cf. Appendice, p. 354 sqq.

les yeux avec un bijou pris au vêtement de sa mère — signifie sa castration orale. Ce symbolisme oralo-schizoïde du
savant qui questionne va maintenant nous retenir plus
longuement. Je n'ai en fait esquissé cette interprétation
préliminaire de la pièce que pour tracer dans ses grandes
lignes la stratification complexe de ce mythe. Avec *Œdipe
à Colone* nous descendons au niveau analo-dépressif. Le roi,
qui s'est lui-même exilé de la société convenable, parcourt
le monde à la recherche d'un asile qui l'accueille et le
retienne. Antigone, son guide fidèle, joue le rôle de la mère
exilante, jusqu'à ce qu'enfin, le roi trouve, par ses propres
moyens, la rédemption. J'ai déjà insisté sur le caractère
curieusement océano-maniaque de son auto-immolation.
Œdipe se suicide en s'ensevelissant vivant dans le gouffre
sacré des Euménides, sans que la scène comporte pour
autant la moindre trace de dépression ou de résignation.
C'est à la tragédie d'*Antigone* elle-même qu'il était réservé
de développer jusqu'au bout l'aspect dépressif que comporte
l'ensevelissement vivant par opposition au libre exil. On
pourrait se livrer à la même analyse des niveaux plus profonds de la fantasmatique poémagogique, avec presque
toutes les grandes œuvres d'art, par exemple *L'Anneau du
Niebelung*, *Faust*, et les grandes tragédies de Shakespeare.
Leur analyse détaillée fera l'objet d'une autre étude; je ne
m'occuperai ici que d'en établir à grands traits la char-
pente structurale.

Les grands mythes poémagogiques sont, on le sait,
soumis à une transformation constante. Les thèmes poémagogiques sont en effet dissociés de leur matrice inconsciente
et se mettent à travailler l'iconographie banale de l'art
populaire. Les chercheurs de l'Institut Warburg de Londres,
qui se consacrent précisément à suivre, à travers toutes ses
transformations, les vicissitudes d'un thème mythologique puissant, ont bien montré qu'il est indispensable
d'en interpréter chacune des versions nouvelles en se référant à son contexte historique précis. Ce contexte nous est
nécessaire pour comprendre les influences extérieures qui
ont coulé ce thème dans un moule particulier; et inversement, l'usage et l'abus constant qu'on a fait d'un thème
puissant rendent indispensable le témoignage des poètes.
Les poètes en effet — Sophocle, Wagner ou Shakespeare —
savent le dégager du fatras où s'entassent les élaborations
secondaires pour en revenir aux fantasmes inconscients
qui leur donnèrent à l'origine leur solidité et leur résistance. Et les historiens de Warburg, bien loin de dénoncer

l'approche directe qu'on peut faire des vieux thèmes icono-
graphiques par la psychologie des profondeurs, ont contribué à en démontrer la validité, quand il s'agit de comprendre les grandes œuvres artistiques. En nous attachant aux
preuves internes que nous offrent les œuvres d'art, nous
serons moins susceptibles d'erreur qu'en essayant de faire
un tri dans le ramassis des scories accumulées par les versions plus populaires et mineures de ce même thème.

Si l'on veut étudier la stratification rigoureuse de la fantasmatique poémagogique, les cosmogonies constituent
certainement une excellente source. La cosmogonie biblique, par exemple, telle que l'a traitée Michel-Ange, prouve
que la logique de la fantasmatique créatrice contraint
l'artiste à interpréter la création extérieure de l'univers
aussi bien comme une représentation poémagogique de la
créativité humaine intérieure. La grande cosmogonie
d'Hésiode ne fait pas exception à la règle. Elle se lit, en
surface, comme une suite sans fin de crimes génitalo-œdi-
piens, de pères tremblant devant leur fils et de fils renversant leur père une fois leur heure venue. Ouranos cache
(captive) sa dangereuse progéniture dans l'utérus de Gaïa.
Son fils Cronos — comme de juste — l'abat en plein acte
sexuel avec la lame en scie de sa faucille. Cronos dévore à
son tour ses propres rejetons, mais il est bientôt vaincu par
Zeus. Zeus s'assied alors sur un trône mal assuré en attendant son propre vainqueur. Cette brève description suffit
à elle seule à esquisser les traits plus enfouis de dévoration orale et de capture anale, qui n'ont guère jusqu'ici
attiré l'attention. Le niveau le plus profond — océano-
maniaque — du dieu autocréateur trouve une représentation assez abstraite avec la figure d'Éros, le dieu de
l'amour, dont l'existence doit précéder celle d'Ouranos,
pour permettre à la sexualité de jouer. Dans les écrits orphi-
ques, Éros devient un dieu réellement autocréateur. Il se
libère en effet de l'œuf cosmique et détient les pouvoirs
procréateurs des deux sexes. Pour le niveau analo-dépressif
qui vient immédiatement au-dessus — le niveau de l'ensevelissement vivant —, on se reportera à l'un des chapitres
précédents. Ouranos commet l'arché-crime en captivant
dans l'utérus de Gaïa ses enfants encore à naître. Comme
Gaïa représente la terre, le lien se fait immédiatement avec
les rituels agricoles de l'esprit du blé qui reste, durant l'hiver,
captif de l'utérus de la terre. Il y a là un élément d'élaboration génitalo-œdipienne, qui dérive l'agression de la figure
maternelle sur la figure paternelle. Ce n'est pas en effet la

mère ensevelissante qui captive ses rejetons dans son utérus, mais Ouranos, le père, qui apparaît comme l'arché-criminel et doit donc subir la vengeance de Gaïa. (Seule Déméter, la plus maternelle et la plus tendre des déesses olympiennes, peut se permettre d'assumer ouvertement le caractère d'un utérus captivant, lorsqu'elle empêche la graine de germer. Et pourtant même son agression est rationalisée et interprétée comme la « vengeance » d'un crime commis par un dieu mâle. Sa fille Perséphone, qui représente la graine ensevelie, a été enlevée par Hadès aux Enfers et y reste captive. Mais Déméter reprend bientôt son rôle de déesse de la fertilité et de la renaissance, sitôt que sa fille lui a été rendue.)

Lorsque Gaïa, outragée, cherche à se venger sur son mari Ouranos, elle ne commet pas ouvertement le crime expiateur, mais se contente d'en être l'instigatrice auprès de son fils Cronos. Celui-ci châtre son père, en plein acte sexuel avec Gaïa — le coup est un peu rude pour notre goût contemporain. Il est parfaitement clair en tout cas, si l'on pense à l'instrument de la castration — la fameuse faucille à lame en scie — et aussi à la circonstance de l'acte sexuel pendant lequel le geste est accompli, que c'est en fait la *vagina dentata* de Gaïa qui émascule son mari. Par l'intermédiaire de la faucille, celle-ci incarne ainsi pour la première fois la mère dévorante sous son aspect castrateur typique. La légende, comme on le voit si souvent, redouble le thème de la castration orale : du sang qui coule des organes génitaux mutilés sortent les terribles Érinyes, symbole du surmoi oralo-sadique (dévorant), dont la tâche principale est de venger les mères outragées par leurs fils : elles traquent le fils coupable jusqu'à le rendre fou, leur châtiment favori est la castration, et leur victime la plus illustre est Oreste le matricide, qu'elles rendent fou mais sans lui infliger elles-mêmes la castration. Si l'on en croit Pausanias, Oreste revient à la raison en se coupant volontairement un doigt d'un coup de dents. Il s'inflige donc ainsi (symboliquement) le châtiment de la castration orale et, au moment même de sa mutilation, il voit les noires Érinyes se transformer pour devenir les blanches Euménides bienveillantes. On trouve ici la confirmation de ma thèse : le châtiment qu'Oreste s'inflige lui-même représente donc bien la castration que les Érinyes, sous leur forme persécutoire, lui auraient infligée. Œdipe, en s'exorbitant lui-même les yeux, anticipe la castration et échappe ainsi au châtiment des Érinyes. Les yeux, qui peuvent « dévorer » visuellement les objets, font ici ressortir le rôle important que joue l'oralité dans sa castration symbolique.

Les mythes, et en particulier les cosmogonies, constituent des tentatives préscientifiques pour expliquer la réalité. C'est peut-être pour cela qu'ils sont si riches en matériel oralo-schizoïde. L'explication scientifique du monde, surtout quand elle passe par le mythe d'une causalité contraignante, projette de façon très directe la fantasmatique oralo-schizoïde. Selon Kelsen, la loi de la causalité est parfaitement redondante pour l'explication scientifique; il s'agit en fait d'un résidu d'une explication plus ancienne qui recourait à la faute. Le primitif rend compte des événements naturels en les attribuant au crime et à la faute. Les catastrophes excitent sa curiosité, et il les interprète comme les effets d'une faute commise soit par lui, soit par ses compagnons. On trouve le même type de curiosité préscientifique au moment de la poussée qu'a connue la science occidentale, après la Renaissance. On imputait alors les catastrophes naturelles aux sorcières et à leur collaborateur, le diable. C'est alors qu'on réélabora la légende du paradis pour faire du serpent malin le diable médiéval qui poussait Ève à commettre son crime oral. Or, dans la version hébraïque, le serpent n'était qu'un animal parmi d'autres dans le jardin d'Éden. La part libidinale de ça que comporte la curiosité scientifique est le voyeurisme, qui développe en fait le désir encore plus primitif de « dévorer » quelque chose des yeux. Le crime oral d'Adam et Ève représente symboliquement la dévoration des seins et des organes génitaux : Ève dépouille l'arbre « qui pousse au milieu du jardin ». Nous lisons de même dans le *Faust* de Goethe — autre légende de sorcière et de diable — deux interprétations de rêves qui anticipent Freud. Dans la Nuit de Walpurgis, Faust raconte à une jeune sorcière qu'il a vu en rêve un pommier chargé de deux pommes magnifiques. La jolie sorcière, s'empressant de faire le lien entre le rêve et la légende du paradis, se sent très flattée de porter dans son propre « jardin » des fruits si désirables. Méphistophélès, lui, raconte au cours d'une conversation avec une vieille sorcière, un rêve angoissant où il était question d'un arbre fendu dont le trou le repoussait et l'attirait à la fois. Le symbole de l'arbre fendu, qui revient souvent dans les contes de fées, contient un symbolisme certain de castration. Les diables et autres démons ont une propension fatale à se faire coincer dans les arbres fendus, les bouteilles et autres symboles du vagin, perçu comme un piège dangereux (qui est l'équivalent anal de la *vagina dentata* orale).

L'arbre que dépouille Ève au paradis représente donc les organes génitaux d'Adam, qui joue, lui, un rôle étrangement passif. C'est en effet le serpent phallique qui pousse Ève à commettre son crime oral. Son châtiment symbolise, ici aussi, la castration : Ève lui écrasera la tête.

Le Moyen Age a remis en acte le crime oral de la sorcière et du diable dans les fantasmes qu'il entretenait sur la messe noire. Le point culminant en était le tribut oral qu'on payait au diable : la sorcière embrassait le bouc diabolique sous la queue et le diable répondait en suçant le sang de la sorcière. Les marques que portait alors le corps de la sorcière, aux endroits où le diable lui avait sucé le sang, passaient pour constituer la preuve la plus sûre de sa faute. Et pourtant, à bien d'autres égards, les doctes chasseurs de sorcières faisaient preuve d'une grande circonspection, voire de scepticisme. Le manuel officiel des chasseurs de sorcières, le fameux *Malleus Maleficarum* (le « Marteau des Sorcières ») est un livre bien troublant. Une fois que nous en avons accepté les prémisses, et admis qu'il existe des personnes dangereuses douées de pouvoirs surhumains qui font courir à l'humanité le risque d'une catastrophe, le discours docte du *Marteau des Sorcières* fait preuve d'une impartialité et d'une circonspection remarquables. On demandait quelquefois aux sorcières de répéter devant le tribunal leurs rites magiques ; les effets en étaient observés, notés et évalués avec la plus grande attention. On ne peut pas ne pas frémir en reconnaissant dans le jugement d'une sorcière l'antécédent véritable de la procédure scientifique moderne, telle qu'elle règne dans le laboratoire. Mais il n'est pas certain que le savant moderne, s'il était soumis à une tension émotionnelle comparable à celle qui présidait forcément aux jugements de sorcières, serait capable du même détachement et d'une observation aussi scrupuleuse. Lorsque les craintes commencèrent à s'apaiser, on eut recours pour les acquittements aux mêmes raisonnements subtils que ceux qui avaient joué dans les condamnations antérieures, souvent cruelles. Dans un tel contexte d'expérimentation préscientifique, il est exclu qu'on ait pu accepter sans critique, comme preuve à conviction, les marques produites par le vampirisme du diable sans obéir à une motivation inconsciente particulièrement forte. On peut penser que la recherche approfondie et souvent indécente de ces marques cachées satisfaisait un voyeurisme primitif, effectivement dévorant, qui cherchait à obtenir les résultats d'une agression orale et d'une autodestruction. Ce genre de voyeurisme préscientifique aboutissait en effet à projeter directement dans le monde extérieur l'agression orale du surmoi. A la différence de Freud, qui liait la formation du surmoi à l'intériorisation du père œdipien castrateur, Melanie Klein faisait remonter les tout débuts du surmoi primitif aux fantasmes oraux de la petite enfance. L'origine du surmoi reste en fait, aujourd'hui encore, assez obscure. (C'est ce que confirment aussi mes propres recherches, qui tendent à lier les origines du refoulement du moi à la dissémination « anale » du moi par le surmoi.) J'ai suggéré dans un article antérieur que le surmoi neutralise nos véritables fantasmes autodestructeurs [4]. Le moi, en effet, au lieu de rechercher ou d'accepter la destruction physique, se laisse mordre et ronger par le surmoi à coups de sentiments cruels de culpabilité et de remords. Mais les anciens fantasmes de destruction physique continuent à hanter l'imagerie poémagogique de la curiosité scientifique.

Les croyances irrationnelles de chasseurs de sorcières ressemblent beaucoup à la fantasmatique schizophrène paranoïde. Le schizophrène met parfois en acte des fantasmes autodestructeurs en s'infligeant de lui-même une mutilation physique, ou bien la castration. C'est qu'il n'a pas appris à absorber ou à neutraliser ces fantasmes dans les processus intrapsychiques de la créativité, là où le moi se soumet aux attaques du surmoi presque jusqu'à risquer l'annihilation totale. Nous avons vu que le maniaco-dépressif, lui aussi, étend à son soi entier le traitement que réserve à son moi le surmoi anal disséminant et ensevelissant. Tantôt, durant la phase maniaque, il projette librement son soi entier, et tantôt, durant la phase dépressive, il le capture et l'ensevelit, tandis qu'un esprit créateur sain ne soumet que les fonctions du moi à la dissémination anale et à l'ensevelissement par le surmoi. Le travail créateur et la fantasmatique poémagogique semblent bien démontrer qu'une maturation incomplète du surmoi est une source importante de maladie mentale. Le moi, qui n'a pas absorbé la pulsion de mort dans le travail muet du processus créateur, laisse alors l'autodestruction libre de se déchaîner et de détruire le soi tout entier.

Les sentiments de culpabilité sont à ce point liés aux sentiments de honte qu'il est souvent difficile de les en distinguer clairement. La légende du Paradis relie l'apprentissage de la honte à la première culpabilité. Freud, faisant des conjectures sur l'apprentissage de la honte, se demandait si elle avait été imposée au sexe mâle pour qu'il puisse

protéger ses organes génitaux, une fois qu'ils eurent été
exposés par l'adoption de la posture debout. On peut penser
d'ailleurs que le danger qui les menaçait n'était pas tant le
fait d'un ennemi extérieur que le désir coupable d'une castration orale, venu de l'intérieur. Dans la légende biblique,
la honte résultait aussi du crime de dévoration, qui représente, dans mon interprétation, la castration orale. La honte
se trouve donc ainsi opposée à l'exhibitionnisme. Le langage
révèle d'ailleurs que la coloration orale de l'exhibitionnisme
n'est autre qu'un fantasme ou un désir d'être dévoré.
L'argot du vendeur américain, par exemple, ne se lasse pas
de vanter les vertus d'une autoréclame bien faite, d'un bara-
tin commercial « qui se laisse bien boire » ou d'un sollici-
teur « gobé » par un employeur avide. Adam connaît la
honte pour se protéger, non pas tant d'un voyeurisme
sadico-anal, que de son propre désir autodestructeur d'être
dévoré. N'oublions pas que c'est le serpent qui pousse à
l'acte de castration orale. L'élément *passif*, autodestructeur,
de l'exhibitionnisme tend à être plus refoulé que le sadisme
oral, sous-jacent au voyeurisme. Le mâle ne s'est jamais
lassé d'accuser la sorcière d'un crime *actif*, perpétré sur
une victime non consentante, pour pouvoir refouler l'élément autodestructeur de ses fantasmes créatifs, c'est-à-dire
le rôle passif que le moi doit jouer en rapport avec un surmoi cruel. L'élaboration secondaire ne vient pas ici dériver
l'agression de la mère sur le mâle ; les fantasmes autodestructeurs du fils sont, au contraire, dérivés sur une image
cruelle de la mère : celle de la Déesse Blanche. Il me semble
que si le concept d'une pulsion de mort innée a soulevé
une pareille résistance émotionnelle, ce n'est pas sans
rapport avec notre refus d'accepter la virulence des tendances autodestructrices qui nous habitent. C'est pourtant
l'une des conditions nécessaires pour devenir créateur, que
de n'être pas aveugle au besoin, pour le moi, d'une passivité autodestructrice. Dans le monde de la science, le mythe
de la causalité a injecté un fantasme, peut-être superflu,
de passivité et de contrainte dans notre vision du monde.
Nous acceptons un rôle passif, une absence de « libre arbi-
tre » en voyant notre vie déterminée et contrainte par les
lois inexorables de la causalité. Et pourtant, ce fantasme
primitif de contrainte manifeste une intuition plus pers-
picace de la réalité psychique que la minable idée contemporaine d'un savant, magicien tout-puissant, qui aurait
soumis à sa volonté les forces récalcitrantes de la nature.
La passivité fait ici place à un contrôle actif, tout aussi

excessif, de la réalité qui est plus proche des rêveries infantiles de toute-puissance. Celles-ci étayent le rôle dominant
du mâle et dénient le besoin créateur d'une soumission
passive au surmoi et à ses attaques orales.

Selon Frazer, la légende biblique de la Chute de l'Homme
est une élaboration d'une version plus archaïque du mythe,
qui s'apparente à bien d'autres explications données par
le monde primitif sur l'apparition de la mort et de la mortalité. Ces mythes primitifs racontent que l'humanité eut
jadis le choix entre l'immortalité et la mort; l'homme
choisit alors la mort, tantôt par suite d'une duperie, tantôt par négligence, mais rarement en choisissant franchement l'autodestruction. La légende biblique, sous sa forme
actuelle, contient deux contradictions que l'on peut résoudre en se référant à une version plus ancienne, aujourd'hui
disparue. Il y avait, dans le jardin d'Éden, un autre arbre
en plus de l'arbre de connaissance; c'était l'arbre de vie.
Si le premier couple humain avait mangé du fruit de
l'arbre de vie, il serait devenu immortel. On peut penser,
en s'appuyant sur la stricte logique, que le second arbre
du jardin était l'arbre de mort, dont le fruit aurait donné
une mort instantanée. Ce n'était pas un arbre interdit; on
choisissait librement. Aussi, quand Dieu continue à dire
à Adam et Ève : « car du jour où vous mangerez de ce fruit,
vous mourrez sûrement », il ne s'agit pas d'un châtiment
mais de la conséquence naturelle d'un choix malavisé. Or,
on sait qu'ils ne meurent pas. Cette incohérence trahit
la précipitation de l'élaboration secondaire à vouloir
détruire dans leur majorité, sinon dans leur totalité, les
éléments d'une légende ouvertement autodestructrice.
Comme d'habitude, l'autodestruction est remplacée par un
châtiment infligé de l'extérieur. Au lieu d'être tué, le couple
fautif vit jusqu'à un âge très avancé. Mais il est exilé hors
de l'utérus du paradis, dans un monde hostile. L'équivalence est ainsi faite entre le motif de la naissance d'un côté,
et la mortalité et la mort de l'autre — ce qui constitue un
nouvel exemple d'indifférenciation océanique. Comme la
plus grande partie du matériel mythique, la légende de la
Chute de l'Homme contient donc au moins trois niveaux.
Au niveau œdipien, c'est le fils révolté contre son père qui
conquiert l'amour d'une femme. Pour le niveau suivant,
oral-schizoïde, où la figure de la mère dévorante inflige la
castration, nous en avons déjà discuté longuement. Nous
avons enfin ici un aperçu du niveau anal-dépressif, plus
profond encore, qui fait apparaître Ève dans le rôle de la

mère exilante et meurtrière. La mutilation est remplacée
par l'annihilation totale et par la mort. L'homme est exilé,
comme un excrément, de l'existence utérine qu'il menait
au paradis, en harmonie paisible avec Dieu et avec les animaux.

Quelle raison peut imposer ainsi que le choix noble d'une
mort volontaire soit transformé en châtiment involon-
taire? La réponse n'est, à première vue, pas simple. Mais
j'ai déjà mentionné que, suivant Frazer, le sacrifice humain
volontaire — qui ne choisissait pour victimes que des princes — fut transformé ensuite en un châtiment ignoble
infligé aux gens de basse extraction, ou bien en rites périodiques de purification, qui permettaient à la société de se
débarrasser elle-même de ses tensions internes en exilant,
comme des excréments, les vagabonds et les criminels. Il
semble bien en effet qu'il soit plus facile de supporter un
châtiment infligé de l'extérieur que de faire face à des tendances autodestructrices internes. Il se peut que l'origine
du surmoi représente également une tentation d'extériorisation similaire. Le moi, en effet, au lieu d'être déchiré
par des tensions internes, ou d'attaquer le moi physique,
projette son agression autodestructrice sur une partie
clivée, le surmoi, et préfère se soumettre à ses attaques,
qui lui viennent maintenant de l'extérieur, en quelque
sorte. En projetant l'agression du surmoi dans le monde
extérieur, tour à tour sur les figures de la mère dévorante et
exilante, dans les institutions sociales, telles que le sacrifice, la purification et le châtiment, il éloigne encore plus
l'auto-agression de sa source originelle, c'est-à-dire du moi
lui-même.

Le savant se fait en réalité le complice inconscient de sa
castration par sa mère dévorante, qui représente le surmoi
rongeant extériorisé. La mythologie nous offre une suite
sans fin de voyants aveugles ou boiteux. Tirésias, le plus
grand d'entre eux, a été « puni » de cécité par Athéna.
Héphaïstos, qui a, seul, parmi les dieux de l'Olympe, le
don de prophétie, est boiteux. Odin, le père nordique des
dieux, parvient à la sagesse en sacrifiant volontairement un
de ses yeux.

Une fois acceptée sa castration orale, le voyant ou le
savant peut s'identifier à la mère dévorante. Celle-ci équivaut
inconsciemment pour lui à un homme châtré, comme lui,
et il en assimile le sadisme oral et la curiosité insatiable.
C'est cette identification qui en fait précisément un voyant
et un savant. Le premier objet de sa curiosité est d'ailleurs

la mère dévorante elle-même, la sphinge souriante dont il ne peut démêler le secret. Son sourire qui menace et promet la mutilation devient le mystère qu'il ne se lasse jamais d'explorer. On peut penser que la séduction du sourire de Mona Lisa repose sur la même promesse et sur la même menace. Freud y voit le sourire extatique de l'enfant élevé au sein, et le rapporte à un fantasme d'enfance raconté par Léonard de Vinci : un vautour descendait sur la bouche du petit enfant et le frappait de ses serres. Freud ignorait manifestement une partie des faits historiques dont nous disposons aujourd'hui, mais il ne s'est pas trompé en interprétant le fantasme du vautour qui attaque comme un fantasme de castration. Il est peut-être légitime aussi d'imaginer que la mère de Léonard avait accablé son fils d'un amour excessif, intensifiant ainsi ses désirs et ses craintes orales ; la comparaison qu'on fait du sourire de Mona Lisa avec celui de la sphinge n'est pas sans fondement. La sphinge représente, je l'ai dit, le symbole suprême de l'agression et de la curiosité orales de la mère. On pense aussi à la figure de Turandot, autre incarnation de la femme questionnante orale, sadique, qui semble avoir exercé une séduction profonde sur Puccini. Il fut impossible à celui-ci d'achever son opéra, par incapacité, sans doute, à résoudre le conflit de l'amour et de l'autodestruction. La soumission ultime de Turandot à son prétendant est absurde. Lohengrin, lui, est obligé de quitter Elsa, sa femme « pure », une fois qu'elle a cédé à sa curiosité questionnante, et il retourne se mettre à l'abri de cette société secrète, exclusivement mâle, qu'est le Saint Graal.

Dans *La Flûte enchantée* de Mozart, la capacité de garder le silence fait l'objet d'une des premières épreuves pour ceux qui veulent entrer dans la communauté mâle qu'est la société secrète de Sarastro. L'opéra met en garde l'homme candide contre les langues inconsidérées des femmes. Le caractère secret des sociétés mâles de ce type stimule la curiosité et un exhibitionnisme assez tortueux. On peut penser en effet que leurs différents messages de salut et de purification sont autant de défenses contre les désirs et les craintes orales non reconnues qui hantent les mâles eux-mêmes. Dans la version qu'a donnée Wagner du mythe du Saint Graal avec son dernier opéra, *Parsifal*, on trouve tout l'arsenal des images poémagogiques du niveau oral, sous une forme à peine déguisée : Kundry, la sorcière dangereuse, est au service de Klingsor qui figure le diable. Elle pèche et séduit les purs chevaliers par son rire compulsif, comme elle a ri jadis du Christ dans sa montée au Golgotha. Klingsor, lui, comme le diable boiteux, a obtenu son pouvoir magique en acceptant une castration volontaire, et sa vengeance contre les chevaliers du Saint Graal consiste à leur infliger la même mutilation honteuse en se servant de Kundry comme séductrice. Au moment où Kundry étreint Amfortas, le roi des chevaliers, elle ne peut s'empêcher de rire et (comme elle le dit plus tard à Parsifal) « un pécheur tombe sur son sein ». On est surpris qu'un rire compulsif pendant l'acte sexuel doive être un péché ou même une séduction. Mais le sens et l'effet de ce rire s'éclairent considérablement lorsque Amfortas est puni de son péché. Sa punition est en effet de perdre le Saint Glaive au profit de Klingsor et de recevoir une blessure incurable au côté. Le symbolisme de la castration infligée par la bouche qui rit ne saurait être plus clair. Comme dans le marché de Shylock et la torture de Prométhée, la blessure de la castration est déplacée vers le haut.

L'arsenal entier du symbolisme de la castration orale est à nouveau mobilisé dans la scène où Kundry essaie de séduire Parsifal, le niais « pur ». Il importe ici que Parsifal soit un niais ignorant; il ne partage pas en effet avec le diable le désir interdit de connaissance qui ne peut s'acheter qu'en acceptant la castration orale. Il peut donc, dans sa pureté, défier la bouche qui rit de Kundry et sa promesse séductrice. Kundry représente ouvertement l'agression orale de la mère où Freud voyait la base du fantasme enfantin de Léonard : elle essaie de séduire Parsifal en évoquant l'amour passionné que lui portait sa mère morte et lui promet qu'il retrouvera dans ses bras cet amour maternel. Elle lui demande aussi s'il ne redoutait pas, enfant, les baisers violents de sa mère. C'est au moment où elle l'embrasse au nom de sa mère, que le jeune garçon se dresse de terreur, sentant brûler à son propre flanc la blessure d'Amfortas. Il était difficile de rendre plus explicite les pouvoirs mutilants de la bouche de Kundry. En la rejetant, Parsifal reconquiert le glaive perdu, c'est-à-dire qu'il garde sa virilité.

À un niveau plus profond, Kundry apparaît cette fois dans le double rôle de la mère exilante et exilée. Ce niveau est ici suggéré brièvement mais de manière très ferme. Kundry, comme Perséphone, mène en effet une double vie. C'est une belle sorcière qui sert de diable pour séduire les chevaliers du Graal; mais c'est aussi une vieille, hideuse et maléfique, une bohémienne au teint très brun, aux cheveux dénoués, ceinte de peaux de serpent, qui sert les che-

valiers comme une esclave. Dès qu'elle échappe au contrôle
de Klingsor, elle s'exile au désert pour y mourir comme un
animal sauvage, avant d'être découverte et sauvée par les
chevaliers. Elle vit alors en esclave volontaire, et reste en
marge de la sainte communauté, sans que la part de retenue
puisse jamais compenser la part d'exil. Parsifal, après avoir
résisté à Kundry dans son rôle de mère dévorante, veut
retourner au Graal pour y soigner le roi blessé. Kundry le
maudit alors et le voue à se perdre dans le désert, exilé
comme elle-même. Or, ce double rôle de la mère exilante et
exilée ne peut intervenir qu'à un niveau presque océanique.

La figure du diable, compagnon de la sorcière, fait elle
aussi apparaître plusieurs niveaux d'imagerie poémagogique. Sa révolte contre la figure paternelle de Dieu est
probablement œdipienne. Au niveau oral, nous l'avons
décrit comme le serpent diabolique qui pousse Ève à commettre son crime de castration orale. Mais à un niveau anal,
plus profond, il est aussi le dieu exilé, disséminé. Il a été
en effet exilé du ciel et rejeté dans l'abîme de l'enfer en
punition de sa révolte. Il y demeure enchaîné pour l'éternité, captif. Le diable partage avec plusieurs autres dieux
du feu, comme Loge et Héphaïstos, un certain nombre de
ces traits oraux et anaux. Héphaïstos, comme le diable et
Loge, a été exilé du ciel; Loge demeure enchaîné en enfer,
comme le diable; Héphaïstos, comme le diable encore, est
boiteux. Ces dieux du feu ont aussi en commun une curieuse
contradiction dans leur constitution. Ils sont terrifiants,
malins, disposent d'un savoir magique, tout en étant mala-
droits, ridicules et parfois mutilés. La raison de ces contradictions est chaque fois la même : leur castration. Ainsi le
diable, redoutable d'intelligence, est aussi le pauvre diable
imbécile qui se laisse capturer dans toutes sortes de symboles de castration, par exemple des sacs ou des arbres
fendus. Dans les contes de fées, c'est invariablement la
Sainte Vierge qui sait le mieux s'y prendre avec lui. Héphaïstos, le dieu grec du feu, est tout à la fois terrible, malveillant et ridicule, impuissant. Il a des épaules imposantes,
mais des jambes atrophiées. Ses statues le montrent invariablement revêtu d'une sorte de pagne, avec une expression de honte qui est inhabituelle aux divinités grecques.
Mais il est aussi malin et malveillant, enclin à capturer les
autres par esprit de vengeance. Il capture ainsi sa propre
mère, Héra, sur un trône magique, et le couple adultère
d'Aphrodite et d'Arès dans un filet de chasse. Son cocufiage

n'en est pas moins ridicule pour autant et les dieux rient de
sa déconfiture. La signification profonde de ce ridicule est
la même que celle du rire de Kundry : se faire railler signifie
se faire oralement châtrer. Cette signification ressort plus
ouvertement d'une légende qui concerne son homologue,
le dieu nordique du feu, Loge. Quand Loge essaie de faire
rire une fille, il y réussit par une ruse étrangement autodestructrice. Il attache ses testicules à un bouc de telle sorte
que le bouc, en cherchant à se libérer, lui inflige de violentes
douleurs. Ses contorsions font rire la fille, d'un rire qui a la
même signification orale-sadique que celui de Kundry. On
sait que le bouc est par prédilection l'animal du diable. Il
a comme lui, deux cornes puissantes, mais des jambes grê-
les. On ne peut infirmer l'image du diable châtré en invo-
quant ses nombreux attributs phalliques, ses cornes, sa
queue et sa langue saillante : les Érinyes et les Gorgones
castratrices, qui sont les symboles reconnus de la castration, portent bien, elles aussi, des serpents dans leurs cheveux. Puisque la castration signifie l'agression contre le
phallus, il est logique qu'un symbolisme de castration
complet condense à la fois le pouvoir phallique et sa perte.

Cette combinaison des attributs phalliques avec la castration est caractéristique du symbolisme du feu lui-même,
cet élément dangereux auquel sont associés tous ces dieux.
Le feu est peut-être le symbole le plus condensé de l'autocastration orale. Je suis très étonné que sa signification
orale ait été ignorée, au profit de sa signification phallique.
De façon superficielle, la forme oblongue d'une flamme constante peut suggérer une forme phallique, mais elle suggère
bien davantage une langue qui lèche. Le feu indompté est
peut-être la manifestation naturelle la plus forte d'une
agression orale débridée. Avec ses myriades de langues qui
lèchent avidement, le feu dévore l'homme et tous ses biens.
On ne saurait trouver de symbole plus apte à représenter à
la fois le pouvoir du phallus et la menace que constitue
pour ce pouvoir la castration orale. Les dieux du feu ne
pouvaient qu'être complices de leur émasculation puisqu'ils
n'étaient que trop associés aux flammes phalliques auto-
consumantes.

En même temps, la flamme domestiquée et constante est
devenue le symbole universel de la curiosité scientifique,
et de sa quête des lumières et de la vérité. La domestication
du feu nous ramène à l'aube même de l'humanité. Dans les
fouilles archéologiques, on tire de la découverte d'un foyer
la meilleure preuve que certaines pierres du voisinage ne

doivent pas leur tranchant et leur pointe à un caprice de la nature, mais bien plutôt à une sélection et à une prépara-tion délibérée qui porte la marque de l'*homo faber*, de l'homme fabricateur d'outils. On serait tenté de penser que la domestication du feu, comme toutes les inventions fondamentales, n'est pas tant le fait de la raison humaine que le fait d'un acte compulsif, répondant à des besoins. La fantasmatique inconsciente n'aurait pas fait la différence entre les tourments brûlants qu'inflige à l'intérieur le sur-moi, et le feu qui fait rage à l'extérieur. La domestication du feu autoconsumateur avait aussi bien pour fonction d'apaiser les fantasmes d'autodestruction orale et la peur d'avoir à subir l'agression rongeante du surmoi. Il est ainsi probable que l'usage cérémoniel du feu n'obéissait pas du tout à un dessein rationnel, mais qu'il purifiait l'homme de ses fantasmes autodestructeurs et de la menace d'annihila-tion qu'ils faisaient peser sur le moi. C'est pourquoi l'homme devait purifier sa nourriture par la cuisson, avant de pouvoir satisfaire sa propre agression orale. Et c'est aussi pourquoi, beaucoup plus tard, lorsqu'au moment des persécutions préscientifiques des sorcières et des hérétiques, on vit resur-gir les anciennes craintes, on fit brûler hardiment les feux sur les bûchers pour purifier les victimes de leur savoir magique et interdit. Or, il est pratiquement certain que les hérétiques du Moyen Age ne faisaient que revendiquer, par rapport à l'orthodoxie, ce scepticisme qui est l'acte de naissance de notre science moderne. On peut donc dire qu'en ce sens aussi, ils furent les véritables précurseurs du savant moderne.

Les nombreux mythes de civilisation qui rapportent la civilisation à la culpabilité — la seconde étant le prix qu'il faut payer pour avoir la première — présentent des colora-tions morales différentes. Dans le mythe grec, c'est Promé-thée le Titan, et non pas les dieux olympiens, qui apporte le feu et la civilisation à l'humanité, et qui doit ensuite subir le cruel châtiment de sa générosité. La légende de la Chute de l'Homme au paradis, qui en est l'équivalent hébraï-que, est encore plus fortement colorée de culpabilité. La civilisation n'est plus en effet chargée seulement de culpa-bilité dans son origine, mais encore dans ses bienfaits qui sont représentés comme autant de châtiments. L'acquisition de la connaissance morale qui permet de distinguer le bien et le mal, l'apprentissage de la honte, l'invention du vête-ment et de l'agriculture, ne sont pas des bénédictions, mais sont imposés, malgré elle, à l'humanité. Si l'on excepte cette différence qui est d'une grande portée, ces deux mythes de civilisation sont parfaitement analogues, à partir du moment où l'on a pleinement interprété le symbolisme oral du feu : le crime de Prométhée est le crime même d'Adam et Ève, c'est-à-dire l'autocastration orale. Prométhée est en effet une divinité plus ancienne encore qu'Héphaïstos, le dieu olympien du feu. Ce sont, en un sens, des dieux rivaux. Un mythe rapporte que le nouveau venu, Héphaïstos, approche Prométhée avec le plus grand respect. La version la plus souvent citée du mythe de Prométhée rapporte que Prométhée avait volé le feu du ciel à Héphaïstos pour l'apporter à l'humanité et qu'on le punit en l'attachant au rocher. Chaque jour, un aigle, envoyé par Zeus, descendait sur son corps et déchirait son foie qui repoussait à nouveau jusqu'au jour suivant. Comme c'est presque toujours le cas, le châtiment exprime, avec plus de clarté, un fantasme autodestructeur sous-jacent. L'autodestruction est ainsi présentée comme une agression infligée de l'extérieur; le bec déchirant de l'aigle qui attaque son corps représente l'attaque mordante du surmoi et les coups portés par les sentiments de culpabilité. Comme dans le cas d'Amfortas et de Shylock, la blessure de la castration est déplacée vers le haut. Le bec de l'aigle n'est qu'une nouvelle variante du thème dont le motif du feu est par lui-même l'expression très condensée. Bien plus, c'est au boiteux Héphaïstos qu'on dérobe le feu. Le vol répète symboliquement la mutilation que le dieu a déjà subie. Prométhée est aussi « Lucifer », c'est-à-dire celui qui apporte ou porte le feu. Comme le serpent diabolique du paradis, il apporte à l'humanité la civilisation au prix d'un crime oral commis contre le phallus, transformant ainsi son propre corps en un symbole de feu phallique, et autoconsumant. S'il nous fallait choisir un terme nouveau pour les fantasmes oraux, masochistes, sous-jacents à la projection de leur culpabilité qu'opèrent la science et la technologie, on n'en saurait trouver de plus approprié que celui de Prométhée, qui apporte la connaissance et l'art à l'humanité en offrant son propre corps au bec de l'aigle et qui défie avec un tel héroïsme la cruauté du surmoi. Il peut être commode de parler dans la fantasmatique poémagogique d'un niveau Prométhée oral-schizoïde, comme d'un niveau Antigone anal-dépressif ou d'un niveau Dionysos océano-maniaque.

Le défi héroïque lancé à l'agression orale est très proche de la soumission docile du savant aux compulsions du surmoi. Il s'accompagne en effet d'un exhibitionnisme oral-

masochiste, de même que la curiosité scientifique est associée à un voyeurisme oral-sadique. Le voyeurisme comporte
le fantasme de « dévorer » quelque chose des yeux. C'est
là un fait bien établi; mais ce qui est beaucoup moins
connu, c'est la corrélation qui existe entre le fantasme équivalent d' « être dévoré » et l'exhibitionnisme. Si on l'avait
mieux reconnu, mon concept d'une fantasmatique orale-
masochiste de Prométhée, tel que je l'ai décrit, se serait
imposé de lui-même.

La relation entre l'exhibitionnisme (phallique) et le feu
est un fait bien reconnu. Mais on se contente, en général,
d'en rendre compte au niveau génital œdipien, ce qui conduit à ignorer le symbolisme oral du feu. On connaît l'acte
d'exhibitionnisme phallique auquel se livre Gulliver, quand
il éteint l'incendie qui dévaste les appartements de l'impératrice de Lilliput en urinant sur les flammes; voilà de
quoi faire rêver tous les petits garçons de quatre ou cinq
ans. En l'interprétant au niveau œdipien, on a vu, non
sans raison, dans cet acte fortuit, l'exhibitionnisme du héros
qui défie le feu phallique en démontrant le pouvoir de son
propre phallus. Mais il n'en faudrait pas, pour autant, écarter le sens oral, pré-œdipien, qui est en fait plus significatif.
Le feu est aussi bien féminin, c'est-à-dire qu'il représente le
vagin brûlant, auquel s'expose le phallus, non sans courir
de risques graves. Le châtiment du crime vient d'ailleurs,
comme on peut le constater en général, exhiber plus clairement les éléments autodestructeurs du fantasme. Gulliver
doit en effet être puni par l'impératrice pour avoir souillé
ses appartements impériaux. Il doit soit être aveuglé, soit
périr captif d'une maison en flammes, soit, de façon plus
explicite encore, succomber à un poison versé par ses servi-
teurs sur sa chemise et ses draps : Gulliver, la peau rongée
par le poison, déchirerait sa propre chair et mourrait dans
les pires tourments. C'est pour échapper à cet injuste châtiment que Gulliver s'enfuit de Lilliput. Son châtiment en
aurait pourtant fait l'égal du plus grand des héros grecs, le
grand Héraclès. La tunique ardente qu'Héraclès reçoit de
sa femme donne en effet au symbole du vagin brûlant son
expression la plus incontestable : elle s'accroche à son corps
et consume sa chair; pour échapper à cette agonie, Héraclès
demande qu'on le brûle vivant sur un bûcher funèbre.
Ces deux « embrasements » successifs se complètent en mettant, chaque fois, en relief l'élément essentiel qui fait défaut
chez l'autre (c'est ainsi que procèdent les rêves). La tunique
ardente, offerte au héros par sa femme, représente claire-

ment le vagin brûlant. Mais il faut une ruse pour la lui
faire porter. Son auto-immolation volontaire sur le bûcher
vient alors exprimer le caractère consentant de son autodestruction. Il n'y a pas, en fait, de ruse qui soumette le
héros au vagin brûlant; c'est de lui-même qu'il brave la
mère dévorante et provoque sa propre destruction.

La légende romaine raconte l'histoire de Mucius Scaevola
— histoire bien faite pour exalter un héroïsme à toute
épreuve — qui, pour intimider les ennemis de Rome, posa
sur le feu sa main et la laissa se consumer lentement jusqu'à
ce qu'elle soit carbonisée. Cette légende révoltante a son
pendant grec, qui devait instiller aux adolescents de
Sparte — la plus romaine des cités grecques — un héroïsme
autodestructeur. Le jeune Spartiate, on le sait, était autorisé
et même encouragé à voler, mais il ne devait pas se faire
prendre. Un jeune garçon avait ainsi volé un renard vivant
et, pour ne pas se faire repérer, l'avait caché sous ses
vêtements : il préféra se faire mordre cruellement par le
renard plutôt que de se trahir. La légende spartiate est la
version héroïque du mythe scientifique de Prométhée. Il
y a également une coloration héroïque indubitable dans le
défi que lance Prométhée à ses bourreaux. Dans son cas,
cependant, ses souffrances ne sont pas ouvertement son
propre fait, mais plutôt déguisées en châtiment involon-
taire. L'absence de tout sentiment de culpabilité, ou le
défi qui lui est lancé, caractérise l'attitude héroïque, et la
distingue de la soumission docile du savant aux contraintes
intérieure et extérieure. Il se peut que la culpabilité soit
alors atténuée du fait que l'autodestruction du moi est
reconvertie en une autodestruction physique du moi corporel. C'est ainsi qu'Oreste échappe à la persécution des
Érinyes en se coupant un doigt d'un coup de dents.

On pourrait peut-être expliquer par ce lien entre l'autodestruction mentale par les sentiments de culpabilité
et l'autodestruction physique, l'origine encore obscure
de la profonde culpabilité et des sentiments de honte qui
s'attachent à la masturbation masculine. On désigne la
masturbation par le terme « abus de soi * », c'est-à-dire
comme une attaque de l'homme contre son propre corps.
Parce qu'elle garde un résidu d'autodestruction physique,
la masturbation fait resurgir la fureur irrationnelle du
surmoi. Si tourmentés que nous nous sentions par la brû-

---

* L'auteur joue ici sur les sens originel et usuel de *self-abuse :* ce terme,
qui signifie littéralement « abus de soi », désigne en effet couramment
l'onanisme ou la masturbation. *(N.d.T.)*

lure de la culpabilité, nous voudrions tout de même éviter l'autodestruction physique, beaucoup plus dangereuse. Le héros parvient, lui, à soustraire ses actions autodestructrices à la censure du surmoi. Dans cette mesure, l'héroïsme représente donc un triomphe du moi sur le surmoi. Le héros défie son propre surmoi tout autant qu'il défie le danger extérieur. Et pourtant, les Grecs eux-mêmes sentaient le crime que comporte ce défi héroïque lancé aux dieux, qu'ils appelaient *hubris*.

Les fantasmes de castration orale ont aussi une coloration homosexuelle précise. Le héros et le savant se recherchent l'un l'autre. La mythologie regorge de ces amis curieusement assortis qui se combattent et s'aiment : Thor l'héroïque et le malin Loge, le brave et naïf Achille avec Ulysse le rusé, le viril et stupide Arès et son astucieux rival Héphaïstos. Si l'on étudiait de plus près les types du voyeur et de l'exhibitionniste parmi les homosexuels, on découvrirait probablement la connexion étroite qui existe entre ces deux polarités, qui réalisent de manières différentes les mêmes fantasmes oraux de Prométhée. La menace de castration, cependant, n'en est jamais absente. Dans les fantasmes poémagogiques qui ont trait au dieu brûlé, la mère dévorante est, je l'ai dit, imaginée comme un mâle châtré. Mais en se soumettant à la castration, le mâle peut s'identifier lui-même à la mère dévorante et s'approprier son sadisme oral et son astuce. Rank a fait remarquer que le diable fut jadis féminin et que la bouche béante de l'enfer symbolise encore aujourd'hui les organes génitaux féminins *(vagina dentata)*. Il est possible que, pour la fantasmatique homosexuelle défensive, le mâle châtré soit un véritable équivalent de la mère dévorante qui lui inspire une crainte excessive. Les malins compagnons — non héroïques — du héros représentent aussi la menace de castration orale. Ainsi le dieu héroïque Thor détenait le marteau magique Mioellnir, symbole de la foudre, qui a une poignée trop courte et qu'on lui a un jour dérobé. Pour le reconquérir, Thor doit revêtir des vêtements féminins, mais il a bien failli être trahi par son appétit vorace, c'est-à-dire qu'il a dû accepter le rôle de la femme avide et châtrée. Il se trouve aussi que l'un des boucs qui tirent son char de guerre boite, à cause de l'avidité de son compagnon méprisé et pourtant inséparable, Loge, le dieu nordique du feu. (Il est logique que le dieu du tonnerre et de la foudre et le dieu du feu soient des compagnons inséparables.) Thor pouvait en effet tuer les boucs qui

tirent son chariot et manger leur chair, pourvu que leurs
os fussent intacts : d'un coup de son marteau magique,
il pouvait alors les rappeler à la vie. Loge — qui est lui-
même un gros mangeur — persuade l'un des invités de
dévorer aussi un os. Voilà pourquoi, lorsqu'on les ressuscite, l'un des boucs reste boiteux.

Dans la mythologie grecque, Arès représente l'*alter ego*
héroïque du rusé Héphaïstos, qui, lui, n'est pas héroïque.
C'est lui qui est pris dans le filet magique, en plein coït
avec Aphrodite. Mais, comme toujours, ce n'est pas la
figure maternelle — Aphrodite — qui lui fait du mal,
mais son mari, le cocu boiteux, Héphaïstos. L'agression
est dérivée sur un mâle vengeur (la rivale femelle ouverte
d'Arès est la déesse de la guerre Athéna, et Arès est deux
fois blessé par un mortel que soutient Athéna). Dans le
décor héroïque, la mère castratrice s'efface pour laisser
le premier rôle à un mâle diabolique qui, en règle générale,
a accepté la castration et assumé ainsi le rôle de la femme
orale-sadique châtrée· c'est là le rôle des autres dieux du
feu, boiteux et rusés, le diable et Loge. En sa qualité de
forgeron divin, Héphaïstos montre au dieu châtré du
feu la voie de la restitution. En domestiquant le feu
autodestructeur, il forge en effet l'épée dont se servira le
héros. La figure du forgeron magique combine ainsi les
traits ridicules et les traits terrifiants des dieux du feu.
L'étude anthropologique montre d'ailleurs que le statut
du forgeron est, dans les tribus primitives, d'une grande
ambivalence. Ils sont à la fois redoutés et méprisés, avec
le même mélange de sentiments qui fait du diable terrifiant aussi bien le pauvre diable clopinant. Les figures
mythologiques du forgeron combinent en conséquence
les pouvoirs restitutifs du savant avec la malveillance
du vilain châtré. Wieland, le forgeron magique, est lui
aussi boiteux. Il a été mutilé sur le conseil de la femme du
roi. Il prend sa revanche, comme Héphaïstos aime à le
faire, par une ruse de capture très maligne. Il invite en
effet les jeunes princes à regarder dans un coffre et claque
le couvercle sur leurs nuques pour les décapiter. Une
fois vengé, il s'élève dans les airs grâce à des ailes magiques.
Sa magie lui a rendu sa virilité. Cette légende cruelle
illustre bien le pouvoir destructeur et restitutif de la science.
Elle peut domestiquer le feu dévorant pour créer des
armes et des instruments phalliques. Mais tant que la
neutralisation de l'autodestruction orale en une œuvre
créatrice n'est pas achevée, nous trouvons les monstres

mutilés, peu virils — Lucifer, Satan, Klingsor, Loge, Héphaïstos — qui se vengent de leur virilité perdue sur d'autres hommes plus heureux qui, comme le héros exhibitionniste, peuvent encore se vanter de leur virilité.

Le fantasme paranoïaque qui a créé le diable boiteux et en a fait le dieu médiéval du feu et de la magie noire survit encore aujourd'hui. La science-fiction moderne, par exemple, est riche en mauvais savants occupés à détruire le monde. Ce fantasme persiste également dans la crainte que suscite le Juif circoncis et malin. L'une des croyances les plus compulsives des persécuteurs de Juifs les accuse de crimes oraux épouvantables comme de massacrer et de dévorer les enfants. Les antisémites surestiment aussi l'aptitude intellectuelle des Juifs qui cadre mal avec le mépris dont ils les accablent. J'ai eu beaucoup de mal à persuader les antisémites qu'il y avait autant d'imbéciles chez les Juifs que chez les Gentils. Les Juifs participent ainsi de l'image ambivalente qu'offrent les dieux du feu : le ridicule et le mépris voisinent avec le respect et la peur de leur aptitude intellectuelle prétendument supérieure. Le Juif dévorant est châtré et menace de castration le Gentil, héroïque et naïf. Plus les Allemands entretenaient des fantasmes héroïques d'autodestruction, en même temps qu'un crépuscule des dieux wagnérien, plus ils étaient amenés à projeter leurs craintes sur des figures diaboliques, des conspirations internationales et une subversion maligne, pour finir par concentrer ces craintes sur les minorités juives, qui avaient toujours, d'une manière ou d'une autre, servi de boucs émissaires pour soulager les tensions sociales internes des sociétés qui les abritent. Leur qualité de membres marginaux les destinait en effet à être exilés ou brûlés pour sauver le corps social. En ce sens, sous le niveau schizoïde-oral de l'antisémitisme, existe aussi un niveau anal dépressif du fantasme. Il semble y avoir quelque chose dans le destin juif qui symbolise un fantasme anal d'auto-exil volontaire. On oublie souvent que la dispersion des Juifs tout autour du monde fut en partie volontaire et précéda la destruction du Temple. Le symbole suprême de la libération des Juifs n'est-il pas leur exil enfin réussi dans le désert, au sortir de la fertile Égypte? Y a-t-il quelque chose d'autodestructeur dans le destin juif, pour qu'il s'attire ainsi le rôle d'un bouc émissaire ou d'une personne déplacée qu'on conduit au désert pour l'y faire mourir et purifier ainsi la communauté? Quelle que soit la cause de ces fantasmes, ils sont d'un grand intérêt théorique, parce qu'ils démontrent à leur tour la stratification complexe des niveaux anal, oral et œdipien que nous trouvons si souvent dans le matériel culturel. La personne déplacée, aujourd'hui, est une image pathétique de la maladie qui a fondu sur notre corps social, c'est-à-dire son incapacité à supporter la diversité sans en éprouver une angoisse injustifiée. Le seuil au-dessous duquel Éros peut enrichir la différenciation sociale interne s'est aujourd'hui considérablement abaissé. Les tendances clivantes vont introduire le besoin compulsif d'expulser les éléments étrangers qui donnent le sentiment de polluer le corps social. L'équilibre entre Éros — le principe de différenciation — et Thanatos — le principe d'entropie — penche dangereusement vers l'entropie et la mort, vers l'automutilation d'une société égalitaire, incapable d'alimenter sa richesse et sa diversité internes. Le caractère schizoïde de tant d'œuvres d'art modernes ne fait que refléter les tendances autodestructrices si importantes dans notre civilisation.

Les fantasmes poémagogiques sont constamment projetés dans la réalité extérieure et ils re-mettent en acte la lutte qui oppose éternellement le moi et le surmoi. Le psychotique articule ses fantasmes en désirs concrets très bruts. Le schizophrène Schreber, par exemple, s'impliquait lui-même dans la tâche de la cosmogonie, de la re-création du monde. Ses fantasmes allaient presque jusqu'au désir concret d'une castration qui lui permettrait d'être fécondé par Dieu et d'enfanter une humanité nouvelle, par une horrible parodie du processus créateur. L'imagerie poémagogique a toujours prêté à des utilisations abusives dans la religion organisée et les institutions sociales. Marion Milner [21] s'y est intéressée pour en donner l'interprétation suivante :

> ... toute l'histoire des religions populaires pourrait... être envisagée comme une matérialisation de l'image ; dès qu'on a cessé de l'envisager comme une vérité de l'esprit (qui représente le processus créateur interne) pour y voir, au contraire, la vérité d'un fait extérieur, elle est alors devenue l'instrument de toutes sortes d'exploitations — luxurieuses, politiques, sociales — et l'instrument du désir infantile le plus brut...

C'est bien possible. Et pourtant, le travail du processus créateur en passe justement par une telle projection des processus internes dans la manipulation de la réalité

extérieure. Les inventions fondamentales de la civilisation humaine — découverte de l'agriculture, domestication du feu, interprétation causale de la réalité — ont
précisément été assimilées, dans mon interprétation, à
des projections de ce type. Les projections extérieures
ne prennent en fait leur coloration psychotique hyperconcrète que lorsque le processus interne de sublimation
s'effondre et que le surmoi attaque trop cruellement le
moi. Il est certain que notre loi criminelle, par exemple,
est dominée par ce genre de mécanismes psychotiques, et
que c'est en fonction d'un surmoi cruel qu'est vécu le
conflit du criminel et de la société. Melanie Klein pense
que le criminel, bien loin de souffrir d'un défaut de surmoi,
a gardé au contraire un surmoi inutile et trop cruel qui
contraint son moi à projeter, dans le comportement de la
société, la même absurde cruauté. Malheureusement —
et c'est ici qu'intervient la part psychotique de la réaction
sociale — la société accepte ce rôle. Il faudrait donc,
pour accomplir un progrès, renforcer le rôle du moi. Au
lieu de capturer le criminel et de l'enfermer, il faudrait
lui apprendre à se servir du processus de la loi et à manipuler les réactions de la société. La prison pourrait alors
lui être un excellent terrain d'essai pour exercer ses talents
sociaux. Pour Malinowski, on peut en général mesurer
la santé d'une société au nombre des « institutions »
semi-indépendantes qui autorisent, et même invitent,
le citoyen à exercer ses talents sociaux, au lieu d'être le
sujet passif d'une administration publique centrale. Dans
l'état actuel, les prisons développent en fait des sous-
administrations criminelles qui agissent sous le couvert.
On ferait un pas essentiel si l'on organisait ces sous-
administrations en « institutions » semi-autonomes —
au sens de Malinowski — que le prisonnier pourrait manipuler pour son propre avantage, et qui développeraient
son habileté. Un psychologue londonien citait un jour
le cas de ce meurtrier qui désirait mettre en branle le
processus de la loi : or, ce processus menait logiquement
à son exécution, et il se montrait extrêmement déçu
de la marge d'incertitude permise par un processus légal
éclairé, qui refuse une application mécanique et prévisible. On comprend sa déception, pour peu qu'on tienne
compte de la réaction compulsive normale de la procédure
criminologique. C'est la société qui est ici déficiente :
il faudrait obtenir d'elle des réactions plus subtiles et
plus souples, capables de suggérer — c'est là le point

essentiel — un surmoi plus souple, aisément dérivable par un moi qui ne serait plus désarmé.

Les suggestions que je fais ici ne se proposent pas d'apporter une solution pratique, mais simplement d'illustrer le fait que l'extériorisation des processus internes qui règlent le fonctionnement du moi créateur n'est pas nécessairement pathologique; bien au contraire, le principal objet de ce livre est de démontrer que créer une œuvre d'art signifie extérioriser le travail intérieur du moi; sa soumission à l'action fragmentante et disséminante du surmoi se réfléchit dans la fragmentation de la superstructure consciente de l'art, et dans la dissémination de sa substructure inconsciente.

Le théâtre vient approvisionner la scène extérieure où se projette volontiers la lutte intérieure du moi. On sait maintenant qu'il est naïf et même faux de vouloir interpréter les grandes pièces de théâtre par morceaux et d'en traiter les caractères particuliers — Œdipe, Hamlet, Lear, Faust — comme des individus autonomes qui mettraient en acte leurs problèmes personnels. La pièce fait un tout et représente l'auteur sous ses nombreuses facettes, ou, plutôt, le travail du processus créateur qui se fait dans son esprit créateur. J'ai repris la suggestion de Weissinger pour qui la tragédie continue le rituel séculaire du dieu mourant. Si j'ai eu raison en affirmant que le thème du dieu mourant a une signification poémagogique, alors le héros tragique de la scène met lui aussi en acte les fantasmes poémagogiques de la lutte que livre le moi à un surmoi cruel. Freud, lui aussi, a appliqué son interprétation de la déesse triple de la vie, de l'amour et de la mort (la Déesse Blanche de Robert Graves) aux trois filles de Lear. Il n'est plus nécessaire de rationaliser la soumission délirante de Lear à ses filles, dès lors qu'on a reconnu leur symbolisme (une production récente de l'Old Vic à Londres donnait de la difficile première scène une interprétation convaincante, en accentuant la vantardise et l'exhibitionnisme du vieil homme). Freud se rendit compte que trois sœurs représentent toujours une figure maternelle puissante. Il nous est facile de la reconnaître dans son aspect oral sous la forme de la mère dévorante et castratrice, aussi bien que dans son rôle anal comme la mère exilante et retenante. Le début de la pièce se situe au niveau oral, plus superficiel. Le roi se livre à son exhibitionnisme autodestructeur, provoquant le sadisme oral des mauvaises filles (la mère dévorante), qui lui infligent immédiatement une sorte de castration. Elles blessent son orgueil vantard en « faisant des coupes » dans sa suite, — la figure de style est ici toute proche du sens réel du symbolisme. Elles mettent aux brodequins son serviteur fidèle, Kent, et arrachent les yeux de Gloucester, l'*alter ego* de Lear. (La punition des brodequins et du pilori est en rapport avec la honte et l'exhibitionnisme. La honte et la culpabilité ne sont en effet jamais très éloignées. Quand nous sommes confondus sans aucune faute de notre part, nous ressentons souvent non seulement de la honte, mais même de la culpabilité. Les châtiments médiévaux montrent ainsi une grande perspicacité psychologique. Le criminel a beau ne pas se sentir coupable, ce qu'il connaîtra une fois exposé à la honte sur le pilori ou aux brodequins en sera très proche. On sait que les brodequins emprisonnent les jambes; et le pilori, le cou. Cette menace symbolique de castration peut très bien susciter des craintes inconscientes de castration, et, par ce biais, des sentiments de honte aussi bien que de culpabilité.)

Pour finir, Lear est exilé dans le désert. La pièce touche alors au niveau anal, plus profond, qu'exprimait déjà auparavant le renversement habituel des rôles : Lear exilait sa fille dévouée Cordélia. L'*alter ego* de Lear, Gloucester, qui laisse passer plus ouvertement le motif de l'autodestruction, tente alors de se jeter du haut des falaises de Douvres. C'est son fils fidèle, Edgar, qui l'en empêche. On reconnaît là l'équivalent masculin de la fidèle Antigone qui conduisait Œdipe à la mort qu'il s'était choisie à Colone. Comme je l'ai souvent fait remarquer, Freud, avec son intuition pénétrante, a su percer le déguisement de la scène suprême où Lear berce dans ses bras sa fille Cordélia morte. L'exil est annulé et expié dans une image qui renverse la *Pietà*. Lear, exilé au désert, châtré de sa virilité (au point qu'il apparaît à la fin couvert de guirlandes et doux comme la folle Ophélie), est racheté par la mère ensevelissante et retenante.

C'est Lady Macbeth qui accomplit dans toute son horreur la figure de la mère exilante en renonçant à sa maternité. J'ai déjà évoqué l'interprétation de Freud qui, faisant aussi ici preuve d'une grande pénétration, voit dans la privation d'enfants le thème principal de *Macbeth*. Le rejet des enfants par Lady Macbeth trouve son pendant avec l'aspiration de Macbeth à fonder une dynastie et l'envie que provoquent en lui les enfants de Banquo. Le motif de la privation d'enfants doit se redoubler du motif caché de la privation de parents dont il est un renversement plus superficiel. La prophétie des sorcières dit que Macbeth ne peut être vaincu que par un homme qui ne soit pas né d'une femme. Celui-ci succombe aux coups de Macduff qui, comme Dionysos, fut « avant l'heure arraché » à l'utérus de sa mère. La figure de Macduff esquisse sommairement le plus profond de tous les motifs poémagogiques, celui de l'enfant divin autocréateur. Mais ce n'est ici qu'une allusion bien vague. Macduff renverse en fait la situation de la mère exilante. Macbeth et sa femme souffrent d'un dégoût d'eux-mêmes qui ne cesse de croître et devient, par moments, presque physique. Lady Macbeth ne réussit pas à laver de ses mains les taches de sang. Alors que Duncan s'était émerveillé de la pureté de l'air qui entoure le château de Macbeth, nous sentons l'air vicié nous envelopper lorsque apparaît Macduff, qui figure le fils autocréateur. Le couple fautif est alors sur le point d'être exilé. « Le chemin de ma vie incline vers l'automne, et ses feuilles jaunies * », dit Macbeth, et Lady Macbeth meurt visiblement avant l'heure d'une mort qu'elle a elle-même voulue. Le temps est mûr. Macbeth est, en dernière analyse, victime d'Hécate, la triple déesse, qui le rend fou en suscitant son *hubris* héroïque et son excessive ambition. Il est l'exact équivalent d'Hamlet qui est incapable d'agir. Macbeth meurt d'un excès d'activité héroïque en défiant vainement son surmoi, tandis qu'Hamlet meurt de son incapacité dépressive à agir; en défiant la figure du surmoi que représente le fantôme de son père, il se soumet au dégoût de soi-même, c'est-à-dire à un idéal du moi qui rejette son propre moi trop faible. Il ne peut traduire en actes ses fantasmes parce qu'ils fausseraient son dessein. La première occasion lui fait dire : « J'ai ceci en moi qui surpasse l'apparence » et il se méprise pour son inactivité. J'ai déjà décrit ailleurs l'attitude fondamentalement autodestructrice d'Hamlet, qu'établit ouvertement son premier monologue : « Pourquoi contre le suicide l'Éternel a-t-il dressé ses lois? » Il est plein de dégoût pour le monde et pour lui-même, — autre manière d'incarner le dégoût anal et l'autorejet. Dans la théorie psychanalytique, l'idéal du moi joue un rôle relativement effacé, si on le compare au surmoi.

---

* Pour les citations de Shakespeare, on a ici repris les traductions de la Pléiade. *(N.d.T.)*

Il vaudrait peut-être mieux dire qu'il s'agit de l'aspect anal le plus destructeur du surmoi qui rejette, expulse et ensevelit des parties de soi avec l'aide du dégoût anal. Le renversement des rôles qui se produit habituellement au niveau anal révèle plus ouvertement le thème psychologique autodestructeur avec la figure d'Ophélie qui, inconsciemment, est moins l'amante d'Hamlet que son double féminin. Comme Hamlet, elle ne peut pas haïr le meurtrier de son père, et cherche plutôt refuge dans la folie et le suicide. Hamlet ne peut faire plus que de provoquer son oncle royal à le tuer et ne réussit à prendre sa revanche qu'une fois qu'il est lui-même frappé à mort. Même le thème de l'auto-ensevelissement est esquissé dans la scène déchirante qui se joue devant la tombe ouverte d'Ophélie. Hamlet envie Laerte, et voudrait comme lui chercher à être enseveli vivant dans la tombe d'Ophélie. R. Flatter, qui joua le rôle de conseiller pour l'*Hamlet* de Laurence Olivier, s'aperçut — il faisait par là preuve d'une admirable perspicacité dans la psychologie des profondeurs — que le servile Osric, qui invite Hamlet au duel final au nom du roi, représente, à un niveau inconscient, l'ange terrifiant de la mort. Hamlet, qui voit au-delà de l'invitation, est la proie de pressentiments qui, comme il le dit, ne pourraient troubler qu'une femme. « Le tout est de se tenir prêt. » Il fallait en effet qu'Osric soit une figure ridicule pour rendre plus acceptable la soumission suicidaire d'Hamlet. Malheureusement Olivier fit un mauvais usage de la suggestion psychanalytique de Flatter et donna à Osric un regard mauvais. Ce qui est inconscient doit en effet le rester pour garder son plein impact. Jamais, dans une œuvre d'art, l'interprétation psychanalytique des fantasmes inconscients ne devrait amener à les expliciter. Ce serait là bien mal comprendre le rôle spontané que joue dans l'art le fantasme inconscient. La psychanalyse ne peut aider l'artiste à manipuler le fantasme inconscient. Le savoir qu'on a sur la profondeur du fantasme n'est pas un mal en soi; mais, pendant le travail créateur, l'artiste doit pouvoir oublier et refouler son savoir intellectuel en toute sécurité. La rencontre d'Hamlet avec Osric est, à d'autres égards aussi, un moment de vérité. C'est également une rencontre avec son *alter ego*, avec ce qui lui inspire, au fond de lui-même, le plus de mépris. Les paroles d'Osric sont vides et n'ont pas de substance. « De cet acabit, j'en connais encore combien d'autres, dont notre âge... raffole,

qui prennent le ton du jour et le revêtement à la mode;
mais ce ne sont que des bulles... » : tel est le portrait
qu'en dessine Hamlet. Or, l'ironie veut que la pièce, dans
son ensemble, soit plutôt verbeuse et abonde en jeux lin-
guistiques, qu'elle joue formellement avec la structure
grammaticale du langage, comme le fait aujourd'hui
Beckett pour traduire son propre malaise devant le vide
des relations humaines, l'imperfection ou le danger de
toutes les tentatives de communication, et peut-être
aussi l'imperfection de paroles et d'images précises,
impuissantes à façonner la plénitude de la vision créatrice.

Hamlet, alors, est peut-être bien, en dernier ressort,
un autoportrait poémagogique de l'artiste qui désespère
de trouver la forme adéquate au contenu et qui préférerait
briser son œuvre et se briser lui-même plutôt qu'être
infidèle à sa vision intérieure. Ce thème est sous-jacent
à la plus grande œuvre dramatique de la première moitié
de ce siècle, l'opéra de Schoenberg, *Moïse et Aaron.* Cet
opéra traite directement des attitudes dépressives et
maniaques dans le travail créateur. L'art formule ainsi ce
qui ne peut pas être formulé. La gestalt consciemment
façonnée au niveau dépressif ne peut en effet rendre
justice à la totalité de la vision maniaque profonde :
l'élaboration secondaire ne peut guère que condenser,
simplifier ou solidifier les vastes images disséminées en
patterns étroitement focalisés et ajustés. Tant que ces
formes nouvelles restent symboliques d'autres images
disparues, la perte est minime. J'ai tenté de montrer que
la richesse de la matrice inconsciente ajoute au symbole
nouveau un pouvoir plastique et un sentiment d'intense
réalité concrète. Cette nouvelle réalité illusionniste, si
brute soit-elle, doit être acceptée de l'artiste avec reconnaissance, comme un signe de sa réussite. Et pourtant, dans le
résultat final, la vision créatrice initiale a été falsifiée.
Dans l'opéra de Schoenberg, Moïse représente le thème
ineffable océanique-maniaque de la créativité, la divinité
de la création soustraite à l'espace et au temps. Aussi ne
peut-il ni chanter, ni poser des actes décisifs, puisqu'il
est plongé dans son impuissance dépressive, tel un nouvel
Hamlet. Il peut seulement parler. Son *alter ego* maniaque est son frère Aaron, qui peut, lui, chanter et façonner
le message ineffable de la créativité en une imagerie différenciée précise, parce qu'il peut percevoir l'identité
de la vision derrière la multiplicité fragmentée des expres-
sions. Il n'est pas indifférent que leur dialogue soit en

réalité un duo simultané; car le processus créateur se place à plusieurs niveaux à la fois. Quand Moïse se retire sur le mont Sinaï, Aaron n'a plus guère le choix et ne peut que concrétiser le message divin en l'image du Veau d'or. La dépression est surmontée par des orgies maniaques d'abandon de soi, de destruction de soi et d'amour. Moïse revient détruire le Veau d'or. Aaron l'emporte cependant, en faisant justement valoir que les tables où sont gravés les commandements de Dieu sont aussi des falsifications concrètes du message. De désespoir, Moïse brise alors les Tables de la Loi et il reste en arrière, exilé de toute communication humaine, tandis qu'Aaron emmène le peuple, en suivant la colonne de nuée, qui est pourtant encore une manifestation concrète de la divinité. L'opéra s'achève sur les paroles parlées de Moïse, désespéré de ne pouvoir trouver les mots de l'indicible. Le livret, écrit par Schoenberg lui-même, prévoyait un troisième acte qui assure le triomphe de Moïse sur Aaron. Aaron est amené sur la scène, prisonnier désarmé, peut-être pour être exécuté. Moïse interrompt alors toute discussion et s'adresse au peuple. Son message, qui est de circonstance, parle des vains efforts des Juifs dispersés pour se faire accepter des autres nations, — ce qui, dit-il, fausse leur véritable tâche créatrice. Ce n'est qu'en retournant au désert qu'ils y réussiront. Moïse renvoie alors Aaron, qui se lève et s'effondre mort, accablé sous le poids du dégoût de Moïse. Stravinski disait que cet opéra, inachevé, est en fait complet sous sa forme actuelle; c'est aussi l'avis de Gertrude Schoenberg, dans l'épilogue qu'elle a écrit à la partition vocale. Si l'opéra est une exposition poémagogique du processus créateur, comme je le pense, le troisième acte n'ajoute rien et affaiblit peut-être la fragmentation bénéfique du second. Rester dans le désert, sans jamais pouvoir atteindre la Terre promise, tel est le destin des Juifs dans leur ensemble — comme l'exprimait le troisième acte abandonné — et c'est aussi le destin de Moïse, qui reste en arrière dans le désert, seul, à la fin du second acte. La mort d'Aaron, en dieu mourant, au troisième acte, n'a guère de sens. Elle ne peut signifier, d'un point de vue poémagogique, que l'exil péremptoire du cliché existant et de la préconception qui entrave l'expression de la vérité créatrice. Mais dans le second acte, la signification d'Aaron est beaucoup plus riche. Il représente, en bien des sens, le courage de l'artiste qui tente l'impossible et qui échoue.

Schoenberg a donné à l'orgie maniaque le plus poignant accompagnement musical — sa forme en est si dense qu'il semble destiné à devenir un morceau de concert. Un tel destin ferait assurément justice poétique, et vengerait l'abandon maniaque de soi d'Aaron. Aaron représente donc à la fois le niveau le plus profond de l'autodissémination maniaque et la concrétisation, en une image nouvelle, de la vision océanique. Le sacrifice humain et l'amour orgiaque face à l'idole d'or sont très proches des rites de la fertilité en l'honneur du dieu qui meurt et se relève — symbole le plus profond de la créativité. Mais, en dernier ressort, l'homme créateur doit accepter, au niveau dépressif, l'imperfection de son œuvre. C'est, en un sens, ce que Schoenberg a fait. S'il n'a pas réussi à poursuivre son œuvre, cela prouve, bien sûr, qu'il savait d'une certaine manière que *Moïse et Aaron* n'était que les deux faces du même processus créateur. De la même façon, quand les rites océaniques orgiaques d'Homunculus disruptent le plaidoyer de Faust auprès des dieux des enfers, Goethe s'était déjà aperçu de ce qu'il appelait son propre « développement secret », qui permettait à son raisonnement discursif logique d'accepter la logique plus profonde de l'abandon maniaque. La dépression et l'autocritique, le dégoût faustien de soi et l'impossibilité de se satisfaire de la réussite humaine, doivent être tempérés par l'extase maniaque et la pénétration plus profonde qu'elle autorise. J'ai montré que toute incursion de ce type de la pensée maniaque à la pensée de surface laisse derrière elle une certaine incohérence et une certaine fragmentation, une faille dans les rochers solides de la logique superficielle, par où s'ouvre un accès secret au monde souterrain, irrationnel, du fantasme. Accepter une structure de surface en partie incomplète et incohérente amène à faire une synthèse entre la gestalt trop précise des images de surface, et la matrice infiniment plus riche du fantasme indifférencié d'où proviennent les images. Dans l'opéra de Schoenberg, Moïse représente la structure inexprimable, indifférenciée du fantasme du processus primaire, tandis qu'Aaron représente sa traduction nécessairement disproportionnée, et son élaboration en fonction du processus secondaire. Mais — et c'est là le point important — il incarne aussi l'aptitude de l'artiste à utiliser l'échec d'une traduction complète, et d'en faire un lien résiduel maniaque avec la profondeur. Il semble que Schoenberg, pour des raisons personnelles, se soit trop identifié à Moïse. On sait en effet que sa propre musique ne comportait pas de mélodie chantée, qui soit compréhensible pour un public de concert populaire. Moïse, qui triomphe du chanteur populaire Aaron, a comme un arrière-goût de ces rêveries diurnes trop promptes à combler le désir, et qui représentent toujours, pour un artiste, le type même de la mauvaise inspiration, puisqu'elles excluent l'essence de la tragédie. La partition s'achève maintenant sur des paroles de désespoir chuchotées. Le silence final est plus déchirant que toutes les trompettes de la victoire. Nous devons rendre grâces à la logique inconsciente du fantasme poémagogique et à son effet disrupteur sur le projet conscient d'avoir interdit une fin heureuse. En acceptant son échec à traduire en musique son projet, Schoenberg a aussi payé son tribut à Aaron et à l'échec qui fut le sien; il a produit la plus grande tragédie du dieu mourant qu'ait connue notre siècle.

Cinquième partie

CONCLUSIONS THÉORIQUES

CHAPITRE XV

Pour une révision de la théorie courante

Il est évident qu'une telle analyse préliminaire de l'imagerie poémagogique ne va pas sans d'importantes implications théoriques. Pour le détail, j'ai dû bien souvent m'en tenir à une esquisse assez floue, mais il suffit des grandes lignes pour nous persuader qu'il y a là un matériel auquel la théorie psychanalytique n'a guère encore touché. Comme je l'ai signalé, les recherches que j'ai menées, de façon tout à fait indépendante, sur le niveau oral (Prométhée) de l'imagerie poémagogique, m'ont mené en gros sur le même terrain que Melanie Klein, lorsqu'elle analysa les tout premiers fantasmes oraux, — fantasme de dévorer ou d'être dévoré. Mais, en un sens, cette correspondance — qui est d'une grande portée — n'a pu que me faire hésiter davantage à exposer les niveaux plus profonds de cette imagerie poémagogique, c'est-à-dire les niveaux anal et océanique (Antigone et Dionysos). Il devenait, en tout cas, de plus en plus évident, qu'avec la psychanalyse dite « appliquée », nous disposions d'un instrument qui nous permettrait, pour une fois, de descendre plus profond qu'avec l'analyse clinique. La raison en est facile à comprendre. La folie est peut-être, en effet, une créativité qui a mal tourné. Il est impossible en tout cas de faire des recherches sur les fantasmes créateurs profondément refoulés sans poser en même temps des hypothèses sur l'origine et le caractère des fantasmes psychotiques équivalents : la psychologie clinique peut trouver là un champ qui a, jusqu'ici, résisté à toute tentative d'une compréhension plus poussée. La seule certitude qui semble émerger sans qu'on puisse en douter raisonnablement, c'est que l'un et l'autre type de fantasmes viennent des niveaux inconscients que nous avons l'habitude d'appeler l'inconscient profond.

Les fantasmes poémagogiques, avec leurs degrés divers de dédifférenciation, témoignent de la nature profondément inconsciente de la dédifférenciation en général. La dédifférenciation structurelle, telle que je l'ai décrite dans la première moitié de ce livre, joue un tel rôle, éminemment pratique, qu'on pourrait hésiter à la croire totalement inconsciente, au moins du point de vue d'une psychologie classique du moi. Et pourtant, le lien qui existe entre la dédifférenciation créatrice et la fantasmatique poémagogique et psychotique, ne nous permet plus d'affirmer que nous avons affaire exclusivement aux niveaux superficiels, « préconscients », de la fabrication des images. De là vient la signification théorique essentielle de l'imagerie poémagogique, et son rapport étroit avec les processus profondément inconscients du moi. Il se peut que j'aie multiplié les erreurs en en conceptualisant les détails ; mais tout ce qui importe en fait, pour cet aperçu préliminaire des images poémagogiques, est d'avoir pu établir que leur dédifférenciation est le résultat de processus profondément inconscients. Le travail créateur a les moyens de capter ces niveaux profonds en mettant en court-circuit le niveau le plus haut et le niveau le plus bas de l'imagination créatrice. Il peut donc mettre à profit les fantasmes profondément inconscients, presque océaniques, pour venir à bout de tâches très réelles, éminemment pratiques, — qu'il s'agisse de technique, de mathématiques très abstraites, ou de peindre un bon tableau, avec un espace pictural animé. On a décrit plus haut la nature océanique, presque psychotique, de l'espace pictural « enveloppant » qui caractérise l'art moderne. Il nous est maintenant possible, au terme de ce parcours provisoire de l'imagerie poémagogique, d'aller chercher l'origine de cet espace pictural véritablement océanique (on pense, par exemple, à celui qu'on trouve dans l'œuvre de Jackson Pollock) dans des fantasmes profondément inconscients, qui se situent au niveau océanique-maniaque. Cette peinture, nous l'avons vu, attire le spectateur à l'intérieur, en oblitérant la distance qui le sépare de l'œuvre. Le spectateur est mis à contribution, et doit articuler, par une élaboration secondaire, la surface qui oscille, pour pouvoir s'extraire ensuite de cet embrassement trop pressant. Il est très important de comprendre le rapport très étroit qui existe entre l'analyse structurale de la fantasmatique poémagogique, et l'analyse esthétique de la substructure de l'art dont traitait la première partie de ce livre.

Il est un autre problème, que nous pose l'imagerie poémagogique. Les écrits psychanalytiques contemporains
considèrent comme un fait établi que le matériel le plus
primitif de tous est le matériel oral, parce qu'il apparaît
le premier dans l'histoire de l'enfant. Ils tendent à négliger
le matériel anal, qui serait selon eux, superposé au matériel
oral, que son antériorité fait supposer plus fondamental.
L'imagerie poémagogique présente une situation qui est
exactement l'inverse — c'est la conclusion qui s'impose
immédiatement dès que l'on regarde de plus près la structure de la fantasmatique. Le matériel oral est plus différencié structurellement que le matériel anal et, pour cette
unique raison, plus accessible à l'intelligence consciente.
L'imagerie indifférenciée, quel qu'en puisse être le contenu,
est par *elle-même* soustraite à la conscience. Toute augmentation d'indifférenciation — comme celle qui caractérise la
fantasmatique anale — en bloque plus fortement l'accès
conscient. D. Winnicott, s'adressant au Congrès international de Psychanalyse de Paris, en 1957, mettait en garde
contre l'affirmation un peu facile, et qui prévalait alors, que
ce qui précède dans la vie ne peut qu'être plus profondément
inconscient. Ernest Jones, qui parlait après lui, se montra
très intéressé et renchérit en disant qu'un matériel, pour
être plus précoce, n'était pas nécessairement moins accessible. S'il est vrai, comme je l'ai proposé, que la dédifféren
ciation structurelle est l'instrument dont se sert le moi pour
« refouler » le matériel mental, toute augmentation de la
dédifférenciation structurelle doit renforcer à la fois l'inac-
cessibilité du matériel, et la profondeur de sa qualité « inconsciente ». Tout se passe comme si, dans la décomposition
cyclique et dans la réarticulation du moi, une fantasmatique
anale plus primitive était souvent révisée dans les termes
d'une fantasmatique orale plus accessible.

Dans le développement infantile, l'indifférenciation
extrême des fantasmes anaux est suivie par les fantasmes,
à coloration orale, du stade phallique. C'est au cours du
dernier stade phallique que l'enfant se livre à une curiosité
voyeuriste compulsive et à un exhibitionnisme vantard qui
rappellent les fantasmes oraux-schizoïdes de Prométhée.
Il est très possible que ce qui passe pour un matériel oral
précoce, dans la fantasmatique du malade, soit en réalité
une élaboration orale-schizoïde, relativement tardive, d'un
fantasme anal à l'origine. Si l'on se concentre sur le matériel
oral, comme le travail clinique a tendance à le faire, on a
bien ces chances de négliger le fondement anal de la fantas

matique créatrice, qui est plus primitif. J'essaierai de montrer dans le chapitre suivant qu'il faudrait concevoir l'ensemble de la petite enfance comme un grand cycle de fantasmes autodestructeurs qui avancent et reculent tour à tour. La première avancée de Thanatos se réfléchit dans la dédifférenciation croissante des fantasmes. Le sommet (maximum de sadisme) est atteint à la fin du premier stade anal. Il est suivi d'une redifférenciation qui s'appuie sur le travail créateur sous la direction d'Éros et d'un surmoi apaisé. Le stade génital d'Œdipe marquerait la cote maximale de cette phase ascendante, tandis que l'assaut de la latence indiquerait un autre cycle, descendant cette fois, jusqu'à la dédifférenciation maxima qui se fait environ à l'âge critique de huit ans, au plus fort de la latence, — âge où les facultés analytiques abstraites de l'enfant s'éveillent pleinement. Nous savons désormais à quel point ces facultés nouvelles peuvent être nuisibles pour l'imagination créatrice.

Tout compte fait, l'analyse structurale de l'œuvre créatrice s'annonce comme un instrument de recherche étonnamment pénétrant. Jusqu'ici, il n'a pratiquement été utilisé que par des écrivains extérieurs au mouvement psychanalytique. Dans un livre ambitieux, intitulé *The act of creation*, Arthur Koestler explique la fonction de l'imagination créatrice comme la coopération de plusieurs niveaux mentaux différents, — ce qui n'est pas sans rappeler ma propre hypothèse : le penseur créateur relie entre elles des matrices qui étaient auparavant déconnectées. Ces matrices — et c'est là le point essentiel — fonctionnent selon leurs différents codes. Koestler prétend, pourtant, que le code des matrices inconscientes est invariant et rigide, qu'il s'agit d'un résidu de modes de pensée primitifs antérieurs, qui, après avoir été pratiqués dans la petite enfance, sont peu à peu devenus automatiques et, dans cette mesure, inconscients. Le tour de force créateur consiste donc à relier les modes de fonctionnement préexistants avec les modes du moment. Koestler énumère d'autres caractéristiques des matrices et de leurs codes inconscients qui entretiennent une ressemblance frappante avec le concept psychanalytique de processus primaire. Il s'agit de la substitution d'images vagues à des lots précis, de la symbolisation, de la concrétisation, de la confusion d'un son similaire avec un sens similaire, du déplacement de l'accent, de l'amalgame des opposés, etc.

Koestler a beaucoup pris à la psychanalyse, mais il n'a

absorbé de la théorie psychanalytique que ce qu'elle était il y a plus d'un demi-siècle. Il ignore, par exemple, que la conception d'un processus primaire assimilé à la fonction archaïque et entièrement irrationnelle de l'inconscient profond subit aujourd'hui un remaniement radical. Ce remaniement, pour reprendre les termes de Marion Milner, est dû, en partie, à la nécessité de rendre compte des faits de l'art. Or, ces faits contraignent à penser que la matrice indifférenciée a une énorme supériorité technique sur les processus conscients, qui sont étroitement focalisés — ne serait-ce que par son foyer plus large, qui lui permet d'embrasser des structures sérielles sans tenir compte de leur ordre dans l'espace et le temps. Quand Schoenberg, avec une grande maîtrise, traite un thème sans en respecter la suite dans le temps, on peut difficilement y voir des traces primitives ou infantiles. Le *scanning* inconscient de ces structures sérielles exige à mon avis — je m'en suis déjà expliqué — la dédifférenciation active de modes de pensée qui n'ont aucun correspondant d'aucune sorte dans l'esprit primitif de l'enfant, et il me semble parfaitement vain d'assimiler une telle dédifférenciation du temps à une « régression », à des perceptions ou à des conceptions infantiles ou primitives préexistantes; on en rend bien mieux compte en parlant de la création d'une matrice entièrement nouvelle, dont la structure indifférenciée est bien faite pour s'adapter précisément à une tâche particulière. Le mathématicien crée ainsi une matrice entièrement nouvelle, pour le *scanning* de la structure sérielle disjonctive que présente le problème du moment. Ce qu'il trouve tout prêt dans les fonctions profondes du moi, c'est leur structure poreuse et perméable, absolument mobile, et prête à absorber de nouvelles structures sérielles, dans sa vaste étreinte amibéenne.

On a du mal à accepter que l'inconscient joue ainsi un rôle constructeur. La formulation de Koestler ne va, en fait, guère au-delà d'un prolongement prudent de la psychologie classique du moi, qui ne voyait dans l'inconscient qu'une survivance inerte et immuable d'un esprit plus ancien et plus primitif. Il semble bien, cependant, que la fantasmatique inconsciente soit présente dans l'esprit humain dès son origine, et qu'elle croisse et se développe tout au long de notre vie adulte. Le jeune bébé porte en lui des fantasmes innés qui sont d'une virulence psychotique et qui vont à l'encontre de son expérience rationnelle consciente. La pensée consciente et le fantasme inconscient se développent donc côte à côte, en contrepoint, alimentés par les mêmes stimuli qui, venant du monde extérieur, et de l'intérieur du corps en croissance, se télescopent. Le travail créateur ne fait qu'injecter une stimulation nouvelle et contrôlée dans une fantasmatique inconsciente, qui est absolument flexible. Koestler est aussi, par moments, très proche d'un développement récent — et qui exerce encore de l'influence — de la psychologie psychanalytique du moi que l'on doit à E. Kris. Kris pensait en effet que le travail créateur implique une régression « contrôlée » des facultés de surface vers le processus primaire. La conjonction de Koestler entre la pensée de surface et les matrices rigides plus primitives qui sont dans l'inconscient constituerait, en somme, une régression « contrôlée » de ce type. La conception de Kris comporte cependant une lacune. Elle ignore que la créativité ne contrôle pas uniquement la régression vers le processus primaire, mais aussi bien le travail du processus primaire lui-même. Elle transforme son effet virtuellement disrupteur en un instrument constructif, extrêmement efficace pour constituer de nouveaux liens et façonner des images et des concepts nouveaux, qui soient plus compréhensifs. Entre les matrices conscientes et les matrices inconscientes, il y a bien plus qu'un simple lien : la pensée de surface est immergée tout entière dans la matrice du processus primaire.

Le processus de dédifférenciation doit servir deux maîtres à la fois : les exigences de la fantasmatique irrationnelle du ça, et les besoins de la tâche rationnelle objective du moment. C'est un trait essentiel de la créativité que de pouvoir aisément exprimer les deux en une structure unique. La créativité relie l'intérieur et l'extérieur en un processus indivisible unique. Tout en construisant l'œuvre créatrice externe, elle intègre en même temps le moi fragmenté interne. C'est pourquoi la dédifférenciation est déterminée à deux reprises (« *sur*déterminée »), par les besoins intérieurs et extérieurs, — par les prescriptions techniques d'une tâche objective aussi bien que par les demandes plus exigeantes de la fantasmatique du ça.

On savait depuis longtemps que le processus primaire est tout entier indifférencié. Le symbolisme inconscient est en effet impuissant à distinguer entre les opposés, déplace le signifiant sur l'insignifiant, condense les incompatibles et ignore la suite rationnelle de l'espace et du temps. Ce qui est, en revanche, resté beaucoup plus méconnu, c'est que les *per*cepts inconscients, au niveau du

processus primaire, construisent des structures sérielles
disjonctives d'une si large portée qu'ils peuvent, sans difficulté, s'adapter à ces *concepts* contradictoires (disjonctifs)
de la fantasmatique du processus primaire. Bien loin
d'être chaotique, en effet, le processus primaire apparie
très précisément le contenu indifférencié du ça avec les
structures sérielles qui ont exactement le même degré
d'indifférenciation. Si l'on accepte la dédifférenciation
comme un principe structural précis de perception inconsciente et de fabrication d'images, on peut du même coup
blanchir le processus primaire de l'accusation de chaos
qui lui a trop longtemps été faite. Il est vain de se demander
laquelle de la dédifférenciation du contenu du ça, ou de la
dédifférenciation de la structure du moi, précède l'autre.
Selon le nouveau modèle de la psychologie du moi, qu'ont
proposé Hartmann et ses associés, le ça et le moi se sont
au début développés ensemble, à partir d'une matrice
commune indifférenciée. Il ne manque à cette anticipation
de ma théorie d'une production d'images indifférenciée,
pour être complète, que de faire une place, dans son nouveau modèle, à celle des fonctions du moi qui est la plus
importante, la perception. C'est précisément ce qui lui
manque, par respect, peut-être, pour la théorie académique de la perception, telle que l'ont exposée les psychologues de la gestalt. Ceux-ci soutenaient en effet
que la dédifférenciation d'une gestalt faisait partie intégrante, dès la naissance, du mécanisme de la perception.
Il est impossible, aujourd'hui, de se rallier à cette position.
Elle a en effet subi de rudes coups, si l'on songe en particulier à l'histoire des cas d'aveugles-nés qui ont recouvré
la vision plus tard. La perception elle aussi, comme toute
autre fonction du moi, se développe par un processus lent
de différenciation qui, comme je l'ai suggéré, s'engrène
très étroitement sur les besoins du ça en développement.
A mesure que les pulsions du ça précisent leur visée, les
images du moi en font autant. Notre vie fantasmatique
inconsciente est ainsi alimentée en imagerie nouvelle, tout
au long de notre vie, par le rythme cyclique de la dédifférenciation du moi, qui ravitaille constamment en matériel frais
la matrice de la production d'images. Bien loin d'être indépendante du ça, la perception du moi est donc constamment
à la disposition des besoins symboliques inconscients.
Mais le moi n'est certainement pas à la merci du ça. La déter-
mination multiple de la dédifférenciation structurelle par
plusieurs causes — externes aussi bien qu'internes — y

veille. Le moi, de son propre accord — et donc, dans cette mesure, « en toute autonomie » — se décompose pour fournir les structures sérielles nouvelles, pour pourvoir à la fois à ses propres tâches créatrices dans le monde extérieur et à la symbolisation de la fantasmatique du ça interne. Cela n'a guère de sens d'appeler régression cette décomposition périodique du moi de surface. Elle fait partie intégrante du rythme du moi qui met en œuvre la perception.

C'est pour avoir négligé la structure indifférenciée de la fantasmatique du processus primaire qu'on a abouti à l'impasse où s'est bloquée pendant plus d'un demi-siècle l'esthétique analytique. Là où Freud parle de structures de processus primaire, on n'a en fait que des distorsions de l'imagerie de surface articulée, provoquées par l'indifférenciation de la fantasmatique réellement inconsciente. Le concept de condensation le montre avec évidence. Il faut distinguer la condensation réellement indifférenciée où des images d'apparence tout à fait incompatibles s'interpénètrent pour donner une vision unique qui peut les intégrer dans leur totalité, et l'autre condensation, plus familière celle-là, qui consiste en une simple transformation des formes d'objets, devenues plus concrètes et plus irréductibles. Ces formes vont alors s'oblitérer partiellement l'une l'autre à cause de l'incompatibilité de leur apparence, et les quelques bribes tronquées qui en restent se télescopent et produisent un mélange absurde. Ce matériel partiellement oblitéré n'interdit certes plus la focalisation de l'attention éveillée, mais il ne le peut qu'en perdant beaucoup de sa substance originelle. Quand nous parlons de structures du processus primaire réellement indifférencié, nous n'y devrions inclure que le premier type de condensation fluide, où l'interpénétration se fait librement, et qui est encore indifférenciée dans sa structure. Elle seule peut réconcilier, dans son cadre élargi, toute l'ambiguïté de la fantasmatique du processus primaire.

Dans son œuvre novatrice sur l'esthétique du mot d'esprit, Freud n'a pourtant traité que les condensations les plus superficielles, celles que le mot d'esprit partage avec le rêve, et qui ont connu l'intervention de l'oblitération mutuelle. Freud prend pour premier exemple le néologisme de Heine « famillionnaire ». On sait que ce terme désigne le comportement affable d'un homme riche à l'égard d'un parent pauvre. Sous un air affecté de familiarité, s'exprime en fait toute l'arrogance du millionnaire. Le parent pauvre qui s'enorgueillit d'avoir été traité de façon « famillionnaire », admet implicitement que l'homme riche l'a en fait traité avec hauteur. Dans une indifférenciation véritable, les deux mots « familier » et « millionnaire » seraient restés préservés intacts, même s'il nous était impossible de donner à leur fusion le moule d'un son articulé. Nous commençons à comprendre que Freud ait pu réussir son analyse de la structure du mot d'esprit sans qu'on puisse appliquer directement son mode d'analyse à la structure artistique, où l'indifférenciation structurelle prend une importance extrême.

La formulation spirituelle d'un mot d'esprit piquant n'est qu'un problème limite de l'esthétique. Quand elle se prêtait à l'approche nouvelle que tentait Freud par la psychologie des profondeurs, la voie semblait toute tracée qui menait à la question centrale de l'esthétique, c'est-à-dire le problème formel de l'art. Freud avait déjà analysé les condensations superficielles, les déplacements, les représentations par l'opposé, etc., par lesquels s'exprime le sens caché du rêve. Il découvrit alors que le mot d'esprit use précisément des mêmes techniques pour symboliser une allusion agressive ou obscène. Il dressa un catalogue exhaustif de toutes les formulations possibles d'un bon mot d'esprit, et s'aperçut qu'il pouvait, chaque fois, les identifier à une technique équivalente du rêve. La condensation « famillionnaire », par exemple, aurait aussi bien pu survenir dans un rêve, sans être, évidemment, un mot d'esprit. En dressant ce catalogue, Freud réussit brillamment là où la recherche esthétique plus conventionnelle avait échoué. L'esthétique classique, en effet, telle que la pratiquaient des gens comme Hogarth, prétendait que certaines qualités esthétiques — le sentiment du beau, du sublime, de la grâce, ou le sentiment du trait d'esprit — pouvaient s'expliquer par certaines propriétés objectives de l'objet beau, sublime, gracieux ou spirituel. On pouvait, par exemple, rapporter le caractère sublime à de grandes structures dont la taille entraînait le respect et l'admiration, ou rapporter le propre du trait d'esprit au raccourci d'expression. Mais les théoriciens de l'esthétique se découragèrent peu à peu ; il y avait trop d'incertitude dans l'expérience esthétique qui était la plus importante, c'est-à-dire le sentiment du beau. L'art moderne de leur époque était souvent inesthétique et laid (pour des raisons que nous avons longuement exposées), et les théoriciens conservateurs de l'esthétique ne tardèrent pas à démontrer que leur propre art « moderne » manquait d'une véritable organisation esthétique. L'ennui, c'est qu'il suffisait simplement que le temps passe et que joue l'élaboration secondaire pour transformer en beauté classique la laideur moderne. Ce n'était donc pas la peine de discuter interminablement sur des lois esthétiques visiblement fausses. L'écoulement du temps, seul, y pourvoyait. Depuis le développement de la psychologie moderne, les théoriciens de l'esthétique ont changé leur fusil d'épaule. Au lieu de chercher dans le monde extérieur des propriétés objectives du beau, ils se sont tournés vers l'intérieur pour trouver dans notre propre esprit la source des expériences esthétiques.

C'est exactement ce qu'a fait Freud dans son analyse du mot d'esprit; ce qui ne l'a pas empêché de résoudre le problème sur un modèle objectif tout à fait classique. La structure de processus primaire du mot d'esprit représente en effet pour lui une propriété objective du bon mot d'esprit, à cette exception près que Freud lui assigne une origine subjective dans l'inconscient. Au fond, n'importe qui aurait pu réussir comme Freud à dresser un catalogue exhaustif des mots d'esprit possibles, pour peu qu'il cherchât à voir de plus près comment un mot d'esprit exprime une allusion à demi cachée. Il suffisait en effet d'expliciter cette allusion, de reformuler son contenu en l'énonçant platement, et sans chercher le trait d'esprit, pour isoler les qualités formelles d'un mot d'esprit qui soit effectivement « bon »! Il apparut alors que le mot d'esprit condense, déplace et gauchit la structure rationnelle du langage quotidien, exactement comme le fait le processus primaire d'un rêve. Freud en tira argument pour prouver que le mot d'esprit, comme le rêve, se façonnait au même niveau de processus primaire de l'esprit inconscient. En fait, le mot d'esprit soumet le vocabulaire, la syntaxe et la grammaire à des gauchissements violents qui ont un air de famille avec les attaques du schizophrène contre sa propre fonction de langage. Le schizophrène, lui aussi, injecte des structures de processus primaire dans son maniement des mots. Ses conglomérats saugrenus ressemblent aux condensations du rêve et du mot d'esprit, sans être pourtant des condensations au sens psychanalytique du terme. Bien a raison de parler à leur propos d'un langage « bizarre ». Le schizophrène fait éclater son langage et en télescope, avec une violence égale, les fragments en conglomérats durs et irréductibles. Mais il n'y a pas là de profondeur inconsciente. Si l'on reprend le mot d'esprit de Heine, le mot condensé « famillionnaire » garde encore un halo des mots entiers et intégraux « familier » et « millionnaire » dont il est la condensation, parce que, comme je l'ai proposé, ces mots coexistent, dans leur totalité, sans se faire violence, au niveau indifférencié du processus primaire. Il n'y a pas de fragmentation, parce que le néologisme, ici, symbolise encore quelque chose qui lui est extérieur. Le lien qui relie le nouveau symbole à sa matrice indifférenciée tient encore, permettant ainsi au mot d'esprit de communiquer aux autres sa signification, tandis que les conglomérats bizarres et rigides du schizophrène ne peuvent se passer d'une interprétation élaborée.

On est assez surpris, devant la réussite brillante de Freud dans son analyse du mot d'esprit, qu'il n'ait pas cherché à la transposer dans d'autres domaines de l'esthétique. La scène était pourtant toute prête pour que Freud fasse une entrée triomphale jusqu'au cœur même de l'esthétique, c'est-à-dire l'origine et la structure du beau dans l'art. L'art, en effet, plus que le mot d'esprit, pouvait prétendre à des racines profondes et spontanées dans l'inconscient. Quand bien même la superstructure consciente de l'art serait essentiellement composée par l'effort intellectuel, sa vaste substructure, elle, est façonnée par la spontanéité (inconsciente), comme c'est assurément le cas pour tout travail créateur. Freud fut tout heureux de découvrir qu'il pouvait transposer, sans avoir à se donner beaucoup de peine, l'inventaire entier de son interprétation du rêve, pour obtenir une nouvelle compréhension — à partir de la psychologie des profondeurs — de l'art. Mythes, tragédies, romans, peinture ... tous charriaient en effet un fond de matière symbolique. On pouvait extraire sans difficulté ce contenu fantasmatique de l'art en le décodant suivant le catalogue des symboles qu'il avait dérivé de l'interprétation des rêves. Freud découvrit alors que les artistes avaient plus que personne une intelligence instinctive de l'inconscient. Tout se passait comme s'ils étaient en meilleurs termes avec la fantasmatique inconsciente, et n'avaient donc pas à organiser les défenses dont les autres, non créateurs, avaient besoin dans leurs relations avec l'inconscient. L'art est tel en effet que les exigences du fantasme inconscient y outrepassent souvent les demandes de la raison et de la logique. Plus que tout autre produit humain — y compris le mot d'esprit —, il laisse le fantasme inconscient s'exprimer sans pour autant le contraindre au déguisement.

Le contenu du mot d'esprit n'est pas un fantasme profondément refoulé — à la différence du contenu inconscient de l'art —, mais simplement une allusion sexuelle ou agressive qui n'a été qu'à peine effacée. Il était plus que légitime de prédire que la fantasmatique symbolique de l'art, qui remonte depuis les niveaux éloignés et profonds de l'esprit, manifesterait avec plus d'insistance et de clarté encore, les traces de son origine inconsciente. On connaît l'enquête consciencieuse à laquelle s'est livrée Otto Rank à travers les formes de l'art pour y repérer les formes de processus primaire et prouver ainsi ses racines inconscientes. Faisant remarquer que le mot allemand « *Dichter* » signifie condenseur, il a exploré les mythes, le folklore — et bien sûr aussi l'art — qui abondent en apparitions oniriques, en monstres composites, condensés de formes animale et humaine. Mais ces intrusions occasionnelles des techniques du rêve ne pouvaient s'ajouter à un catalogue exhaustif de toutes les formes d'art possibles, même si l'on en excluait les patterns délibérément composés de la superstructure (consciente) de l'art. Personne n'a jusqu'ici réussi à recenser toutes les formes d'art possibles, qui devraient d'ailleurs inclure tout l'art futur. Il était impossible de rendre compte des composantes de l'art résultant d'une création spontanée — je pense, par exemple, aux textures — en termes de techniques du rêve. Elles sont en effet souvent dépourvues de toute structure qui se laisserait analyser en termes de patterns précis. Ces éléments spontanés (contrôlés par l'inconscient) — écriture artistique, textures, etc., qu'il s'agisse des arts visuels ou de la musique — n'ont rien de la rigueur et de la bonne gestalt qui caractérisent la superstructure de l'art. Leur manque apparent d'organisation interdit qu'on les identifie comme des condensations, des déplacements, etc., alors qu'on le peut très bien pour les formes d'un mot d'esprit; ils tendraient plutôt à faire la preuve de ce chaos et de cette désorganisation que la psychologie psychanalytique du moi est toute prête à associer aux formes qui sont un produit de l'inconscient. On est tout surpris de constater que Freud, avec son analyse du mot d'esprit, n'a pas ouvert la voie à l'analyse de l'art. L'impossibilité d'appliquer à l'art sa méthode aurait dû, au moins, nous avertir qu'il y avait une lacune ou une erreur dans les concepts dont nous disposions. Le concept qui manquait est, à mon avis, celui d'une matrice indifférenciée, au-dessous des condensations, déplacements ou autres formes prétendues du processus primaire, et qui sont en fait plus superficielles. Irrationnelles, elles le sont peut-être bien de contenu, mais certainement pas dans la structure formelle de leur gestalt. J'ai proposé pour ma part, d'interpréter leur structure comme une élaboration secondaire, imposée à la matrice indifférenciée sous-jacente, — qui est, elle, vraiment inconsciente.

Impressionné par la réussite de Freud avec le mot d'esprit, j'ai suivi longtemps, à mon tour, le chemin qui avait mené Rank jusqu'à un mur aveugle, pour m'apercevoir enfin qu'il était inutile de m'obstiner à m'y cogner. Après un demi-siècle d'échec, il semble qu'on ait meilleur compte à cesser d'attaquer de front et à s'interroger sur les raisons possibles de cet échec. La géométrie non euclidienne est bien née d'un échec séculaire à prouver les axiomes euclidiens dans leur totalité. Du jour où l'on reconnut qu'il s'agissait là d'un échec définitif, on aboutit immédiatement à une conception nouvelle de l'espace, qui se révéla fructueuse, quoiqu'il fût impossible de la visualiser. Il faut ici renvoyer à ce qui a été dit plus haut des différents systèmes, incompatibles, de l'espace : ne cessant de dériver devant l'œil qui cherche à les fixer, ils mettent en échec toute tentative de focalisation stable. Ils constituent, bien entendu, des structures sérielles typiques, qui rabattent la vision à un niveau indifférencié.

Si j'en suis venu à concevoir une matrice indifférenciée de la perception, c'est pour avoir tenté d'interpréter le vieil échec de l'esthétique psychanalytique impuissante à trouver la substructure inconsciente de l'art. A cet échec, on peut trouver deux explications. On pouvait ou bien dénoncer radicalement l'approche freudienne de l'esthétique (c'est là qu'en vint finalement Kris), ou alors soutenir que cet échec vient du fait que la substructure de l'art défie nos pouvoirs conscients de visualisation. C'est la solution qui est ici proposée. Elle suppose, bien entendu, qu'on étende l'usage du terme « inconscient » au-delà de celui qu'en fait la théorie courante. Ce qui revient à dire, d'une autre manière, qu'il faut réviser le terme de « processus primaire ». La qualité d'être inconscient ne dépend pas de la censure qu'exerce le surmoi contre certains contenus : elle découle automatiquement des modifications qui s'opèrent dans la structure formelle de la production des images, c'est-à-dire dans la dédifférenciation de la gestalt consciente effectuée par le moi. Ce qui implique que nous ne puissions pas produire devant l'examen conscient la structure originellement indifférenciée du processus primaire mais seulement ses dérivés conscients : condensations, conglomérées et bizarres, déplacements illogiques, etc.; ce n'est pas là une difficulté qui devrait nous arrêter. Elle vaut, de toute façon, pour tout phénomène de l'inconscient. Le concept de l'inconscient n'est pas un fait physique et passible, à ce titre, d'une démonstration directe, mais un concept explicatif, qui nous permet d'expliquer des phénomènes dont nous ne pourrions, sans cela, rendre compte de façon satisfaisante. C'est pour la même raison qu'on ne peut pas davantage faire la démonstration directe des « faits » de la physique nucléaire, qui ne sont, eux aussi, que des concepts explicatifs. Tout ce que l'on peut observer se réduit à quelques soubresauts ou à quelques bulles, le reste consistant uniquement en conceptualisations abstraites qui échappent à l'examen direct. Ce n'est qu'en se familiarisant avec eux, dans toutes sortes de contextes, qu'on voit ces concepts abstraits acquérir une qualité plastique illusoire et une réalité presque physique qui les rendent impossibles à distinguer émotionnellement d'images plus concrètes. Plus aucune demande ne s'exprime alors de les produire à l'examen conscient. Mais à peine aura-t-on proposé un concept abstrait qui soit réellement nouveau, et soit purement explicatif sans être tangible, qu'on entendra s'élever à nouveau le vieux chœur de la protestation, en attendant qu'il s'apaise une fois que l'élaboration secondaire aura fait son œuvre en assimilant le nouveau concept aux images pseudo-concrètes de la pensée quotidienne.

Le concept d'indifférenciation structurelle a aussi la vertu de simplifier le modèle qui est en cours du ça et du moi. Proposer que le moi fournisse une forme indifférenciée qui permette exactement d'exprimer les visées indifférenciées du ça, aboutit à simplifier considérablement le modèle du processus primaire. Et, dans l'hypothèse de cet ajustement précis, nous devrions arriver à faire l'économie, une fois pour toutes, de l'éternelle question qui n'a cessé de traverser mon chemin : l'imagerie dédifférenciée de la pensée créatrice est-elle vraiment « inconsciente? » Une telle question tient en fait à la paresse de la pensée, et à l'indéracinable préjugé que tout ce qui « aide » le travail créateur doit être exclusivement préconscient, et que la fantasmatique disruptrice peut seule être considérée comme vraiment inconsciente. « Aide » est d'ailleurs un terme ambigu; syntonicité serait plus précis, car la production préconsciente d'images est syntonique avec la pensée consciente. Seule l'étroitesse extrême de l'attention focalisée la maintient au-dehors de la conscience. Le matériel préconscient reste en effet en attente, dans l'antichambre de la conscience, tout prêt à faire intrusion à la première occasion. Une image indifférenciée, elle, n'obéit pas à la même syntonicité. Chaque fois qu'elle se fraie un chemin jusqu'à la conscience, c'est pour la disrupter, ou alors pour rabattre la conscience à un niveau indifférencié, qui soit plus apte à la traiter. L'imagerie indifférenciée n'assistera la raison que si elle est maintenue au niveau du *scanning* inconscient, volant, dans ce cas, la conscience de surface garde une partie de sa charge énergétique habituelle. C'est lorsque le fonctionnement du moi dérive ainsi, que se produit le regard vide dont j'ai souvent parlé.

Entre les systèmes conscient, préconscient et inconscient, il n'y a pas de séparation très nette, mais seulement une transition continue qui passe par deux ou trois seuils critiques. Le processus de dédifférenciation désigne donc un processus dynamique qui joue progressivement, à l'intérieur de certaines limites critiques. Si l'on se met dans la position avantageuse de l'introspection consciente — nous n'avons guère le choix —, la transition produit d'abord des impressions de « vague », suivies d'une dissolution progressive de l'espace et du temps, pour aboutir, une fois franchie la dernière limite critique, à un blanc total, tout plein encore d'une expérience émotionnelle intense; il s'agit de cette « vacuité » pleine, et si vantée, de la vision profonde.

La meilleure manière d'étudier cette série est de s'attacher à la transition par laquelle on passe de la perception tachistoscopique à la perception subliminale, les variations du phénomène de l'écran du rêve et peut-être aussi la transition qui se fait entre les oraisons mystiques et une contemplation « vide », qui est, elle, pleinement océanique. Avec la vision subliminale, nous avons la possibilité d'étudier cette transition dans des conditions de laboratoire, sous un contrôle constant. Une exposition tachistoscopique ne dure que quelques fractions de seconde et empêche la vision de se développer en une gestalt pleinement articulée. Elle capte une vision initiale, très brève, plutôt proche du rêve, et qui possède encore la structure vague et faiblement différenciée de la vision profonde. Dans un précédent écrit [5], j'ai exposé les expériences de Varendonck, qui observait des visions d'une fraction de seconde, sans recourir à un tachistoscope, et aboutissait lui aussi à la conclusion que leur structure relativement vague venait de leur qualité onirique, c'est-à-dire de leur appartenance à un niveau de conscience plus profond. Si l'on raccourcit encore le temps de l'exposition, on atteint une limite critique, où l'image subit une dédifférenciation croissante. Ce sont alors les parties plus importantes de la figure qui disparaissent, comme avalées par les textures inarticulées de l'arrière-plan, tandis que la figure elle-même n'est plus seulement vague, mais distordue au gré des caprices des fantasmes du ça. Les expériences inaugurées par Pötzl ont été poursuivies, un demi-siècle après, par Charles Fisher. Celui-ci découvrit que les éléments de l'arrière-plan pouvaient n'être pas vus sans être pour autant perdus, puisqu'ils pénétraient les rêves ultérieurs, alors que la figure tendait, quant à elle, à être négligée dans les rêves. A l'approche du seuil subliminal, la figure entière est peu à peu aspirée dans le brouillard blanc du fond, qui commence à ressembler à un écran de rêve blanc, insubstantiel et impossible à localiser dans l'espace de façon sûre. (On aurait tout avantage à adjoindre aux chercheurs, dans les laboratoires, des observateurs qui soient doués d'une sensibilité artistique, et donc capables de faire des rapports beaucoup plus précis sur l'espace pictural plastique des images tachistoscopiques. La plupart des gens seraient en effet déroutés s'ils devaient répondre à des questions sur la qualité fugitive de l'espace pictural.) Enfin, la dédifférenciation franchit la limite et l'écran devient totalement blanc. Mais ce n'est là qu'une étape quantitative. A mesure, en effet, qu'on approchait du seuil, les éléments du fond qui devenaient blancs et invisibles se multipliaient. Le franchissement du seuil ne fait donc qu'achever une transition progressive qui fait passer de la qualité de figure à celle de fond, pour aboutir enfin à une immersion totale dans un brouillard blanc.

On se rappelle (cf. *supra*, p. 56-57) les expériences qu'avait faites auparavant Charles Fisher avec l'exposition subliminale des fameux doubles profils de Rubin [10]. Celles-ci montraient qu'en dessous du seuil, la bissection entre la figure et le fond en vient à un stade de suspension complète · en un seul coup d'œil, la perception inconsciente peut embrasser les deux profils — qui constituent une structure sérielle typique. Cet étonnant résultat confirme l'interprétation qui est ici proposée, c'est-à-dire que par un processus progressif, le fond a peu à peu aspiré les éléments de la figure jusqu'à ce que le plan entier de l'image devienne un fond unique, indifférencié et sans figure.

Il n'est peut-être pas de meilleur exemple que la perception subliminale, si l'on veut montrer comment le moi approvisionne l'imagerie profonde suivant un besoin autonome qui s'y trouve inscrit. La force qui pousse la fantasmatique du ça vers la dédifférenciation, ou l'action agressive disséminante du surmoi ne sont pas nécessaires. Il serait erroné de dire que la brièveté excessive du stimulus psychologique dans l'exposition tachistoscopique est responsable du fait de l'inconscience. Il faudrait plutôt dire que le moi enclenche son processus de différenciation ou de dédifférenciation sur la durée de l'exposition. Varendonck [37] a probablement raison, quand il dit que chacune de nos perceptions traverse un cycle rapide qui la fait passer d'une phase indifférenciée — qui dure une fraction de seconde — jusqu'au plein développement d'une gestalt articulée. A interrompre, par la tachistoscopie, la totalité de son développement, on ne fait que retenir dans le foyer la phase initiale indifférenciée qui est d'habitude oubliée, une fois que la gestalt finale entre dans notre souvenir. Il n'y a rien qui permette ici de parler de physiologie plutôt que de psychologie. Continuant à rêver même lorsque nous sommes réveillés, nous poursuivons notre vie fantasmatique secrète dans nos innombrables visions instantanées qui se produisent au cours des phases initiales de nos perceptions éveillées. J'ai un jour proposé la comparaison des nombreux niveaux de la perception avec une image sur un écran de télévision, dont les éléments seraient supprimés, à intervalles discontinus, par la transmission. Notre expérience consciente continue cependant à ne recevoir que l'image dans toute son intégrité. La perception peut produire de la même manière plusieurs chaînes parallèles de fantasmes, à différents niveaux de différenciation, qui sont supprimés tour à tour à mesure que le cycle de la perception en traverse les différents niveaux en montant ou en descendant. Une chaîne de fantasmes oniriques profonds et de séquences de rêveries peut fort bien courir sous nos expériences éveillées, se poursuivant dans les phases indifférenciées qui précèdent chacune de nos perceptions conscientes.

Il est un point, peut-être, qui exige qu'on y revienne. Le moi monte, de son propre gré, le décor où mettre en scène ces fantasmes inconscients, sans être poussé par le besoin de symbolisation qui est celui du ça. On peut dire en ce sens que le moi est « autonome », c'est-à-dire indépendant des pressions du ça. On utilise d'habitude le terme « autonomie du moi » pour souligner la liberté du moi à fonctionner sans tenir compte des demandes du ça. On a, pendant un certain temps, prêté à la perception ce genre d'autonomie en la considérant comme une sphère de l'activité du moi qui pouvait fonctionner sans rapport aucun avec la fantasmatique du ça. Rien ne pouvait être plus loin de la vérité. La perception, comme nous l'avons vu, réserve dès le départ, une bonne partie — peut-être même la plus grande part — de sa fonction pour constituer une substructure subliminale inconsciente où la fantasmatique du ça puisse pénétrer avec la plus grande facilité. Cette facilité de pénétration s'explique, évidemment, par l'indifférenciation extrême de la vision inconsciente. Elle balaie en effet un champ si large qu'elle embrasse tout et peut utiliser pratiquement n'importe quelle forme d'objet comme point de rassemblement pour une immense constellation d'autres images qui — pour la vision analytique consciente du moi — n'ont rien en commun. Tout objet, quel qu'il soit, peut devenir parfaitement équivalent à n'importe quel autre objet, au niveau « syncrétique » inconscient, quelles que soient leurs différences de forme et de contour. Quand on est à un niveau presque océanique, la perception extérieure et la fantasmatique intérieure deviennent indiscernables. (Pour désigner ce type indifférencié d'imagerie qui est tout à la fois perception extérieure et fantasmatique introvertie, je préfère parler de « production d'images ».)

Les effets plastiques, dans la perception, reposent sur une vaste substructure inconsciente, qui ne semble remplir aucune autre finalité biologique. Sans elle, la vision consciente perdrait toute réalité plastique; elle deviendrait plate et morte, incapable de stimuler notre orientation et notre activité rationnelles. La vision psychotique peut ainsi devenir morte et inadéquate, faute d'une « barrière de contact » pourvue d'une substructure inconsciente riche. Pour les seuls besoins d'une impression plastique vive, la perception doit donc réserver une partie de son champ à des perceptions « subliminales » apparemment inutiles.

C'est d'une façon tout aussi mystérieuse que le moi engloutit la plus grande partie — et de loin — du champ

visuel dans un brouillard d'imagerie extrêmement ambiguë, qui est d'ordinaire totalement soustrait à l'examen
conscient, — et donc « inconscient » au sens le plus large
du terme. On sait que la distinction entre le foyer net et
la périphérie vague du champ visuel repose sur des facteurs physiologiques (le centre focal de notre rétine est
constitué de cellules en cônes, tandis que la périphérie
est tapissée de cellules en bâtonnets). Mais cette distinction
physiologique ne peut pas expliquer que la vision périphérique ait une qualité vraiment inconsciente. Notre
champ visuel ne ressemble pas à une mauvaise photographie dont le centre seul serait net, et tout le reste
brouillé et mal mis au point. Et il ne suffit pas que la
vision soit vague et brouillée pour qu'elle repousse l'attention consciente comme le fait le champ visuel périphérique.
De plus, ce vague peut être en partie annulé si un besoin
psychologique urgent se fait jour. Dans les cas d'hémia-
nopie, c'est exactement la moitié du champ visuel qui
devient aveugle. Le foyer central est, lui aussi, partagé
en deux et ne fixe plus la vision que dans l'une de ses
moitiés. Or, on observe dans certains cas la formation
d'un nouveau foyer dans la demi-périphérie qui voit
encore. Celle-ci perd alors le caractère vague qu'elle
avait auparavant pour gagner en acuité visuelle. Ce
qui est plus significatif encore, c'est que l'ancien foyer
mutilé devient, lui — comme on peut d'ailleurs s'y attendre —, vague, il échappe à l'attention consciente, et
forme une partie du nouveau halo périphérique qui entoure
le nouveau foyer. L'étude de ces cas nous prouve ainsi,
si c'est nécessaire, l'existence d'un besoin psychologique
déterminant qui nous oblige à laisser la plus grande
partie du champ visuel dans une confusion d'images
très vague. Ce n'est que lorsque nous immobilisons ou
aveuglons le foyer (ce qui se passe au crépuscule, pour
des raisons physiologiques) que les formes périphériques
peuvent se manifester dans toute leur qualité onirique et
fugitive. Des formes fantastiques se tiennent alors tapies
aux coins du champ visuel, qui ne se laissent pas identifier
et donnent ainsi prise au jeu téméraire de notre imagination. Il arrive ainsi parfois que, tout en étant parfaitement
éveillés, nous éprouvions tout à coup toute la terreur que
suscite l'angoisse d'un cauchemar. Pour garder le regard
fixe et maintenir dans un brouillard onirique les formes
inconnues qui tendent à se faufiler jusqu'à notre vue, il
nous faut alors fournir un effort précis, dans un environne-

ment peu familier. Si nous essayons de deviner leur véritable nature, nous serons alors surpris de voir à quel point
leur forme « réelle » se révèle différente. C'est précisément
à cause de sa malléabilité que la vision périphérique a été
appelée eidétique.

Le surmoi peut aussi ajouter sa censure aux forces
refoulantes du moi qui maintiennent normalement dans
l'inconscience notre vision périphérique. Au terme d'une
conférence qui portait sur les progrès récents de la physiologie de la vision, je voulus poser au conférencier une
question — tendancieuse — sur la nature de la distorsion
périphérique. Je croyais que cet homme distingué, qui
avait consacré toute sa vie professionnelle à l'étude de la
vision, aurait rencontré, à un moment ou à un autre,
l'un des phénomènes profonds que j'ai décrits. Or, ma
question le laissa décontenancé. Après un silence, visiblement motivé par le désir d'être poli, il fit passer rapidement un crayon devant son œil et dit : « Je ne peux
voir aucune distorsion! » Je n'insistai pas, m'abstenant
de faire remarquer que l'expérience était futile et qu'un
objet déjà familier ne pouvait être susceptible de distorsion
périphérique. L'image-souvenir qui existait déjà consciemment se montrerait en effet plus forte que le fantasme.
Je compris alors que si ce conférencier n'avait pas réussi
tout au long de sa vie à remarquer la structure indifférenciée de la vision périphérique, ce n'était certainement
pas étranger au fait qu'il s'agit d'une vision réellement
inconsciente, et que la censure du surmoi n'avait peut-
être fait qu'y ajouter. Une collection scrupuleuse de
données factuelles n'a jamais conduit, en tant que telle,
à découvrir et à mieux comprendre les phénomènes
inconscients. Il faut ici une attitude qui, s'inspirant de
la psychologie des profondeurs, tienne compte des processus de défense qui font obstruction à l'observation.
Faute de quoi, l'on ne peut rien voir. Autrement dit,
ici comme ailleurs, la formulation du problème précède
l'observation des faits concrets.

J'ai essayé de montrer quel usage fait le moi de la dédifférenciation structurelle pour refouler une partie de
son imagerie. Nous ne devrions pas hésiter à appeler
« inconscient », en un sens technique, le matériel ainsi
refoulé. Le même processus de dédifférenciation sert au
moi pour produire son imagerie subliminale, le vague
de la vision périphérique, et aussi la substructure de
l'œuvre créatrice. Dans tous ces cas, c'est au même chan

gement structurel qu'est due la qualité inconsciente. Le moi comporte dès le départ, une gradation dans sa différenciation structurelle. Sa tendance inhérente au clivage fait que certains noyaux du moi progressent dans leur différenciation, tandis que d'autres restent à la traîne. La gradation qui existe entre les différents degrés de différenciation constitue en elle-même un enrichissement du moi, et une diminution de l'entropie. Et pourtant, quand la tension entre les parties du moi différemment structurées atteint une limite critique, la pulsion de mort — par exemple le principe de l'entropie — provoquera le clivage final. Une fois que le moi a appris à refouler, le clivage se mène plus à l'éjection libre et à la déperdition constante : le matériel indifférencié sombre alors dans une matrice inconsciente, pour s'y mêler librement à d'autres images qui sont également indifférenciées. Fusionnant avec elles, il formera de nouvelles équations symboliques (on se rappellera que j'use de ce terme en un sens différent de celui que lui donne Hanna Segal). Le moi qui est fortement renforcé au niveau du rebond océanique-maniaque, tend à réintrojecter dans la conscience le matériel symbolique. Dans la mesure où cela implique une part d'élaboration secondaire, le moi, guidé par le surmoi, choisit, parmi les équations indifférenciées, entre plusieurs objets incompatibles, une forme unique d'objets comme nouveau symbole, tandis que le reste du matériel demeure automatiquement « refoulé ». Peut-être faut-il réserver le terme de refoulement à cette inévitable sélection entre plusieurs représentations possibles. Cette sélection se fait sous le contrôle du surmoi qui, renforcé par le dégoût anal, interdit la ré-entrée du matériel originel et aide à en transférer la signification sur le nouveau symbole. La sélection (élaboration secondaire) qu'implique toute formation symbolique est donc inévitablement incomplète et insuffisante; aussi s'accompagne-t-elle d'une angoisse dépressive.

J'ai déjà souligné l'inaptitude du psychotique à la formation des symboles et au refoulement. Il lui arrive de rater les trois phases du processus créateur. Il est en effet incapable, en premier lieu, de lâcher prise, et de laisser le matériel clivé passer par la barrière de contact (Bion), ou la porte du rêve (Róheim), pour rejoindre l'utérus de l'inconscient. Le monde intérieur le terrorise, qu'il y voie un vide infini où il se perd, ou un piège qui l'ensevelit vivant. On connaît la triade orale d'expériences qui, selon B. Lewin, accompagne l'acte de s'endormir : le fantasme de dévorer, celui d'être dévoré et celui de dormir; le sommeil est ainsi ressenti comme l'équivalent de la mort. Pour moi, sous cette triade orale, existe une triade anale qu'on pourrait décrire comme la chute dans un abîme ou un vide infinis, comme la capture ou l'ensevelissement vivant, et, pour finir, comme la mort *. La peur psychotique d'être perdu dans un vide sans limites, ou d'être capturé, ou encore enseveli vivant correspondrait donc à cette triade anale. La peur du vide intérieur renvoie à la dédifférenciation, qui est redoutée comme un vide; la peur de la capture renvoie à l'aspect anal-dépressif du refoulement, qui est en rapport avec l'ensevelissement partiel et la récupération incomplète du matériel refoulé. Une partie du matériel refoulé doit en effet rester ensevelie vivante, peut-être pour toujours, ne serait-ce qu'à cause de l'étroitesse de l'élaboration secondaire qu'entraîne toute formation symbolique. Pour l'homme créateur, l'incomplétude de la formation symbolique peut jouer le rôle d'un défi qui l'amène à répéter une nouvelle fois tout le cycle de la créativité pour créer ainsi un symbole nouveau. Mais pour le psychotique — incapable de formations symboliques —, le fait qu'une partie du matériel restera toujours refoulée ne peut que provoquer la crainte d'être lui-même détruit. Les agressions anales du surmoi continuent sans répit à ravager son moi, qu'elles en disséminent des parties, sans aucune direction dans le vide, ou qu'elles les traitent comme des excréments dégoûtants qu'il faut ensevelir pour les dérober à jamais au regard. La créativité avec le processus de refoulement et la formation symbolique qui l'accompagnent, modifie suffisamment au contraire les cruelles agressions anales du surmoi pour faire supporter que les parties clivées du moi ne soient pas entièrement récupérées. Et pourtant, entre l'acte de création artistique, au moins dans sa première phase orale-schizoïde, et l'éjection non dirigée des parties du soi de l'artiste, existe un air de famille presque trop accusé. L'angoisse schizoïde n'est jamais très éloignée.

Le traitement psychanalytique ne s'occupe normalement que de résoudre le conflit du ça. Il s'en remet au moi pour qu'il fasse son propre travail de sublimation créatrice. Mais avec les malades psychotiques, ce n'est peut-être pas suffisant. Si la psychose, en effet, est une créativité

---

* Il se peut qu'il y ait aussi une triade « génitale » de la créativité : éjecter (mâle), être reçu (femelle), renaître (enfant). Ces triades correspondent aux trois phases de la créativité : projection, intégration, réintrojection.

« qui a mal tourné », le traitement devrait chercher à déclencher le processus créateur mutilé. C'est le seul moyen de
tempérer suffisamment l'agression excessive du surmoi,
pour laisser le moi reprendre des forces. On dit souvent
que le psychotique n'a pas d'inconscient, au sens usuel
du terme. Il n'a en fait pas réussi à dresser une barrière
de contact qui barre l'accès à l'inconscient tout en facilitant
l'échange entre le conscient et l'inconscient. Si mes conclu-
sions sont justes, ce qui manque au psychotique, c'est une
faculté de dédifférenciation créatrice, qui permettrait au
refoulement de jouer ce double rôle. J'ai eu souvent l'occasion d'évoquer les graves angoisses que suscite chez les
étudiants des beaux-arts psychotiques ou presque psychotiques la moindre tentative de dédifférenciation dans
l'œuvre créatrice.

On peut se demander si la psychanalyse clinique a prêté
une attention suffisante au niveau structurel où se fait
l'échange entre l'analyste et le patient. J'ai exposé dans un
autre ouvrage [8] la structure indifférenciée de l' « attention flottante ». L'analyste refuse de focaliser sur les traits
évidents et frappants qui se marquent dans les associations
libres du patient, pour — comme le fait aussi Paul Klee —
disperser (disséminer) impartialement son attention sur
le matériel entier. C'est pour lui le seul moyen d'en extraire
un détail peu apparent qui contiendra peut-être le symbolisme le plus significatif. En l'interprétant, il remettra
ce détail dans son contexte propre et permettra au patient
de réintrojecter ses propres projections fragmentées (associations libres) à un niveau structurel plus élevé, qui n'a
pas besoin d'une élaboration supplémentaire pour être
compris par les facultés conscientes de surface du patient.
Dans cet échange sont présentes les trois phases de la créativité : la libre projection de matériel fragmenté qui est
la première activité de l'artiste; l'analyste, comme l'œuvre
d'art, sert de réceptacle pour recueillir les projections; par
la dédifférenciation (attention flottante), il peut ensuite
réintégrer ce matériel et le préparer à sa réintrojection par
le patient. Ce qui me paraît ici significatif, c'est que l'interprétation salutaire se produit à un niveau superficiel qui
est pleinement articulé. Cela peut être parfaitement bénéfique dans le cas d'un patient névrosé qui possède la faculté
de refouler et garde donc le contact avec son inconscient.
Il peut donc réintroduire lui-même dans son propre inconscient le matériel réintrojecté et créer des idées et des
symboles nouveaux. Il en va tout autrement du psycho-

tique; car c'est un fait bien connu qu'un psychotique réagit aux interprétations comme s'il s'agissait de réintrojections forcées qui menacent de le détruire. Et il a raison sur ce point. Les interprétations entièrement articulées ne font qu'ajouter à la fragmentation de son moi de surface, sans réussir à établir le contact avec un inconscient rudimentaire. Si nous faisons la relation entre cette situation et les trois phases de la créativité, nous découvrons que c'est surtout lors de la seconde phase créatrice — celle de la dédifférenciation — que le psychotique a besoin d'aide. Son angoisse excessive l'amène en effet à se cramponner à son imagerie de surface hyperconcrète; il ne peut que la fragmenter sans même être capable de la disséminer dans l'imagerie profonde indifférenciée. C'est pourquoi les interprétations fortement articulées, qui font appel au seul niveau rationnel et superficiel de la pensée, ne peuvent que provoquer une fragmentation plus violente encore. On ne l'aide pas à relâcher prise sur l'imagerie de surface, pour établir le contact avec son inconscient. Peut-être faudrait-il donner les interprétations à un niveau structural inférieur, qui soit en relation directe avec des modes de pensée moins différenciés. Au lieu de mener lui-même jusqu'à son terme le travail de la dédifférenciation et de la réintégration (qui est la seconde phase de la créativité) créatrices, l'analyste devrait plutôt l'encourager directement chez le patient. Il faut en effet que le patient joue un rôle créateur actif, et ne soit pas confiné dans le rôle passif d'un récipient pour le produit fini.

Marion Milner [24] a soigné pendant de longues années un patient très doué mais profondément perturbé, sans obtenir de résultats probants. Elle reconnut finalement que ses propres interprétations trop actives avaient peut-être interdit chez son patient l'éveil de la créativité. Elle s'aperçut qu'à une phase critique du traitement — où semblaient s'amorcer les premiers résultats — elle avait laissé tomber de ses genoux un appareil à rouler les cigarettes et répandu le tabac. L'avoir laissé tomber signifiait, entre autres choses — dans le contre-transfert —, qu'elle se donnait trop de mal pour son patient. Si l'éveil de la créativité faisait partie de la cure, il aurait alors fallu qu'une partie de la passivité et de l'autodissémination inhérentes au travail créateur soit acceptée à la fois du patient et de l'analyste. L'analyste doit en effet laisser le matériel fragmenté du patient s'enfoncer dans l'utérus retenant de son propre inconscient (de l'analyste), sans désir prématuré de le réarticuler pour le renvoyer dans le malade à un niveau entièrement articulé. Il ne ferait ainsi qu'empêcher le processus qui s'amorce, à la fois chez l'analyste et le patient, d'une reddition de soi sur le mode des triades orales ou anales. Si l'analyste projette dans le patient un matériel à moitié différencié plutôt qu'un matériel parfaitement articulé, il peut alors l'aider — ou même lui « apprendre » — à le différencier davantage sans l'éjecter ou sans l'ensevelir. Il faudrait que son moi tout entier puisse s'enfoncer temporairement jusqu'à un niveau océanique-maniaque sans qu'il redoute d'y être perdu à jamais ou d'y être enseveli vivant. La passivité, à la fois chez l'analyste et chez le patient, semble donc être cruciale. Le destin du dieu mourant doit être vécu jusqu'au bout, sans aucun secours. L'homme, dans le travail créateur, demeure, en dernier ressort, seul. Mais à mesure que la dédifférenciation qui s'amorce remplace un clivage désordonné, le réceptacle d'un utérus pourra, éventuellement, se préparer dans l'inconscient. Si l'analyste consent alors à transformer les projections fragmentées du patient en un matériel indifférencié, qu'il donnera directement en pâture au réceptacle tout récemment formé dans l'inconscient du malade, il l'aidera à se construire une vie fantasmatique inconsciente salutaire : celui-ci connaîtra alors un sens nouveau de la réalité, avec une véritable renaissance de son moi.

CHAPITRE XVI

La dissociation du moi

Il est un point important qu'il ne faudrait pas perdre de vue : le développement de la pensée abstraite ne se fait jamais par un retrait passif à l'écart du monde des choses concrètes. On dit quelquefois que l'enfant, durant la période de latence (de six ans environ jusqu'à dix ans), se retire de la réalité concrète en raison de l'affaiblissement de ses intérêts libidinaux, ce qui le soumettrait davantage au règne de la pensée abstraite. On sait par ailleurs que cette capacité et ce goût de la pensée abstraite tendent aussi à se développer à l'âge mûr. Et l'on redit alors que c'est parce que l'homme mûr retire son intérêt des objets concrets : ses enfants sont élevés, ses objectifs largement atteints ; ses intérêts se porteraient donc vers des concepts et une imagerie plus abstraits. Ce qui revient à affirmer que la pensée abstraite est due à la dissociation du moi, à la perte du contact avec la réalité concrète et les niveaux plus profonds de la personnalité. Et la maladie qui affecte si souvent la capacité de la pensée abstraite — c'est-à-dire sa dégradation fréquente en une généralisation vide, provoquée par la dissociation des niveaux inconscients de la personnalité — passe pour en être la source. L'erreur ne saurait être ici plus complète, et risquerait bien de nous faire manquer le dilemme de l'asbtraction vide qui se pose pour l'art moderne, aussi bien peut-être que la stérilité de l'art enfantin au maximum de la latence — vers l'âge de huit ans —, manquer aussi le problème de la névrose de l'âge mûr. Dans tous ces cas, l'origine de la stérilité créatrice pourrait bien être une dissociation du moi — qui serait en fait évitable — provoquée par un clivage entre les niveaux superficiel et profond du moi.

La vitalité de la pensée abstraite provient du fait qu'elle

a la substructure riche d'une fantasmatique inconsciente. S'il est vrai que dans certaines périodes de la vie d'un individu, ou de l'évolution d'une civilisation entière, la tendance à l'abstraction se trouve fortement accentuée, on pourrait en conclure que, dans ces périodes critiques, sont mis en branle les niveaux les plus profonds de la fantasmatique, peut-être en raison de facteurs biologiques que nous ne comprenons pas encore clairement. On pourrait attribuer l'indifférenciation extrême de la fantasmatique profonde à une progression de la pulsion de mort, encore que je sache pertinemment que ce genre de spéculations biologiques n'est pas très prisé aujourd'hui. Il n'en reste pas moins qu'un concept spéculatif de ce type peut nous aider à unifier les phénomènes qui nous intéressent ici. On peut penser que la dédifférenciation extrême de la fantasmatique profonde est submergée par une vague nouvelle d'images et de concepts abstraits venus de ces niveaux très profonds, pour éviter à la tension intérieure à la psyché de devenir insupportable et de mener à une dissociation stérilisante entre la pensée consciente et la fantasmatique inconsciente. Car, dans ce cas, l'abstraction deviendrait alors une généralisation vide, et le flot de l'imagination se tarirait. Tel est le sort qui a affecté l'abstraction chère à l'art moderne. C'est d'ailleurs la décadence prématurée de l'art abstrait moderne qui me suggéra d'abord l'idée qu'il se produit des crises équivalentes dans le développement de l'individu, au cours de la petite enfance, de la latence et de l'âge mûr. On sait que les premiers artistes abstraits attribuèrent à leur œuvre une réalité supérieure à celle de l'art traditionnel. C'est un point qu'il nous faut accepter, sachant bien — comme c'est notre cas — que la force plastique de l'imagerie mentale provient de ses racines inconscientes. Ce qui s'est probablement passé, c'est que notre perception de l'art abstrait, devenue superficielle, s'est isolée de la fantasmatique inconsciente. Il nous serait encore possible, au prix d'un effort, de disséminer notre attention pour revitaliser la substructure inconsciente. Sous notre regard vide, nous verrons alors les éléments disséminés de l'Expressionnisme abstrait se rassembler suivant un ordre caché, et les sévères éléments géométriques du Constructivisme s'adoucir pour donner une unité organique. Mais il est difficile de maintenir le lien entre l'attention normale et ce mode de *scanning* inconscient ; l'art abstrait se clive alors de sa matrice inconsciente et se transforme en ornement vide.

On peut se demander pourquoi il faudrait que l'artiste

moderne, pour rester créateur, soit contraint de travailler
à partir de niveaux aussi profonds, et si éloignés de l'expérience quotidienne. Nous ne manquons pas de signes pour
attester que l'art occidental a bien tiré son inspiration de
niveaux toujours plus profonds de la fantasmatique poémagogique, et il ne serait pas abusif de voir dans l'histoire
de notre société depuis la fin du Moyen Age une progression constante de la pulsion de mort. J'ai déjà montré
plus haut que la poussée qui se fit alors de l'esprit scientifique s'accompagnait d'une fantasmatique poémagogique
appartenant au niveau oral-Prométhée, qui trouva ensuite
une cruelle mise en acte avec la persécution des hérétiques
et des sorcières. L'art occidental avait déjà amorcé son
mouvement constant de retrait vis-à-vis d'un véritable intérêt libidinal pour la réalité concrète, quand les artistes de la
Renaissance commencèrent à étudier leurs perceptions
subjectives, et à distordre les propriétés constantes des
objets pour la perspective, le clair-obscur, etc. Plus tard,
la peinture abandonna les êtres humains pour prendre les
paysages comme sujets, et l'art abstrait est venu marquer
l'inévitable point culminant de ce long retrait narcissique,
qui a fait passer l'artiste de l'objet à sa propre psyché.
L'artiste moderne tire son aspiration de niveaux d'attention
profonds où les plus simples formes géométriques peuvent
parfaitement représenter la totalité de la réalité. Une
énorme tension s'est installée à l'intérieur des fonctions
productrices d'images du moi qui ont finalement conduit à
cette dissociation stérilisante des niveaux supérieur et
inférieur du moi, dont j'ai parlé. Worringer, dont l'œuvre
se situe au tout début de l'art moderne, établissait un lien
prophétique entre l'abstraction — dans tout art, quel
qu'il soit, et pas dans l'art moderne exclusivement — et
la masse des angoisses profondes dans une société donnée.
Le développement ultérieur de l'abstraction dans l'art
moderne a en effet coïncidé avec l'importance croissante
des motifs de la mort et du déclin, avec l'angoisse de vivre
et de mourir en général. J'ai proposé de voir dans le motif
de mourir le reflet de processus de décomposition intérieurs
au moi, qui attaquent notre sensibilité de conscience
et favorisent une indifférenciation extrême dans la production inconsciente d'images. On en vient vite alors à une
dissociation entre les niveaux supérieur et inférieur de la
perception; de là aussi les angoisses profondes qui assail-
lent la création de l'art moderne et en particulier d'un art
abstrait qui soit vraiment fertile.

Le lien qu'on peut ainsi faire entre les attaques autodestructrices du moi et l'abstraction se retrouve également dans le développement de l'individu. On se rappelle que je me suis référé à trois phases critiques de la vie de l'individu, où le pouvoir de la pensée abstraite se trouve souvent renforcé. La phase la plus spectaculaire se produit à l'époque où l'enfant acquiert le langage, aux environs de dix-huit mois. Cette période critique tombe entre le premier et le second stade anal; elle coïncide donc avec la phase où l'enfant est le plus vulnérable et a le plus besoin du secours de sa mère. Selon Melanie Klein, c'est le moment, dans la vie fantasmatique de l'enfant, du maximum de sadisme et d'autodestruction. Ce qui est plus significatif dans notre contexte est ce fait — aujourd'hui considérablement négligé, mais bien mis en lumière naguère par Freud — que la vie fantasmatique inconsciente de l'enfant atteint un maximum de dédifférenciation au cours du stade anal; elle fait en effet l'équivalence entre tous les orifices du corps, tous ses développements et ses produits, et s'approche tout près de la limite océanique extrême où s'effacent jusqu'aux frontières qui séparent le soi de l'environnement. Je suis enclin, pour ma part, à penser que la dédifférenciation progressive de la production d'images commence bien avant. À mes yeux, le concept élaboré par Winnicott d'objets « transitionnels » décrit une dissémination et une dédifférenciation dans la vision enfantine du monde qui se fait à un stade très précoce. Le jeune enfant dissémine (dédifférencie) sa relation trop exclusive à sa mère; des brins de laine pelucheux, un coin de couverture attirent et diffusent son attention vers un monde crépusculaire d'objets « transitionnels », où les frontières du moi sont incertaines, où les objets hésitent entre la réalité de la veille et le sommeil. Il est bien possible que cette dissémination à un niveau conscient de ses relations à l'objet présage la dédifférenciation progressive de sa vie fantasmatique inconsciente qui, comme je l'ai dit, parvient à son sommet autour du dix-huitième mois, c'est-à-dire au milieu du stade anal. Quand ce maximum est atteint, la dédifférenciation se transforme en abstraction créatrice, probablement à cause du mystérieux court-circuit qui met en relation les niveaux supérieur et inférieur du moi. L'acquisition du langage suppose chez l'enfant qu'il accepte une part d'indifférenciation dans sa vision du monde. La curiosité qu'il manifeste alors pour les noms génériques des objets devient insatiable, tandis que les noms propres, réservés aux individus

singuliers, n'offrent pour lui qu'un bien maigre intérêt;
ils ne présupposent pas en effet le don d'abstraction. Bien
plus souvent les noms, et même les noms propres, renvoient
à des classes entières d'objets. La réussite de l'enfant
consiste à donner le même nom à un objet qui ne lui est pas
familier — il ne l'a jamais vu auparavant — et qui peut
différer dans son apparence de tout ce qu'il a vu. Il peut
pourtant le nommer et, en le faisant, il affermit sa possession sur lui et transfère sur lui les amours et les haines qu'il
a formés dans sa relation avec d'autres objets. Tandis que
la dédifférenciation inconsciente de la fantasmatique s'éloigne de la réalité concrète et favorise le retrait narcissique,
la nomination abstraite, paradoxalement, sert le contrôle
de la réalité concrète; elle repose pourtant sur la dédifférenciation inconsciente. Il ne faut pas confondre ce pouvoir
d'abstraction tout nouveau chez l'enfant avec l'insuffisance primitive à différencier correctement les objets qui
l'avait précédé. L'enfant alors, en effet, donnait parfois
le même nom à des objets différents, de façon erronée, faute
de reconnaître la différence essentielle qui existait entre
eux; il lui arrive maintenant, tout en connaissant leur différence, de choisir de l'ignorer par un fait actif de dédifférenciation. Il ne tient pas alors compte des différences
d'apparence des objets, au profit d'un lien commun (une
relation abstraite) entre eux. L'abstraction signifie donc
un transfert des relations objectales dans la manière dont
les objets transitionnels se sont formés. En nommant
correctement un objet, l'enfant n'améliore pas seulement
le contrôle qu'il en a, mais il établit avec lui des liens d'amour
et de haine. J'ai suggéré qu'on pourrait fort bien imputer
à Thanatos, la pulsion de mort, l'effet autodestructeur de la
dédifférenciation qui consiste en une décomposition temporaire du moi (de profondeur), tandis qu'on pourrait voir
dans la pensée abstraite une réussite d'Éros, la pulsion de
vie, qui soutient les relations objectales de l'enfant et son
contrôle de la réalité. Le lien, ou le court-circuit fragile qui
transforme en abstraction consciente l'indifférenciation
inconsciente, maintient ensemble des pôles de la vie mentale
qui sont largement divergents. Il n'est pas étonnant dès lors
que ce lien soit vulnérable à la dissociation du moi. Il faudrait
ici, pour confirmer davantage ce point de vue, en savoir plus
sur le rapport qu'on pourrait établir entre les troubles pathologiques de l'apprentissage de la parole chez l'enfant et
une peur de la dédifférenciation inconsciente (décomposition du moi) qui empêcherait d'acquérir la pensée abstraite

Ce rapport apparaît en tout cas plus nettement dans l'effondrement que connaît l'art enfantin au cours de la période de latence. On ne peut à mes yeux — je l'ai déjà dit — s'estimer quitte envers la latence (ou l'âge mûr) en y voyant une période de la vie où s'est perdu le contact avec l'inconscient. Il est certain que cette perte de contact ne se produit malheureusement que trop souvent au plus fort de la latence, c'est-à-dire autour de huit ans. Mais ce qu'on a jusqu'ici laissé dans l'ombre, c'est que l'effondrement de l'art enfantin est dû directement à un progrès virtuel — mais pas souvent réalisé — des facultés abstraites de l'enfant, à la fois dans le domaine artistique et dans le domaine scientifique. On remarque d'habitude que l'enfant plus âgé n'a plus le cœur aux activités artistiques ; ses couleurs se ternissent, ses formes se relâchent, tout en gagnant en réalisme photographique par rapport à l'art « syncrétique » de l'enfant plus jeune. Or le gain superficiel en réalisme fait oublier le fait que seul l'éveil des facultés abstraites toutes nouvelles autorise ce nouveau réalisme. A première vue, l'art syncrétique du jeune enfant semble déjà abstrait, tandis que celui de l'enfant de huit ans paraît plus concret. Mais psychologiquement, c'est l'inverse qui est probablement juste. Qu'on me permette ici de développer ce que je disais du syncrétisme dans le premier chapitre. L'âge de cinq ans correspond à peu près au sommet du stade d'Œdipe classique. Bien que l'enfant puisse être alors ébranlé par le conflit émotionnel qui caractérise ce stade — la rivalité avec son père et l'amour de sa mère —, les figures des parents sont devenues à ce moment-là des personnalités fortement individualisées, concrètes, et réelles, et dégagées des projections presque psychotiques de la première enfance. L'enfant possède alors du monde en général une vision, elle aussi, fortement individualisée. Nous ne devons pas nous laisser égarer par l'abstraction apparente de son art syncrétique. Les mêmes formes simples doivent lui servir à représenter des objets concrets très différents : parents, famille, jouets, maisons, animaux familiers, etc., sans pour autant que son but soit abstrait, puisqu il s'agit d'objets concrets et fortement individualisés. Nous pouvons tout d'un coup éprouver un choc en y découvrant des traits fortement individuels — un léger strabisme de l'œil, une verrue, une dent qui manque —, caractéristiques d'une personne particulière. L'enfant traite en effet des détails aussi infimes avec la même emphase ou indifférence impartiale que des formes plus importantes

C'est qu'il n'a pas encore appris à analyser l'apparence totale des objets en termes de détails importants ou inimportants. Puisqu'ils sont syncrétiques, la vision et l'art de l'enfant vont droit à la forme totale, indivise de l'objet Sous cette lumière, l'art syncrétique de l'enfant se révèle donc concret, puisqu'il reflète fidèlement ses relations objectales qui sont, au cours du stade œdipien, fortement individualisées, même si leur représentation apparaît à l'adulte abstraite et généralisée.

Avec l'arrivée de la latence — une fois le stade d'Œdipe traversé —, les relations objectales de l'enfant, sa vision comme son art, deviennent en effet plus généralisées et, en un sens, « abstraites ». L'enfant se détache de ses parents, se laisse scolariser et transfère ses relations objectales sur le cercle plus large, et un peu incertain, de ses maîtres et de ses camarades. Il essaie alors de submerger le sens de son individualité propre et voudrait apparaître comme tout le monde, et de préférence comme un adulte. On pourrait comparer cette dissémination des relations objectales et du sens de l'identité avec la formation chez le petit enfant des objets « transitionnels » telle que l'a décrite Winnicott, et que j'ai interprétée comme une amorce de dédifférenciation dans la vie fantasmatique consciente de l'enfant. La dissémination et la dédifférenciation des relations humaines qui se produit de façon analogue au début de la latence est peut-être, elle aussi, le signal d'un nouveau progrès de la dédifférenciation inconsciente. Ce que nous pouvons alors observer directement chez l'enfant, c'est précisément la généralisation et l'abstraction naissante de sa vision et de son art. L'enfant ne vise plus des objets totaux indivisibles ; il a pris conscience du caractère composite des objets et de la possibilité qu'ils présentent de former, si on les met ensemble, en eux-mêmes, des détails abstraits dépourvus de sens. Son aptitude nouvelle à décomposer les objets individuels en éléments abstraits devrait lui ouvrir un champ de sensibilité esthétique nouveau ; il pourrait extraire à partir d'objets différents le même élément géométrique abstrait, guidé par la fantasmatique inconsciente indifférenciée qui fait l'équivalence entre les objets. C'est ainsi que deviennent exposées les affinités cachées qui existent entre les objets qui n'ont pas de rapport entre eux ; celles-ci pourraient alors éveiller sa curiosité et le pousser à explorer la signification multi-évocatrice des formes abstraites. Mais il ne se passe rien de tout cela. L'enfant fait un mauvais usage de sa faculté nouvelle :

il ne décompose la totalité de l'objet en composantes abstraites que pour l'aider à comparer ses propres représentations brutes avec l'art plus réaliste qu'il observe chez les adultes ou des enfants plus âgés. Il essaie d'imiter l'œuvre des autres, même si elle ne lui est offerte qu'en exemples dégradés : illustrations de livres scolaires, images de calendriers, de journaux ou d'affiches. L'enfant, désormais abattu, perd courage et intérêt. Son art n'est plus qu'un jeu de formes qu'il ne ressent plus, de couleurs dépourvues de contenu émotionnel, et, dans cette mesure, « abstraites » au mauvais sens du terme ; aussi n'est-il pas sans rappeler la dégradation de l'art moderne, désormais vide et privé de sens pour une bonne part. La raison en est la même : il s'agit de cette dissociation fatale qui se fait entre la sensibilité consciente et la fantasmatique inconsciente. Et l'on admet aujourd'hui que cet effondrement de l'art infantile est une conséquence inévitable de la latence.

Il est cependant rassurant de constater qu'on s'est attaqué avec plus de succès à ce même problème dans une sphère de l'éducation qui en est assez proche, c est-à-dire l'enseignement des mathématiques au niveau de l'école primaire. De même que l'art (au sens adulte) exige nécessairement une conscience plus sophistiquée de la forme abstraite, les mathématiques supérieures présupposent une compréhension des symboles abstraits. L'enfant pourrait — quoiqu'il ne le fasse pratiquement jamais — acquérir le don de comprendre les symboles abstraits aux environs, ici aussi, de huit ans. Il serait insensé de douter qu'on a affaire ici au même changement fondamental — biologique peut-être —, qui affecte à la fois la perception et la pensée de l'enfant. L'éducation doit donc rencontrer le même problème. On pourrait dire — sans qu'il y ait là rien d'absurde — que la conception du nombre chez le tout jeune enfant n'est pas encore abstraite, mais plutôt syncrétique. Le nombre est encore en effet traité comme un objet total, indivisible, doué d'une grande individualité, au même titre que les autres objets concrets de la réalité. Lorsque, à un stade plus avancé, les nombres sont traités comme des symboles abstraits, ils deviennent instables, prêts à se décomposer et à se recombiner en symboles nouveaux ; nous apprenons ainsi à saisir les relations abstraites qu'ils entretiennent. Mais ce traitement abstrait, dynamique des nombres, vient plus tard. Au cours du stade d'Œdipe, quand l'art de l'enfant était encore vigoureux et vital, les nombres possédaient eux aussi leur propre vie plastique — chacun étant un individu séparé aussi réel et statique que tout autre objet concret, et aussi résistant au changement. Pendant la latence, une détérioration s'amorce, parallèlement à l'effondrement que connaît au même moment l'art de l'enfant. Les nombres tendent à perdre leur vie plastique et leur individualité. On peut alors faire faire à l'enfant des exercices qui consistent à les débiter à toute allure à la manière d'une caisse enregistreuse; ils deviennent ainsi des unités de compte impersonnelles, généralisées, que l'enfant mémorise et manie sans compréhension et sans inclination émotionnelle. Il ne suffit pas, pour expliquer cet échec, de se référer à la perte de contact avec la fantasmatique inconsciente, que l'on prétend inévitable. Nous savons maintenant que l'on compromet, peut-être définitivement, l'aptitude aux mathématiques de l'enfant si l'on se contente de l'exercer à un maniement purement mécanique des symboles mathématiques, sans qu'il comprenne émotionnellement leurs relations dynamiques abstraites. Nous commençons aujourd'hui à percevoir qu'il n'y a aucune difficulté à apprendre aux enfants le symbolisme abstrait. L'enfant acquiert spontanément une aptitude nouvelle à traiter les symboles abstraits, avec la même assurance qu'il avait naguère pour les anciennes entités syncrétiques, et les symboles abstraits peuvent parfaitement devenir pour lui aussi réels et aussi plastiques que les objets concrets de la réalité. Il ne sert absolument à rien de relier, comme on le fait parfois, les symboles abstraits à des problèmes pratiques qui se rencontrent dans la réalité quotidienne. L'accent a été mis, tout au long de ce livre, sur le fait que les concepts et les images abstraits doivent leur vie plastique et leur impression de réalité au lien qu'ils ont avec la fantasmatique inconsciente. Si nous devons être vigilants, c'est à empêcher que les symboles abstraits soient dissociés de leur matrice dans l'inconscient. On pourrait y parvenir par une voie détournée en les reliant aux problèmes quotidiens qui revêtent aux yeux de l'enfant une importance émotionnelle; mais l'on pourrait aussi emprunter une voie plus directe en accentuant leur instabilité et leur souplesse dynamiques, leur interaction dynamique multiple, qui réfléchit l'instabilité et le flux de la fantasmatique inconsciente. On s'est attaqué avec succès aux problèmes de l'art abstrait de l'enfant et des mathématiques abstraites en reliant les symboles mathématiques à des jeux de construction qui font manier des patterns visuels abstraits.

L'enfant peut ainsi balayer les interrelations multiples qui existent entre les briques de construction si le professeur accentue suffisamment toutes les possibilités exclusives (sérielles) de leurs combinaisons, de manière à faire visualiser, dans toute constellation concrète particulière, la facilité de leur décomposition et de leur réassemblage. On fait alors aisément le lien de cette instabilité et de cette fertilité des patterns et du concept avec le jeu de la fantasmatique inconsciente irrationnelle qui, de façon parallèle, dédifférencie et regroupe les objets concrets de la réalité suivant les caprices et les fantaisies du ça. Les images et les concepts abstraits sont assez riches et assez souples pour répondre aisément aux demandes de la symbolisation intérieure, comme de la logique et de la nécessité extérieures. On a réussi à éviter, dans les méthodes nouvelles d'enseignement des mathématiques, la généralisation mécanique; il reste maintenant à trouver des moyens analogues pour éviter à l'art enfantin le même dessèchement.

Le physicien-philosophe anglais Ernest Hutten faisait un jour remarquer qu'il existe un rapport entre les mathématiques de Pythagore et le mysticisme pythagoricien *. Les anciens Babyloniens étaient en effet des calculateurs experts, capables de manipuler et d'assembler les nombres avec une grande dextérité; mais ils n'étaient pas encore pour autant de vrais mathématiciens, au sens moderne du mot, impuissants qu'ils étaient à développer des concepts mathématiques abstraits. Pythagore fut le premier à saisir la relation abstraite qui existe entre les nombres, grâce à — et non pas malgré — l'association qu'il faisait entre ces relations et un symbolisme philosophique et irrationnel. Les nombres se mariaient, se séparaient, se combinaient en entités nouvelles avec une extrême souplesse, que venait accroître, et non pas diminuer, la signification métaphysique de ces transactions. L'instabilité et le flux des fantasmes inconscients trouvaient ainsi une manifestation très claire dans la manipulation consciente des nombres; elle les privait de leur solidité et de leur permanence syncrétiques, et donnait à leurs relations abstraites une signification émotionnelle plus riche que celle des nombres eux-mêmes. Vu sous ce jour, le symbolisme métaphysique des mathématiques pythagoriciennes ne constituait pas un trait primitif d'une science nouvelle,

---

* Ernest II. Hutten, *The Origins of Science*, Londres, George Allen & Unwin, 1962, p. 130.

mais bien plutôt un principe essentiel au développement de la pensée abstraite.

Ce qu'il faudrait peut-être éviter dans l'enseignement des mathématiques, c'est de céder à la peur qu'inspirent à l'enfant (ou au professeur) l'indifférenciation et l'abstraction. Je me rappelle que lorsque j'apprenais l'algèbre, le professeur venait constamment me compliquer la tâche — au lieu de la simplifier — en nous assurant sans cesse que nos calculs algébriques pouvaient à tout moment se traduire en termes de maniement de pommes et de poires réelles. En fait, reconvertir des symboles algébriques en pommes et en poires, à un stade critique, pour vérifier la correction des transformations algébriques, ne faisait qu'ajouter à mon sens de l'insécurité. Si mal enseigné que je fusse, j'appris à tomber amoureux des symboles algébriques, et je fus sensible à leur réalité, qui n'avait rien à envier pour moi à la qualité concrète des fruits. Comme je l'ai déjà dit, une fois qu'on a perçu la versatilité d'un symbole abstrait, on a assuré son lien avec la fantasmatique inconsciente, qui entre pour une si grande part dans notre impression d'une réalité plastique.

Mon propos essentiel est donc de démontrer que la latence, bien loin d'assécher la vie fantasmatique inconsciente, semble stimuler les niveaux les plus profonds, presque océaniques du fantasme, où s'enracine le pouvoir conscient de l'abstraction. Il peut arriver que des limites extrêmes de dédifférenciation soient atteintes, dans la fantasmatique inconsciente, au plus fort de la latence. Aussi serait-il plus judicieux d'interpréter le phénomène de la latence comme un nouveau sommet de l'interaction qui se fait entre les pulsions de vie et de mort. La pulsion de mort serait alors responsable, non plus seulement de l'arrêt provisoire du développement sexuel (qui est propre à l'humanité), mais aussi de l'affaiblissement des relations personnelles et de la décomposition du moi inconscient qu'entraîne une dédifférenciation extrême de la production d'images. De telles spéculations, si légitimes soient-elles, ne changent cependant pas grand-chose aux solutions tout à fait pratiques qu'implique, pour la scolarité primaire, la redéfinition psychologique que je propose ici. Comme c'était le cas dans le premier cycle de la petite enfance, la montée de la pensée consciente signale ici que le cycle aborde une nouvelle phase. A huit ans, les organes sexuels reprennent leur développement interrompu et les expériences conscientes, si elles sont nourries par un monde nouveau d'abstraction, s'enrichissent. A l'assaut de la puberté, l'art de l'enfant, s'il est encore possible de lui donner ce nom, absorbe les projections de l'image que se fait le jeune adolescent de son propre corps. Un enseignement fortement individualisé devient alors nécessaire, ne serait-ce que pour annuler le tort subi au plus fort de la latence.

La crise de l'âge mûr présente, elle aussi, ce même double aspect. J'ai dit que l'homme mûr tend à perdre le contact avec son inconscient, et risque donc la névrose. On pourrait vouloir n'attribuer cette perte de contact qu'au processus de vieillissement, à un relâchement de la tension psychique provoqué par une perte d'énergie mentale. Jung, pour une fois, adopte le point de vue opposé. Pour lui, l'homme mûr ne perd pas le contact avec la fantasmatique inconsciente à cause du dessèchement de sa vie mentale, mais plutôt parce que des images archétypales, les symboles de la Renaissance mentale, remuent à nouveau les profondeurs de son esprit; s'il ne peut répondre activement à leur défi, il se coupe alors de son inconscient créateur, et se laisse gagner par la névrose. Si nous nous fondons sur ce que nous a appris la dissociation du moi qui se produit au cours de la latence, la conception dynamique du défi de l'âge mûr, qui est celle de Jung, n'a plus rien d'absurde. On sait que Freud voyait, dans le processus du vieillissement, plus qu'un échec passif de la pulsion de vie, une victoire active de la pulsion de mort. Si, comme j'aimerais à le penser, la décomposition du moi inconscient par la dédifférenciation peut être considérée comme un aspect de la pulsion de mort, il pourrait bien apparaître alors que le renforcement du pouvoir d'abstraction, qui se produit souvent à un âge avancé, vient peut-être d'une troisième et dernière progression cyclique, et d'une éventuelle récession de la pulsion de mort dans notre vie mentale; celle-ci peut mener à un redoublement de la dédifférenciation dans la fantasmatique inconsciente, à laquelle nous ne devons pas manquer de répondre, faute de quoi nous risquons la folie. La rééducation créatrice des personnes âgées pourrait bien se révéler porteuse d'une signification clinique supérieure à celle que nous voulons bien lui accorder pour le moment.

GLOSSAIRE

Cette recherche n'a pu se faire sans laisser dans le vague un certain nombre de ses fils directeurs; j'aurais pu choisir l'abstention-
nisme et me contenter d'observer l'évolution de leur sens au cours
des développements constants de la théorie psychanalytique. On
ne peut en effet s'avancer sur un terrain pratiquement vierge sans
devoir adapter — ou, si l'on préfère, tourner, étendre ou distordre —
la terminologie et les concepts existants pour leur faire rendre compte
des faits nouveaux. Ces faits nouveaux les redéfiniront d'ailleurs
d'eux-mêmes, et l'on risquerait bien, en les redéfinissant explicitement, d'empêcher la confrontation de leur nouvelle acception
avec la gamme de phénomènes qui s'offre maintenant. Mais si, d'un
autre côté, on laisse dans le vague, comme je l'ai fait, l'acception
nouvelle des termes anciens, on peut embarrasser le lecteur, pour peu
que leur usage antérieur ne lui soit pas familier. Aussi vais-je essayer
ici, bien malgré moi, de résumer les points où se marque un écart
entre la pratique courante et mon propre usage des termes existants.

Inconscient : La conception courante veut que le refoulement dans
l'inconscient des pulsions et des fantasmes tienne à leur contenu
inacceptable. On soutient ici que les images et les fantasmes
peuvent aussi bien devoir à leur seule structure (indifférenciée),
leur passage à l'inconscient, ce qui implique, évidemment, une
extension du terme « inconscient ».

Le ça et le moi : Le *ça* est le dépôt et la source des pulsions inconscientes tandis que le *moi* structure et canalise les pulsions et les
fantasmes du ça, qui sont par eux-mêmes inorganisés. Le moi a
donc une fonction intégrante et synthétisante. Or, il existe une
certaine contradiction entre cette fonction intégrante et mon
hypothèse d'un conflit qui opposerait entre elles les différentes

fonctions du moi. En fait, la structure complexe de l'art et du processus créateur suggère que le moi observe des alternances de dédifférenciation (décomposition) et de redifférenciation, sans obéir à l'instigation du ça. Quand le moi est faible, il peut se produire une dissociation entre ses niveaux profonds indifférenciés et ses niveaux superficiels indifférenciés. C'est en particulier le cas dans la schizophrénie.

Oral, anal, phallique, génital : Ces termes dénotent les stades successifs du développement sexuel de l'enfant. Celui-ci passe d'abord par un stade oral de succion et de morsure, et concentre ses intérêts sur le mamelon et sur sa propre bouche ; au cours de sa seconde année, il devient très préoccupé par ses fonctions d'excrétion : il expulse librement ses excréments lors du « premier » stade anal, et les considère comme des présents de valeur, pour apprendre ensuite, avec le « second » stade anal, à les retenir, et, du même coup, à les dévaloriser. Au cours du stade phallique, son intérêt se porte sur les zones génitales, sans qu'il en apprécie pourtant le vrai rôle génital. Ce rôle ne lui apparaîtra vraiment qu'au stade œdipien génital, autour de la cinquième année ; c'est alors que le garçon courtise sa mère et défie son père. La sexualité génitale incorpore les stades précédents au titre de pulsions composantes, et les visées non-génitales qui caractérisent les perversions adultes coïncident avec des stades antérieurs, prégénitaux, du développement infantile. Ce qui faisait dire à Freud que l'enfant est un pervers « polymorphe ».

L'histoire des pulsions sexuelles infantiles est l'histoire du ça, à travers la structuration progressive qu'opère en lui le moi. Mon analyse des fantasmes poémagogiques accorde une importance nouvelle aux variations de la différenciation structurelle que présente l'imagerie orale-anale, phallique et génitale. Au niveau génital œdipien du fantasme, nous rencontrons le triangle familial du père, de la mère et de l'enfant. Au niveau phallique, la mère n'est plus clairement différenciée du père pour être imaginée comme un mâle châtré. Si l'on se rapproche du niveau anal, il arrive souvent que la mère ne soit pas différenciée du père et qu'elle devienne alors ambisexuelle. Les zones corporelles peuvent, elles aussi, connaître le même affaiblissement de différenciation. La fantasmatique orale, quant à elle ne parvient pas à différencier la bouche et le vagin, ou le mamelon et le pénis, tandis que la fantasmatique anale confond toutes les origines et toutes les excroissances du corps. Avec la fantasmatique poémagogique, c'est au niveau maniaque-océanique le plus profond, où cesse toute différenciation, que nous avons à faire ; l'enfant a incorporé les pouvoirs générateurs de ses parents, et reste seul. Or, ce niveau de la fantasmatique créatrice, qui est d'une importance extrême, ne trouve pas de place dans l'histoire du développement sexuel. Aussi peut-on se demander si les autres fantasmes poémagogiques qui se situent aux niveaux oral, anal et génital renvoient effectivement à des fantasmes ou à des expériences des stades correspondants du développement infantile; il est plus vraisemblable qu'il s'agisse des produits d'une activité créatrice relativement tardive, et qui produirait une imagerie qui ressemble, dans sa structure, au matériel infantile.

Les positions paranoïde-schizoïde et dépressive : Melanie Klein s'est beaucoup intéressée à la maturation des relations humaines. Dans la petite enfance, la relation du bébé à sa mère est profondément colorée de fantasmes quasi psychotiques, qui ont avec la psychose adulte le même rapport que la sexualité infantile avec les perversions adultes (Melanie Klein aurait pu parler de l'enfant comme d'un « psychotique polymorphe »). Les fantasmes de l'enfant passent alternativement par deux « positions » qui empruntent leur nom aux deux principaux types de psychose (schizophrénie, dépression maniaque). Dans la première position, appelée *paranoïde-schizoïde*, se produit un « clivage » extensif. L'enfant scinde sa mère en bons et en mauvais aspects, qu'il imagine comme des personnes différentes. Il tend aussi à couper de lui par un clivage tout ce qu'il éprouve comme des mauvaises parties de lui-même, et les projette dans sa mère, qu'il imagine alors comme un persécuteur. Les projections conduisent à leur tour à des introjections en sens inverse : l'enfant peut ainsi incorporer la mauvaise figure maternelle persécutrice, ce qui redouble la tension intérieure à la personnalité de l'enfant, redouble aussi le clivage et la projection extérieure. On aboutit ainsi à un cercle vicieux, jusqu'à ce qu'enfin survienne la position *dépressive* qui apporte un soulagement. L'enfant s'aperçoit alors que les deux figures bonne et mauvaise de la mère ne constituent en fait qu'une seule et unique personne. Il accroît du même coup son pouvoir d'intégration, qu'il s'agisse de l'expérience du monde extérieur, ou de celle du monde intérieur, mais il se heurte aussi à l'inévitable « dépression », en découvrant que les atteintes qu'il voulait réserver à la mauvaise figure maternelle ont en fait lésé la bonne mère. Si tout se passe bien, l'enfant devient alors prêt à faire « réparation » de sa faute. Le désir et la capacité de réparation constituent le fondement même de tout travail créateur, puisque celui-ci donne le sentiment de contribuer à rétablir l'intégrité de la bonne mère.

Dans la psychose maniaco-dépressive de l'adulte, la « dépression » alterne avec la « manie ». Le malade maniaque manifeste une confiance et une activité excessives, et dénie toute possibilité d'obstacle ou d'échec. Dans le contexte de la position dépressive, une défense maniaque sert à parer l'angoisse dépressive. L'enfant, par la dénégation maniaque des atteintes qu'il a portées à la bonne mère, ou peut-être aussi par l'idéalisation de la mère, échappe à une réalité dépressive et à l'exigence de remplir son devoir de réparation.

Ma conception propre de la manie créatrice ou d'une phase « maniaque-océanique » du travail créateur ne cadre pas immédiatement avec la conception kleinienne qui s'en tient, pour sa part, à deux positions. La solution n'est pourtant pas loin si l'on tient compte du fait que je me réfère à des stades relativement tardifs du développement du moi, c'est-à-dire à un moment où l'enfant est déjà parvenu à une vie fantasmatique assez riche, et d'une extrême indifférenciation.

Océanique-maniaque: Freud a parlé d'un sentiment « océanique » caractéristique de l'expérience religieuse; le mystique, en effet, a le sentiment de ne faire qu'un avec l'univers, et voit son existence individuelle comme une goutte d'eau perdue dans l'océan. Peut-être refait-il l'expérience d'un stade mental primitif — celui de l'enfant qui n'avait pas encore conscience de son individualité séparée, et se sentait confondu avec sa mère. Les fantasmes de retour à l'utérus ont parfois cette qualité océanique mystique. Il est aujourd'hui bien connu que toute expérience créatrice — pas seulement religieuse — peut produire un état océanique. Cet état n'est pas forcément, à mon avis, l'effet d'une « régression » ou d'un état infantile, mais il pourrait bien être le produit de l'extrême dédifférenciation qui survient aux niveaux plus profonds du moi lors du travail créateur. La dédifférenciation suspend en effet toutes sortes de frontières et de distinctions; elle peut même, à l'extrême limite, faire sauter les frontières de l'existence individuelle, et produire ainsi un sentiment océanique mystique d'une qualité spécifiquement maniaque. La manie en effet, au sens pathologique, porte atteinte aux différenciations rationnelles qu'il est normal de voir se faire au niveau conscient, et altère ainsi notre sens de la réalité. En déniant la distinction entre le bon et le mauvais, entre le mal et l'intégrité physiques, elle peut jouer le rôle d'une défense contre les éléments dépressifs. Mais aux niveaux plus profonds du moi, qui sont en général inconscients, la dédifférenciation ne dénie pas la réalité, elle la transforme selon les principes structurels qui valent à ces niveaux plus profonds. La réalité du mystique peut bien être maniaque-océanique sans constituer pour autant une dénégation pathologique de la réalité. L'artiste qui veut tenter une œuvre profondément originale ne doit pas se fonder sur les distinctions conventionnelles entre le « bon » et le « mauvais », mais leur préférer des modes de perception plus profonds, indifférenciés, qui lui permettront de saisir la structure totale et indivisible de l'œuvre d'art. Cette saisie est seule capable de cette qualité maniaque qui transcende la distinction entre les bons et les mauvais détails contenus dans l'œuvre, et c est le *scanning* de la structure totale qui fournit à l'artiste les moyens de réévaluer des détails et de revenir sur son premier jugement, favorable ou défavorable. Il lui faudra peut-être alors renoncer à un détail heureux qui, obtenu prématurément, entrave maintenant le cours de son imagination, pour prendre comme nouveau point de départ un trait apparemment mauvais. C'est souvent à la faveur d'un passage à vide de l'esprit que se produit ce *scanning* de la structure totale. Tout se passe comme si, pendant cette coupure du flot de conscience, les distinctions ordinaires du bon et du mauvais étaient suspendues « maniaquement ». La dédifférenciation océanique ne se produit d'habitude qu'aux niveaux profondément inconscients, échappant ainsi à l'attention· si on la rend consciente, ou plutôt, si les résultats du *scanning* inconscient indifférencié montent à la conscience nous risquons bien alors d'éprouver des sentiments d'extase maniaque. L'oscillation qui fait ainsi alterner les états maniaques et les états dépressifs resulte peut-être de cette alternance rythmique où se succèdent des types de perception tantôt différenciés et tantôt indifférenciés, et que suscite tout travail créateur.

Clivage schizoïde et dissociation du moi : Quand Melanie Klein parle de clivage, elle désigne essentiellement le clivage qui détache des parties d'un objet ou du soi. Dans cette recherche, au contraire, où l'on traite du travail créateur d'une personnalité parvenue à son plein développement, on a parfois recours au terme de « clivage schizoïde » pour désigner des « fissures horizontales » du moi. En effet, la stratification d'un moi qui a atteint sa pleine maturité est constituée de niveaux nombreux qui fonctionnent selon des principes différents. Le clivage horizontal qui nous intéresse au premier chef provoque dans le moi la dissociation de ses niveaux profonds et indifférenciés d'avec ses niveaux superficiels et hautement différenciés. Pour éviter une confusion bien inutile avec des processus de clivage plus primitifs, j ai en général préféré me servir du terme de « dissociation du moi ». Ces deux types de clivage sont en fait d'un point de vue psychologique, très proches, et j'ai découvert, quand j'ai eu comme élèves des cas qui frisaient la psychose, que la dissociation du moi qui sous-tend la stérilité créatrice représentait un trait « schizoïde » qui leur était commun.

Pulsion de mort (Thanatos) : Le concept freudien d'une pulsion

de mort est rejeté par de nombreux auteurs. Melanie Klein
s'en est servie pour rendre compte de l'agressivité autodestructrice des premiers fantasmes infantiles. C'est en fait un concept
qui comporte beaucoup d'aspects. J'ai proposé, pour ma part,
d'attribuer à la pulsion de mort la propension innée du moi à la
dédifférenciation, parce que celle-ci correspond bien à une partie
de ces aspects. Elle représente en effet une décomposition temporaire du moi, au moins à ses niveaux les plus profonds, tend à
affaiblir les relations objectales et à favoriser le retrait narcissique;
enfin, de façon très significative, cette différenciation, en tant que
principe structurel, est tautologique par rapport au concept
freudien de la pulsion de mort. La dédifférenciation (l'entropie)
participe de la tendance qui est celle de la vie à retourner à l'état
inorganique. Selon Schroedinger, la matière organique est carac-
térisée par une organisation moléculaire hautement différenciée
et stable, qui résiste à l'entropie de la matière inorganique, tandis
que la structure moléculaire inorganique tend à être uniforme et
indifférenciée. Le moi, en tendant ses efforts vers l'indifférenciation, vise l'état uniforme de la matière morte inorganique. La mort
est l'indifférenciation.

RÉFÉRENCES BIBLIOGRAPHIQUES

1. B. Bettelheim, *Les Blessures symboliques: essai d'interprétation des rites d'initiation*, traduit de l'anglais par Claude Monod. Paris, Gallimard, 1971.
2. F. R. Bienenfeld, *The Rediscovery of Justice*. Londres, G. Allen et Unwin, 1947.
3. W. R. Bion, *Learning from Experience*, Londres, Heinemann, 1962.
4. A. Ehrenzweig, « The Origin of the Scientific and Heroic Urge », *Intern. J. Psychoanal.*, 30/2, 1949.
5. A. Ehrenzweig, *The Psycho-analysis of Artistic Vision ana Hearing*, New York, Geo. Braziller, 1965 (2ᵉ édition).
6. A. Ehrenzweig, « Alienation versus Self-expression », *The Listener* LXIII, 1613, 1960.
7. A. Ehrenzweig, « Towards a Theory of Art Education », *Report on an Experimental Course for Art Teachers*, Londres, Université de Londres, Goldsmith's College, 1965.
8. A. Ehrenzweig, « The Undifferentiated Matrix of Artistic Imagination », *The Psychoanalytic Study of Society*, III, 1964.
9. A. Ehrenzweig, « Bridget Riley's Pictorial Space », *Art International*, IX. 1, 1965.
10. C. Fisher et I. H. Paul, « The Effects of Subliminal Visual Stimulation », etc., *J. Americ. Psychoanal. Assn.*, 7, 1959.
11. Else Frenkel-Brunswik, « Psychodynamics and Cognition », *Explorations in Psychoanalysis* (édit. R. Lindner), New York, Julian Press, 1953.
12. E. H. Gombrich, *L'Art et l'illusion*, Gallimard, 1971.
13. E. H. Gombrich, *Meditations on a Hobby Horse*, Londres, Phaidon, 1963.
14. M. Grotjahn, *Beyond Laughter*, New York, Blakiston, 1957.

15. J. Hadamard, *Essai sur la psychologie de l'invention dans le domaine mathématique*, Blanchard Lib., 1959.
16. P. Klee, *The Thinking Eye*, Londres, Lund Humphries, 1961.
17. A. Koestler, *The Act of Creation*, Londres, Hutchinson, 1964.
18. B. D. Lewin, « Reconsideration of the Dream Screen », *Psychoanal. Quart.*, 22, 1953.
19. V. Lowenfeld, *The Nature of Creative Activity*, Londres, Kegan Paul, 1939.
20. Ida Macalpine et R. A. Hunter, « Observations of the Psychoanalytic Theory of Psychosis », *Brit. J. Med. Psych.*, 27, 1954.
21. Marion Milner (sous le pseudonyme de Joanna Field), *An Experiment in Leisure*, Londres, Chatto et Windus, 1937.
22. Marion Milner, « The Role of Illusion in Symbol Formation », *New Directions in Psycho-Analysis*, Londres, Tavistock Publications, 1955.
23. Marion Milner, « Psycho-analysis and Art », *Psycho-analysis and Contemporary Thought*, Londres, Hogarth Press, 1958.
24. Marion Milner, *The Hands of the Living God, A Psychoanalytic Experience*, Londres, Hogarth Press, 1969.
25. H. Read, *Icon and Idea*, Londres, Faber, 1955
26. G. Róheim, *Les portes du rêve*, Paris, Payot, 1973.
27. Hanna Segal, « Notes on Symbol Formation », *Intern. J. Psychoanal.*, 38, 1957.
28. M. von Senden, *Space and Light*, Londres, Methuen, 1960.
29. E. Simenauer, « " Pregnancy Envy " in Rainer Maria Rilke », *American Imago*, 11, 1954.
30. A Stokes, « Form in Art », *New Directions in Psycho-analysis*, Londres, Tavistock Publications, 1955.
31. A. Stokes, *Michelangelo, a Study in the Nature of Art*, Londres, Tavistock Publications, 1955.
32. A. Stokes, *Three Essays on the Painting of our Time*, Londres, Tavistock Pub., 1962.
33. H. Weisinger, *Tragedy and the Paradox of the Fortunate Fall*, Londres, Routledge, 1953.
34. D. W. Winnicott, *De la pédiatrie à la psychanalyse*, Paris, Payot, 1971.
35. L. Wittgenstein, « Investigations philosophiques », in *Tractacus logico-philosophicus*, Paris, Gallimard, 1961.
36. A. Turel, *Bachofen-Freud*, Berne, Hans Huber, 1939.
37. J. Varendonck, *The Evolution of the Conscious Faculties*, Londres, G. Allen and Unwin, 1923.

INDEX DES NOMS CITÉS

tel

Dernières parutions

211. Antoine Arnauld, Pierre Nicole : *La logique ou l'art de penser.*
212. Marcel Detienne : *L'invention de la mythologie.*
213. Platon : *Le politique, Philèbe, Timée, Critias.*
214. Platon : *Parménide, Théétète, Le Sophiste.*
215. Platon : *La République (livres I à X).*
216. Ludwig Feuerbach : *L'essence du christianisme.*
217. Serge Tchakhotine : *Le viol des foules par la propagande politique.*
218. Maurice Merleau-Ponty : *La prose du monde.*
219. Collectif : *Le western.*
220. Michel Haar : *Nietzsche et la métaphysique.*
221. Aristote : *Politique (livres I à VIII).*
222. Géralde Nakam : *Montaigne et son temps. Les événements et les* Essais *(L'histoire, la vie, le livre).*
223. J.-B. Pontalis : *Après Freud.*
224. Jean Pouillon : *Temps et roman.*
225. Michel Foucault : *Surveiller et punir.*
226. Étienne de La Boétie : *De la servitude volontaire ou Contr'un* suivi de sa réfutation par Henri de Mesmes suivi de *Mémoire touchant l'édit de janvier 1562.*
227. Giambattista Vico : *La science nouvelle (1725).*
228. Jean Kepler : *Le secret du monde.*
229. Yvon Belaval : *Études leibniziennes (De Leibniz à Hegel).*
230. André Pichot : *Histoire de la notion de vie.*
231. Moïse Maïmonide : *Épîtres (Épître sur la persécution — Épître au Yémen — Épître sur la résurrection des morts — Introduction au chapitre Helèq).*
232. Épictète : *Entretiens (Livres I à IV).*
233. Paul Bourget : *Essais de psychologie contemporaine (Études littéraires).*
234. Henri Heine : *De la France.*
235. Galien : *Œuvres médicales choisies,* tome 1 *(De l'utilité des parties du corps humain).*
236. Galien : *Œuvres médicales choisies,* tome 2 *(Des facultés naturelles — Des lieux affectés — De la méthode thérapeutique, à Glaucon).*
237. Aristote : *De l'âme.*
238. Jacques Colette : *Kierkegaard et la non-philosophie.*
239. Shmuel Trigano : *La demeure oubliée (Genèse religieuse du politique).*
240. Jean-Yves Tadié : *Le récit poétique.*
241. Michel Heller : *La machine et les rouages.*

Ouvrage reproduit
par procédé photomécanique.
Impression Bussière Camedan Imprimeries
à Saint-Amand (Cher), le 10 octobre 1997.
Dépôt légal : octobre 1997.
Premier dépôt légal : février 1982.
Numéro d'imprimeur : 1/2740.
ISBN 2-07-029667-9./Imprimé en France.